PA KRUGMAN

AR UING WITH ZOMBIES

ゾンビとの論争

——経済学、政治、よりよい未来のための戦い

ARGUING WITH ZOMBIES

Economics, Politics, and the Fight for a Better Future

by

Paul Krugman

Translated by
Hiroo Yamagata

First published 2020 in Japan by
Hayakawa Publishing, Inc.
This book is published in Japan by
arrangement with
W. W. Norton & Company, Inc.
through Japan Uni Agency, Inc., Tokyo.

同僚にして友人故ウーウェ・ラインハートの想い出に。彼は医療経済学の議論を進めるのに誰よりも貢献し、何より私が馬脚を現さないようにしてくれた。

目次

第10部　減　税……247

第11部　貿易戦争……281

謝辞

本書の論説の大半はもともと新聞コラムとして発表されたものだけれど、コラム執筆というのはほとんどがその定義からして、リアルタイムの相談どころか共同作業すら不可能な性質のものとなる。朝起きて、コーヒーを飲み、ネタを決める――事前の計画はほぼ無理だ。目先の出来事につぶされてしまうから。そして夕方五時までに何かを仕上げねばならない。ブログ投稿となると、漠然とした思いつきから公開までものの数時間かそれ以下だから、議論を経て仕上げる機会はなおさら少ない。ほとんどの場合、生産的な批評と見直しであてにできる唯一の人物は、妻のロビン・ウェルスだけで、彼女はしばしば実に有意義なフィードバックをくれた。

でもコラム執筆は、その問題に関する継続的な議論を背景としている。私はここで記録した一五年間の作業の間に、多くの人々の叡智を活用している。その一部をここで挙げるが、それがまったく不完全きわまる一覧なのは十分に承知のうえだ――私はこの時期に文字通り何千ものコラムやブログ投稿をしてきたし、必要な技能について誰に頼ったかさえ思い出せないことも多い――そして多くの人々を不当に無視しているのもわかっている。

ヘルスケアについては、ウーウェ・ラインハートの助けを得た。本書は彼に捧げる。またジョナサン・グルーバーの助けも得た。

ディーン・ベイカーはアメリカが巨大な住宅バブルを抱えていることを納得させてくれた。

ブラッド・デロングと私はケインズ的な危機対応をある意味でタッグを組んで呼びかけた。

効率市場ファイナンスをめぐる私の不満についての記述はジャスティン・フォックスの研究に大きく頼っている。

マイク・コンクザルは、緊縮派経済学のひどい論理を理解する手助けをしてくれたし、サイモン・レン＝ルイスはそのひどい論理がなぜイギリスで栄えているかを理解する手助けをしてくれた。財政赤字の雪だるま式拡大がなぜあり得ないかを指摘してくれたのは、確かリチャード・コーガンが最初だったと思う。

エマニュエル・サエズとガブリエル・ズックマンは、課税について私たちみんなに教えてくれた以外に、民主党の新しい提案、特にウォーレンの富裕税を私が理解するのを大いに手伝ってくれた。チャド・ボーウェンはトランプの関税がどうなっているかをじっくり説明してくれた。

ラリー・ミシェルは技術と格差の関係またはその不在について、私が知っていることをほとんど教えてくれた。もっと一般的な話として、しばしば格差データの意味を理解するにあたり、ストーンセンターの同僚ジャネット・ゴーニックの世話になった。

保守主義運動について私が知っていることのほとんどはリック・パールスタインから教わった。同じくストーンセンターの同僚レスリー・マッコールは、課税と支出をめぐる有権者の態度に関する政治科学を正しく理解する（あるいは少なくとも前ほどまちがえないようにする）手助けをしてくれた。

並ぶ者のないマイケル・マンとのやりとりで、気候科学のいやらしい政治が理解しやすくなった。

最後に、ノートン出版のドレイク・マクフィーリーに一言お礼を。彼は私が『ニューヨーク・タイムズ』に執筆するはるか以前から、私の一般向け著書を出版してくれた——そして本来よりもはるかに優れたものにしてくれた。

はじめに：正義の戦い

評論家稼業は当初の予定には入っていなかった。

一九七七年に大学院を卒業したときは、教育と研究に専念する人生を思い描いていた。公的論争で何らかの役割を果たす羽目になったとしても、それはテクノクラート役だろうと思っていた——政策担当者に対し、何がうまくいって何がうまくいかないかに関する情報を淡々と提供する人物だ。

そして私の最も参照された研究を並べてみれば、そのほとんどはおおむね政治とは無縁だ。その一覧は、経済地理学と国際貿易に関する論文ばかり。そうした論文は政治性がないどころか、ほとんどは政策にすら関係ない。どれもどちらかといえば、貿易や産業配置の世界的なパターンを理解しようという試みだ。経済学の業界用語を使うなら、それらは「記述型経済学」だ——世界がどう動くかという分析なのだ。「規範的経済学」、つまりどういうふうに動くべきか、という話ではない。

だが二一世紀のアメリカではすべてが政治的だ。多くの場合、経済的な問題について証拠の物語ることを受け入れるだけで党派的な活動と見なされる。たとえば、アメリカ連邦準備制度理事会（FRB）が国債をたくさん買ったらインフレが起こるか？　実証的にはっきりした答は、経済が停滞しているなら「ノー」というものだ。FRBは二〇〇八年金融危機の後で三兆ドルの国債を買ったけれど、インフレは低いままだった。でもFRBの方針が危険なほどインフレ促進的だという主張は、実質的に共和党の公式見解になったので、現実を認知するだけでリベラル派と見なされることになる。

実際、場合によってはある種の質問自体が党派的な行動と見られる。所得格差がどうなっているか尋ねたら、かなりの保守派に反米主義呼ばわりされる。彼らの見方からすると、所得分配の話を持ち出したり、中産階級所得を金持ちと比べたりするだけで「マルクス主義的発言」となる。

そしてもちろんこれは経済学だけじゃない。むしろ経済学者なんて、気候科学者に比べればお気楽なものだ。彼らは、強力な利害関係者が誰にも聞かせたくない結論を出したら訴追されかねない。あるいは銃による暴力の原因を研究している社会科学者を見よう。一九九六年から二〇一七年にかけて、アメリカ疾病予防管理センターは銃火器による死傷研究に出資するのを文字通り禁止されていた。

では学者志望者はどうすればいいだろう？　一つの対応は、政治的な圧力を無視して研究を続けることだ。これは尊重すべき選択だし、ほとんどの学者（経済学ですら）ではこれが正しい選択だ。だが公的な知識人というのも必要だ。研究を理解し尊重しつつ、政治的な論争にとび込む意欲もある人々だ。

本書は、私がその役割を果たそうとした論説を集めたもので、ほとんどが『ニューヨーク・タイムズ』に書いたものだ。どうしてそんな立場になったか、その立場で何をしたいのかについては、また後で話そう。でもまず、別の質問をしよう。なんだってこれほど政治的になってしまったんだろうか？

政治化のルーツ

政治にはいろいろ課題があるから、人々は単純な右派／左派の軸に当てはまらない、実に様々な立場に立っているはずだ。たとえば銃規制には強く賛成し、地球温暖化に取り組む強い政策を求めつつ、社会保障や健康保険は民営化するか、廃止すべきだという有権者も考えられるわけだ。

でも実際には、現代アメリカの政治はまさにほとんどが一次元的だ。これは特に選出された議員について言える。ある議員が、国民皆健康保険についてどんな立場かを知れば、気候政策についての立場も予測がつく——その逆もなりたつ。

この政治的次元の単線ぶりを定義づけるのは何だろうか？　基本的には、伝統的に左派・右派の連続体だ。市場経済のリスクや格差をなくすにあたり、公共政策がどのくらい役割を果たすべきだと考えるか？　現代のデンマークのように、税金は高く、社会的セーフティネットは強力で、労働者保護が充実しているような社会がいいのか、それとも金ピカ時代の、自由放任が支配していたアメリカのような社会がいいのか？

ある水準で見ると、この立場の軸は価値観をめぐるものだ。左派の人々は哲学者ジョン・ロールズが定式化したような社会正義の概念を持つ傾向がある。人々は、自分がどの立場になるか、どんな役割になるかわからないときに選ぶような社会を支持すべきだと考える。基本的にこの道徳的な立場というのは「自分も神様の恩寵がなかったら、不幸な立場になっていたかもしれない」というものだ。もちろん、神様の部分はないことが多いけれど。

これに対して右派の人たちは、格差やリスクを減らす政府介入を不道徳と見る（あるいはそう主張する）。金持ちに課税して貧乏人を助けるのは、彼らに言わせるとその目的がいかに賞賛すべきものであっても、強盗の一種ということになる。

経済学は、どんな価値観を保つべきかを教えてはくれない。でも、ある特定の価値観集合を反映した政策で何が期待できるかについては明らかにしてくれる。だがまさにそこで政治化が入り込んでくる。特に、政府の役割拡大に反対したがる人々は、そういう役割が不道徳なだけでなく非生産的で、破壊的ですらあると論じたがる。そして証拠がそれを支持しなければ、その証拠とそれを生み出した人々双方を攻撃するようになる。

理屈から言えば、この主の政治化は右派だけでなく左派からも生じるはずだ。実際、時と場所によっては強力なプレーヤーが、たとえば価格統制が物不足を引き起こすとか、お金を刷るとインフレになるとかいうのを絶対に認めようとしなかったことはある——最近のベネズエラを参照。アメリカですら、国民皆保険を実現するやり方はいろいろあり、民間保険会社の大きな役割を維持する皆保険もあるのだと指摘する人（えー、この私とか）を企業権益の走狗だと攻撃する左派の人々も多少はいる。

でもお金と権力の現実を見ると、現代アメリカでのあらゆるものの政治化のほとんどは、右派からの圧力を反映したものとなる。

なんといっても、低課税で最小限の政府による社会を支持する理念的な主張はあるとはいえ、現代の保守はそうした理念的な説得よりは、金ピカ時代に向けた歩みを再現することで個人的に大儲けする人がいるという事実に頼りたがるのだから。自分たちの望む方向に社会が動けば、万人にとって得になるという見方を後押しするのは、彼らにとって大いに有利となる。そして右派大金持ちからの金銭支援は、ゾンビ思想を復活させる強力な力となる。ゾンビ思想というのは、反証によって滅びたはずなのに、相変わらずヨタヨタとうろついては人々の脳みそを食い散らかす思想だ。

こうしたゾンビの中で最もしつこいのは、金持ちに課税するのが経済全体にとって大打撃をもたらすから、高所得者の税金を下げれば奇跡のような経済成長が起こるという頑固な発想だ。このドクトリンは現実には何度も破綻しているのに、共和党での影響力はむしろ強まっているほどだ。

ゾンビは他にもいる。税金が低くて社会福祉も低い国がお望みなら、セーフティネット施策は有害でうまくいかないと主張したいだろう。だから国民皆保険を提供するのは不可能だと固執するために、えらく手間暇が割かれることになる。でもアメリカ以外のあらゆる先進国は、不思議なことにまさに国民皆保険を実現しているのだ。

言いたいことはおわかりだろう。だが税と支出の分析が政治色を持つのはわかりやすいけれど、なぜその政治化がそれほど明らかに階級利害と対応しない分野にまで広がるのだろうか？　大金持ちだって暮らしやすい惑星は必要なのに、なぜ気候変動はこんな右派／左派で意見の分かれる問題になっているのか？　不景気ではみんな苦しむのに、なぜ保守派は不況対策でお金を刷るのに反対するのだろうか？　そしてなぜ人種をめぐる態度は、課税や支出をめぐる立場とこれほど密接に相関しているのだろうか？

答の相当部分は、あらゆる政府の積極活動を結ぶ、ある種のグルーピング効果があるのだと政治プレーヤーたちが（おそらく正しく）信じているということだ。温室ガス排出を減らす公共政策が必要なのだと人々が納得してしまえば、格差削減にも公共政策が必要だという考えも受け入れやすくなる。金融政策で不景気に対処できると納得した人々は、ヘルスケアへのアクセスを拡大する政策も支持しがちになるだろう。

これは今に始まったことではない。一九四〇年代と五〇年代に、アメリカ右派はケインズ経済学に猛然と反対し、それを大学で教えるのを禁止させようとすらした。ジョン・メイナード・ケインズは自分の経済学を「そこそこ保守的」なドクトリンだと正しく表現し、それを資本主義否定ではなく、資本主義温存のための方策として述べていたのだが。なぜだろうか？　右派はそれを、政府全般をもっと拡大するためのくさびのとっかかりだと見なしたからだ。でも今のアメリカは、当時よりはるかに政治的に両極化しているので、政治化もさらに広がっている。

グルーピング効果以外に、政治的な企みの影響がある。つまりアメリカの政治はかつて、一次元ではなく二次元構造だった——右派と左派の軸だけでなく、人種平等／人種分離の軸もあった。そして今日に到るまで、自分たちには大きな政府を求めつつ、肌の黒い人々には大きな政府を与えたくない人々がかなりいる（その反対となる進歩的リバータリアン的立場——小さい政府と人種寛容——は論理的に首尾一貫しているが、お高くとまった数十人を除けばほとんど支持者がいないようだ）。でも人種差別的で大きな政府を支持する政治家はほとんどいない。むしろ経済的右派は、白人労働者階級の人種的な敵対心を煽ることで、そうした労働者たちの依存する福祉プログラムを攻撃しつつも彼らの支持を勝ち取っている。だから人種寛容や、ジェンダー平等だのＬＧＢＴＱの権利だのといった各種の社会リベラリズムは、他のすべてと同じ政治的分断にはまってしまう。

こうしたすべての結果として、私が言ったように、すべてが政治化してしまう。ダニエル・パトリック・モイニハンが「誰でも自分なりの意見は持てるが、自分なりの事実というものは持てない」と言ったのは有名だ。でも現代アメリカでは多くの人々が本当に、自分なりの事実を持てると思い込んでいる。これはテクノクラート的な夢――つまり政策担当者がもっとうまく統治できるように手助けする、政治的に中立なアナリストになるという考え方――は、少なくとも現時点では、崩壊したということだ。でも社会としての方向性を気にかける学者が果たせる役割は、他にもあるのだ。

両極化の時代における政治評論

経済学みたいな専門分野についてかなり詳しいけれど、社会的な論争にも影響を与えたかったとしよう。社会的論争というのは、専門的な問題について詳しくないし気にもしない人々がその問題を論じるやり方だ。もちろんこれは私の立場をあらわしたものだけれど、他にもこれに該当する人々は多い。公共圏に移行した経済学者は他にもいる――たとえばジョセフ・スティグリッツは、偉大な経済学者ながら公共知識人として生まれ変わったし、イギリスのサイモン・レン＝ルイスもそうだ。また経済学の立派な素養を持つジャーナリストも増えてきた。たとえば『タイムズ』のデヴィッド・レオンハートや『ワシントン・ポスト』のキャサリン・ランペルなどだ。この役割をうまく果たすには何が必要だろうか？

本書の最終部分には、私が一九九三年に書いたエッセイ「ぼくの研究作法」が収められている。そここでは研究の四つのルールを述べた。ここでも同様に、政治評論の四つのルールを述べてみよう。それが本書のほとんどすべてを導くものとなっている。最初の二つのルールは議論の余地がないはずだ。残り二つは、たぶんそうでもなかろう。それを挙げてみよう。

・簡単な話にとどめよう
・一般用語で書こう
・不正直な点について正直であれ
・動機の話を恐れないこと

簡単な話にとどめよう：経済学にはいろいろむずかしい問題がある――真面目で正直な研究者でも意見がわかれるような問題だ。評論家経済学者は、そうした問題をどう扱うべきだろうか？

私の答は、そうした問題にはできればおおむね近寄るな、というものだ。実際には、現実世界の経済学論争の大半は簡単な問題についてのものなのだ――はっきりした正解があるのに、強力な利害関係者たちがそれを受け入れたがらないのだ。こうした問題に専念し、正解を伝えようとすることで、公的な議論を改善できる。それで難問が消えるわけではないけれど、新聞の論説欄はそういう問題を議論するのに適した場所ではない。

たとえば政府債務の影響となると、世間として知っておくべきなのは、景気が沈滞しているときに財政収支を均衡させようとすると不況がもっと悪化するということ、そして財政赤字が加速するといったおそれは誇張されすぎているということだ。インフラ支出の評価にどんな金利を使うべきかといった、もっとむずかしい問題はある。でも簡単な問題だけで、書くネタはいくらでも出てくる。

一般用語で書こう：経済学者評論家が英語（一般用語）で書けというのは、別に文字通りのことではもちろんない。それどころか、基本的な経済学概念をドイツ語で説明してくれる人が増えたら、世界はずっとよくなるはずだ。ここで私が言っているのはむしろ、上手な評論家になるためには、普通の用語を使うようにしろということだ。馴染みのない概念を人々がすでに理解していると思わないこと。

どういうことかと言うと、私の最も引用数の多い論文「収穫逓増と経済地理学」を考えてみよう。研究に専念していた時代（この論文が発表されたのは一九九一年だ）、私は経済学者の中ではわかりやすい書き手だという評判を得ていた。つまり直感を説明するのがうまく、数学の水準は控えめ、ということだ。だがその論文では、数式を除いてもこんな文章が出てくる。「不完全競争と収穫逓増が存在した場合、金銭的外部性が重要となる」

『ニューヨーク・タイムズ』の読者のうち、いまの意味がわかる人は一％もいるだろうか？

専門用語を使わないようにするのは、結構むずかしい。その理由の一部は、ほとんどの専門用語は理由があって使われているからだ――さっきの引用も、意図した読者たちにとっては重要なことを述べていて、同じことをあの業界用語なしで述べるためには、何百語、いや何千語も費やさねばならない。それとある専門的な話に没頭して長年過ごすと、普通の人間、賢く教育水準の高い人々ですら、実際にどんな話し方をするのか忘れてしまうということもある。

『ニューヨーク・タイムズ』には二〇年執筆してきたけれど、それでもときどき編集者から、彼らの（そして読者の）理解不能な一節について問い合わせがくる。その多くは、一般読者が経済学者と同じ言葉の使い方をするとうっかり思い込んでしまったせいで生じたものだ。たとえば経済学者が「投資」というと、それは新しい工場やオフィスビルの建設のことだ。でもそれをきちんと説明しないと、読者はそれが株を買う話だと思ってしまう。

だからといって、読者をバカだと思えということじゃない。ただ伝え方はよく工夫しろということだ。実は二〇一九年に私は「アメリカ地方部を本気で考える」というコラムを発表した。これは一部は、あの一九九一年論文の議論をこっそり説明したものでもあった。そして多くの読者は腹をたてたとはいえ、ほとんどの人は私の言いたいことを理解してくれたと思う。

不正直な点について正直であれ：さて評論家稼業のもっと議論の分かれる部分に入ろう。これまで説明したように、いまや何でも政治的だ。結果として、経済学についてだろうと何についてだろうと、多くの公開主張はかなり下心をこめて行われている。

最も露骨な例として、金持ちを減税すべきだと論じる人々は、それが証拠から導かれた主張だというふりをしたがるけれど、それはウソだ。彼らはどんな証拠を見せられてもその立場を変えることはない。実際には、彼らは反証を見ると、ゴールポストを動かしてしまう——たとえばビル・クリントンの増税で不景気が生じると予言した人々は、いまやクリントン時代の好況がロナルド・レーガンによる一九八一年減税の長期的な成果だったのだと主張する。あるいはあっさり数字をでっちあげたり、事実と称するものを捏造したりして、平気でウソをつく。

では経済学者評論家としてこの現実にどう対処すべきか？　一つの答は、誠実な論争をしているんだというふりを続けることだ。これが多くの経済学者にとって魅力的に思えるのを私は知っている。証拠を示し、なぜそれが片方の見方の正しさ（つまり相手のまちがい）を示しているか説明し、そこでおしまいにする、というものだ。

私の見方は、ご明察の通り、それでは不十分だというものだ。いや、それは実はむしろ読者にとって不公平だと思う。悪意の議論に直面しているとき、世間はそうした議論がまちがっていることだけでなく、それが実は不誠実なものだということもあわせて報されるべきだ。別の例を挙げるなら、FRBによる国債買い入れでハイパーインフレが生じると予測した人々がまちがっていたと指摘するのは重要だ。でも、その誰一人として自分のまちがいを認めようとせず、ましてなぜ自分がそんなまちがいを犯したか説明しようとしていないことも指摘しておくのが重要なのだ——そしてそういう人の一部が、共和党の大統領になった瞬間に立場を逆転させたということも。

言い換えると、政治論争につきまとう不正直さについて正直でなくてはならない。しばしば、ウソがメッセージとなるのだから。ここから、最後のルールが出てくる。

動機の話を恐れないこと：政策議論が誠実に行われていると普通に想定できる世界だったらいいのに、とは思う。そして、一部の議論は確かに誠実だ。たとえば、「量的緩和」——中央銀行が購入する国債——が経済をどれくらい押し上げているかについては、本物の論争が展開されている。私は懐疑派だけれど、楽観派には敬意を抱いているし、どちら側も証拠次第で立場を変えるはずだ。

だが二一世紀アメリカで重要な政策論争のほとんどでは、片側がいつも不誠実な議論をする。それを指摘するべきだという点はすでに述べた通り。減税の威力に関するとんでもない主張がまちがっているというだけでなく、そんな主張をする連中はウソを承知でそんな主張をしている、ということも読者に伝えるべきなのだ。私はさらに話を進め、読者にとってフェアであるというのは、なぜその連中が不正直なのかについて説明するということでもある、と考える。

ほとんどの場合、これは現代アメリカ保守主義の性質について述べる、ということだ。つまり右派大金持ちの利益に奉仕するメディア組織やシンクタンクの絡み合うネットワークについて語るということになる。このネットワークは、実質的に共和党を牛耳っている。そして減税の魔術的な力に対する信念といったゾンビ思想を延命させているのも、このネットワーク、「保守派運動」なのだ。本物の誠実な論争をしているなら、相手の動機を詮索するのはよくないことだ。不誠実な相手と論争しているなら、その動機を指摘するのは何が起きているかについて正直に語っているにすぎない。

こんな世界でなければいいのに、とは思う。若き学者としての無邪気さに立ち戻り、単純に正解を出そうとするだけで、論争相手もまた同じ取り組みをしているのだと普通に思えた時代に帰りたいと思うこともある。だが公的な知識人として力を発揮したいなら、自分の願望の世界ではなく、実際にある世界に取り組まねばならない。

本書について

『ニューヨーク・タイムズ』に執筆を始めたのは二〇〇〇年のことだった。それに先立つ数年には『フォーチュン』と『スレート』に連載していたけれど、基本は経済学の研究者だった。実際、自分の最高の学術論文だと自負している「復活だあっ！　日本の不景気と流動性の罠」を書いたのは一九九八年のことだった。

『ニューヨーク・タイムズ』の期待は、ビジネスや経済についての話に専念しろというものだった。でも気がつくと、自分も同紙も予想していなかった立場になった。ジョージ・W・ブッシュ政権は、アメリカ政治で前代未聞のレベルの不正直さを見せていた（その後、トランプ一派がそれを上回ったが）。そして同政権は、明らかにウソの口実でアメリカを戦争へと引きずり込もうとしているように見えた。それなのに、大新聞にコラムを持つ人で、それを指摘しようとする人は誰もいなかった。結果として、自分がその役目を果たすしかないと思った。

だがその頃に書いた最高の論説は二〇〇三年のコラム集『嘘つき大統領のデタラメ経済』『嘘つき大統領のアブない最終目標』（前者は三上義一訳、後者は三上義一・竹熊誠訳、ともに早川書房）として出版されたので、当時の話を蒸し返す必要はないだろう。

本書はむしろ、いくつか例外を除き、ブッシュ再選の二〇〇四年以降の論説を集めた。その頃にはウソによる参戦を指摘する人々もたくさん出てきたので、私ももっと自分の専門寄りの話に専念できた。たとえば社会保障制度の民営化運動や、健康保険のカバー範囲を広げる活動などの話だ。

本書の三分の一以上は、二〇〇八年の金融危機とその後始末の各種側面についてのものだ。この危機を予想した人々はほとんどおらず、予想した数少ない人は、それまで一度も起きなかった多くの危機を予想しては外してきた人ばかりだった。私自身は、巨大な住宅バブルの存在は認識していたけれど、そのバブル崩壊が引き起こした被害にはショックを受けた。それは私が、規制を受けない「シャドー」バンキングの成長により、金融システムがどれほど脆くなっていたか認識していなかったせいだ。

でもいったん危機が起きると、こうした現象を研究してきた研究者たちは水を得た魚となった。金融危機については、理論面でも歴史面でもいろいろわかっている。また危機の後で経済がどう動くかもよくわかっている。私の一九九八年論文は、ゼロ金利でも完全雇用が回復しないと何が起きるか、というものだった。この現象は日本独特の問題だったのが、いまや西側世界の常態となっている。

つまり私にとって、二〇〇八年危機に続く五年かそこらは最高の時期でもあり、最悪の時期でもあった。最高の時代というのは、新聞コラムニストとしての私の役割と、私の学術研究とがほぼ完璧に一致したので、政策担当者が何をすべきかについて、いろいろ言える立場になったからだ。最悪の時代というのは、政策担当者たちが私たちの手持ちの知識を頑固にはねつけ、むしろダメでしばしば不誠実な議論に基づいて財政赤字ばかりを心配し、結果としてすさまじい無用の苦しみを引き起こしたからだ。

本書の残りは、主に題名通りの話だ。ゾンビとの議論、つまり減税ゾンビや気候変動否定論との戦いであり、そうしたゾンビのヨタつきを支える保守主義運動についての論説となる。はいはい、ドナルド・トランプについてもかなりいろいろ書いてある。でも私はトランプが過去との決別というよりはむしろ、保守派運動が私たちを何十年にわたり導いてきた方向性の結実なのだと考えているのだ。

本書の最後は、もっと軽い読み物となる——まあそれはウソだな、でも私としてはもっと気が晴れる文章となる。本書の最後の部分は、かなり経済学色の強い論説で、自分の知的ルーツに立ち戻るものだ。『ニューヨーク・タイムズ』のコラムよりはちょっとむずかしいし、専門用語も多いけれど、読者の一部は物事についての私の考え方について理解しようとする手間をかけてくれることを願う。

つまり本書は、真実と正義と、反ゾンビ的な道のための戦いを語るものだ。その戦いに完勝できるかは知らないけれど、敗北はあり得る。でもまちがいなくこれは、戦うだけの価値がある大義なのだ。

第1部

社会保障制度（公的年金）を救う

カーキ色の大統領選の後で

二〇〇四年大統領選の夜は、二〇一六年大統領選ほどのショックではなかったけれど、アメリカのリベラル派にとっては苦い失望の夜ではあった。ジョージ・W・ブッシュのイメージは、その後改善はした。人々は彼を、ドナルド・トランプよりはましだと（正しく）理解するようになり、彼の政権下で起こったとんでもない出来事は忘れられようとしている。だがブッシュは何よりもアメリカをウソの理由で戦争に導き、その結果として何十万人もが死んだ。有権者たちがその邪悪を支持するのを見るのは、快いものではなかった。

さらに、この選挙が一回限りのイベントではなく、永続的な保守派支配の先鋒だと考える論者がたくさんいた。テレビネットワークを見ていたなら——これはまだ人々が普通のテレビ放送を見ていた時代だ——アメリカのリベラリズム終焉を唱え、アメリカが基本的には保守国家になったと断言する人々だらけだった。

でももっとよく見ると、話はちがっていた。二〇〇四年大統領選は保守派政策の追認ではなかった。というのもその特徴はまさに政策議論の不在だったからだ——理由の一部は、政策問題が多くのニュースメディアの揚げ足取りを突破できなかったことだ。たとえばある時私は、一ヶ月にわたるテレビニュースの書き起こしを通読し、両候補のまったくちがうヘルスケア提案について視聴者が何を聞かされたか調べた。答は、何も。ヘルスケア提案が政治的にどう受け取られているかという報道はいくつかあったが、その提案自体の中身については一言もなし。

大統領選はむしろ、イメージや認知をめぐる争いになっていた。ブッシュはまだポスト9・11の輝きと、イラクでの勝利の幻想に浸っていた。多くのアメリカ人はまだブッシュを、国家安全保障の英雄的なアイコンだと見ており、この大統領選はイギリス人たちが「カーキ色の選挙」と呼ぶものになっていた。それほどではないが、やはり重要な主題は伝統的な価値観なるものをめぐる話だった。一部の支持者は同性結婚の合法化を主張し始め、それに対するひどい反発があった。

つまりブッシュが再選されたのは、同性婚のテロリストからアメリカを守る人物というふりをしたからだ、というのが私のジョークだった。でも選挙戦が終わったとたん、彼は自分の任務が……社会保障制度を民営化し、それを個人投資口座システムに変えることなのだ、と宣言したのだった。

どうしてブッシュとその顧問たちは、これが政治的に受け容れられると思ったんだろうか？　答の一部は、多くの裕福な人々と同様、彼らは社会保障制度がほとんどのアメリカ人にとっていかに不可欠なものかまるで理解していなかった、というものだ。

高給取りの政治コンサルタント、ジャーナリスト、シンクタンク評論家とかなら、たぶん巨額の民間退職年金があり、六五歳になる頃にはかなりの資産を手にしていると期待できる。でもほとんどの退職者は、所得の大半を社会保障に頼り、三分の一ほどの人々にとってはそれが唯一の収入源だ。ブッシュが本気でそのプログラムを潰す気だと気がつくと、みんな反発した。

でもブッシュ一党は、社会保障が一般有権者たちにいかに愛されているか認識できなかったにとどまらない。エリートたちのコンセンサスに頼りすぎたのだ。

最近ではちがうかもしれないけれど、本書がカバーする時期はずっと、首都界隈で賢く物知りに思われたい人々は「わかって」いた――そうした話が本当だったからではなく、エリート層の他のみんながそう言っていたからだ。そしてみんなが言っていたことの一つは、社会保障制度が危機的な状態で、大幅な改変が必須だという話だった。それを口走る人々は、自分ではアメリカの退職年金騒動がどういう仕組みなのかを調べたことはなかったし、その将来について計算したこともなかった。でも自分が何を言うべきだと期待されているかは承知していた。あるとき私が書いたように、社会保障制度の危機を訴えて支給額の引き下げを要求するのは「真面目さを示すバッジ」なのだった。

真面目に思われたいという願望に、自分がトレンディで時流に乗っていると思われたいという願望もついてきた。社会保障制度は、民営化論争が起きたときにはすでに誕生から七〇年たっていて、かなりの評論家はその年齢そのものが、改革を必要とする理由なのだとし、何か二一世紀っぽい雰囲気のものに変えるべきだと述べていた。

なんといっても企業年金は激変していた。毎月固定額を支払ってくれる「確定支給額」年金は、「確定拠出」年金に取って代わられていた。これは毎月お金を投資口座に入れるものだ。社会保障でも同じことをすればいいのでは？　実はそうすべきでないとてもよい理由があった。実際、民間退職年金が新たにリスクの高いものになったせいで、投資がダメになった場合に備え、人々が安定した収入保証を得られるのがますます重要になってきた。でもこれは、退職年金の経済についてしっかり考えるのに慣れていない人々には、ピンとこなかったのだった。

そこで私（および何人もの進歩派政策マニア）が登場した。

社会保障が民営化から救われた理由は主に二つある。何が起こっているか世間が気がついたときのすさまじい反発、そしてエリートの世迷い言に対する民主党指導者、特にナンシー・ペロシの決然とした態度だ（ペロシは、独自の社会保障制度改革案をいつ提案するのかと尋ねられ「絶対にしない。絶対にと言えばご満足いただけるかしら？」とやり返した）。でもその世迷い言を潰すにあたり、私のような人々が果たした役割もあり、当時はそれが重要に思えた。それは、その社会保障制度の危機と称するものが実在せず、民営化は何か本当の問題に対する答なんかではまるでなく、退職年金の基本的な支持を提供するのは政府のやるべき仕事であり、民間よりも上手にそれができるのだ、ということを示すという役割だった。

そして、驚くべきことが起きた。『ニューヨーク・タイムズ』のコラムニストになって初めて、政策論争の私の側が本当に勝ったのだった。

第1章 社会保障をめぐる脅し

二〇〇四年三月五日

社会保障制度（アメリカの公的年金制度）信託人たちの出す年報を見ると、財務的にはかなりよい状態のシステムのように見える。現在の支給金額水準を維持するためには、注入すべき金額はごくわずかですむ。だが他の報告を見ると、このシステムはひどい財務的なトラブルに陥ったことになっている。たとえば『ニューヨーク・タイムズ』で火曜日に採りあげられた二〇〇二年の財務省報告では、社会保障制度およびメディケアは四四兆ドルの赤字だとされている。何が正しいんだろうか？

ヒントを一つ。右派の政治家ですら、社会保障制度を救いたいのだと公的には断言するけれど、彼らの見解を形作るイデオローグたちはその制度を解体する口実が欲しくてたまらないのだ。だからイデオロギーで動く機関――その中には現在、残念ながらアメリカ財務省も含まれる――で働く人々が作った、警鐘を鳴らす報告書を読むときにはかなり注意が必要だ。

まず「およびメディケア」という言葉ですさまじい差が生じる。財務省の調査によると、四四兆ドルの赤字のうち、社会保障制度からくるのはたった一六％だ。第二に、この二つのプログラムの不足分は主に、遠い未来に関する予測からきている。両者をあわせた不足分の六二％は二〇七七年以降に起こる。

それでも、財務省の報告書は迫り来る社会保障制度の危機を示しているのかな？　いいや。

社会保障制度の問題は、あるとするなら人口構成の問題だ。高齢化につれて、退職者の数は労働者よりも急速に増える。結果として、年金支払いの費用は今後三〇年でGDPの二％ほどに上昇し、その後もじわじわと高まる。これに対して、ブッシュ減税を永続化させると歳入はいまから少なくともGDPの二・五％減る。これは――社会保障制度が、連邦政府の他の部分とはちがって現在は黒字だという事実とあいまって――ブッシュ減税のほうがアメリカの財政的な将来にとって、社会保障制度の不足分よりずっと大きな問題となる理由だ。

メディケアは、しばしば社会保障制度といっしょくたにされるけれど、別のプログラムだし直面する問題もちがう。予想されるメディケア支出の増大を動かすのは、主に人口動態ではなく、医療費増大で、これはさらに医学の進歩を反映しており、医者がずっと幅広い症状を治療できるようになったために生じている。

このトレンドが続くなら――超長期の話をするときには、これはまったくあてにならない――退職者に限らずあらゆる医療に伴う、本当の長期ジレンマに直面しかねないし、そのジレンマは経済的なものであるのと同じくらい道徳的なものでもある。いずれ、あらゆるアメリカ人に現代医学のあらゆる恩恵を提供することになれば、政府はいまよりずっと多くのお金を集める必要が出てきかねない。でもそうした医療を提供しなければ、アメリカの貧困者や中産階級が完全な医学治療をまかなえないために、早死にしたり、生活の質がきわめて低下したりして苦しむのを見守るしかないということになる。

でもこのジレンマは、社会保障制度をどうしようが必ず出てくる。そのジレンマをいま解決すべきかどうかさえはっきりしない。ぼくは是非とも長い目で見るべきだと思う。政権がほんの数年先に控える確実な支出を隠すため、予算推計をたった五年分しかしないとなると、これはひどい話だ。是非とも先のことに備えよう。でも限度ってものがある。二〇七七年以降のメディケア支出についておっかない警告を人々が出すとき、ぼくが尋ねたいのは、どうして今日の財政判断に、まだ生まれてもいない世代にまだ発明もされていない医療をほどこす見込み費用を反映させねばならないのか、ということだ。

社会保障制度が直面している最大のリスクは政治的なものだ。この制度を嫌う人々は、それを潰すために恫喝戦術やいい加減な計算を使うだろうか?

アラン・グリーンスパンが社会保障制度の支給金額削減を訴えたことで、共和党議員たちはその対応として民間退職年金口座を作ろうと宣言した。彼らがいまだにこのインチキの旗を振り続けているのはすごい。ジャーナリストたちがそれをいまだにきちんと指摘しないというのはなおさらすごい。昨日『ウォールストリート・ジャーナル』で、ある論者がなんとも重々しく「個人口座だけでは社会保障制度の苦境は直らない」と宣言していた。まあその通りでしょうねえ。ドーナツを食うだけじゃ体重は減らないというのと同じだ。民営化したら社会保障制度の財務状況は改善するどころか悪化するのだとなぜはっきり言えないんだろうか?

社会保障制度の支出を減らしたり、歳入基盤を広げたりするようなちょっとした改革は検討すべきか? もちろん。でもこの制度を救うためにそれを破壊しなければという論者には要注意だ。

第2章
危機の捏造

二〇〇四年一二月七日

社会保障制度の民営化――現在の仕組みを、すべてにせよ一部にせよ個人投資口座で置き換えるもの――はこの制度の財務状況強化にまるで貢献しない。むしろ事態を悪化させるだろう。それでも民営化の政治はまさに世間に対し、この制度が崩壊の危機を目前にしていると説得し、社会保障制度を救うためにそれを破壊しなければと納得させられるかどうかにかかっている。

こういうすべてについては、一月に通常の連載に戻ったときにいろいろ言いたいことがある。でも現時点でも休暇からちょっと休暇をもらい、社会保障制度の危機に関する妄言を潰しておくのが重要らしい。

社会保障制度の仕組みについては、謎も不思議もまったくない。給与所得に対する専用の税金で支えられた政府プログラムにすぎない。ちょうど高速道路の維持管理が、専用のガソリン税で支えられているのと同じだ。

現在では、給与所得税からの歳入は年金として支払われる金額より多い。これは意図的なもので、ほかならぬアラン・グリーンスパンが推奨した給与所得税引き上げの結果だ――しかも彼がそれを推奨したのは二〇年前だ。主に中低所得者が負担する税金を引き上げるときのグリーンスパンの理由づけは（しかもこれは、ロナルド・レーガンが主に大金持ちにかかる税金を減らしたばかりのときだった）、信託基金の構築に追加歳入が必要だというものだった。その基金を引き出すことで、ベビーブーム世代が退職し始めたときに年金が払えるというわけだ。

社会保障危機の主張にも一抹の真実はあって、この増税は規模が小さすぎた。議会予算局の最近の報告に登場した予測（これは社会保障管理局によるきわめて慎重な予測よりは現実性が高いはず）によると、この信託基金は二〇五二年に底をつく。そうなってもこの制度が「破産」するわけじゃない。信託基金がなくなっても、社会保障の歳入で約束された年金支払い額の八一％はカバーできる。それでも長期的には資金繰りの問題が生じる。

でもこれは慎ましやかな問題でしかない。報告書によると、年金額はそのままにして信託基金の寿命を二二世紀まで延ばすには、GDPの〇・五四％にあたる追加歳入が必要なだけだ。これは連邦歳出の三％以下――目下イラクで使っている金額より少ない。そして、ブッシュ大統領の減税で毎年失われる歳入の四分の一ほどでしかない――そうした減税のうち、年収五〇万ドル以上の人々が得る節税額の割合とだいたい同じだ。

こうした数字から見て、退職年金プログラムを大きく変えることなく、今後何世代も確保するような財政パッケージを考案するのは、実に簡単なことだ。

確かに連邦政府は全体として巨額の歳入不足に直面している。でもその不足は社会保障制度なんかよりは、減税のせいがずっと大きい――それなのにブッシュさんは、その減税を永続化させようとしているわけだ。

でも民営化の政治は世間に対して社会保障制度の危機が存在すると納得させられるかどうかで決まるから、民営化論者たちは精一杯それを捏造しようとしている。

ぼくがお気に入りのトランプ詐欺めいた理屈はこんな具合だ。まず、社会保障制度の現在の黒字と、その黒字積み立てから生じた基金は無意味だと言う。その理屈だと、社会保障制度は実は独立した存在ではない――連邦政府の一部でしかない。

ちなみに信託基金が無意味なら、グリーンスパンが旗を振った一九八〇年代の増税は、階級紛争の実践でしかなかったということになる。労働者階級のアメリカ人は増税となり、金持ちの税金は下がり、しかも労働者たちは犠牲に対する見返りが何もなかったことになる。

が、そんなことはお構いなし。黒字の社会保障制度は独立の存在じゃないというその同じ人々が、今度は二〇一〇年代の後半になり年金支給額が給与所得税からの歳入を上回るようになったら、それが危機なんだという――だってほら、社会保障制度は独立した歳入源があるんですから、自立しないと、というわけ。

同じ人物がこの両方の立場を同時にとれる正直な方法はあり得ないのだけれど、民営化推進論者たちの立場は正直なんかかけらもない。この連中は社会保障制度を潰しにきたのであって、救おうとしているんじゃないからだ。この制度がいつか破綻する可能性を本気で心配なんかしてない。この制度が歴史的に成功してきたのに憤慨しているだけだ。

社会保障制度は、うまく機能する政府プログラムで、わずかな課税と歳出で人々の生活が改善し、安全なものになることを実証している。右派がそれを破壊したがるのは、まさにそのせいだ。

第3章
失敗をわざわざ真似る

二〇〇四年一二月一七日

ブッシュ政権がアメリカを説得して、社会保障制度を巨大な４０１（Ｋ）（日本の確定拠出年金のお手本。年金基金の一部を民間企業を通じて自分で運用する仕組み）にしようとしている現在、すでにその道をたどった他の国を見るといろいろ学ぶことは多い。

民営化をめぐる他の国の体験に関する情報は、そんなに見つけにくいものじゃない。たとえばwww.tcf.org のセンチュリー財団は各種のリンクをまとめている。

でもケイトー研究所など社会保障制度の民営化を促進する組織にチリからの力強いお話を提供する場を与える以外に、アメリカのニュースメディアは読者や視聴者に対して国際的な体験についての情報をほとんど与えていない。特に、世間は公然の秘密二つを伝えられていない。

民営化は労働者の払込金額の相当部分を投資会社の手数料で無駄遣いする。

多くの退職者を貧困に追いやる。

何十年もの保守派マーケティングのおかげでアメリカ人たちは、政府のプログラムは常に肥大化した官僚制をつくり出し、民間部門は常に小規模で効率的だと思い込んでいる。でも退職の安全保障となると、その正反対が成り立つ。社会保障制度の歳入の九九％以上は支給年金となり、オーバーヘッドは一％しかない。チリの仕組みだと、管理費はその二〇倍もの高さになる。そしてこれは民営化方式で普通の水準だ。

こうした手数料は、個人が自分の口座で期待できる収益を大きく減らす。イギリスはマーガレット・サッチャー時代から民営化方式だったけれど、一部の投資会社が課す巨額の手数料に対する警鐘のおかげで、やがて政府の規制当局は「料金キャップ」を設けた。それでも手数料はイギリスの退職貯金を大きく減らしている。

個人口座で期待できる実質収益率のまともな予測は、アメリカでは四％以下だ。イギリス並みの管理費を取るシステムを導入したら、労働者への純収益は四分の一以上も減る。定額保証年金の大幅削減とリスク激増を加えると、この「改革」は投資業界以外の万人にとって損になる。

支持者たちは民営化したアメリカの仕組みが、手数料をずっと低く抑えられると主張する。投資がオーバーヘッドの低いインデックスファンドに限定されたら、確かに費用は低くなる――これはつまり、投資判断をするのが個人ではなく政府の役人だということだ。でもそういう仕組みの制度なら、労働者たちが自分のお金を自分で左右できるという示唆――二年前にケイトー研究所は、社会保障制度民営化プロジェクトを「民営化」のかわりに「選択」と改名した――は虚偽広告となる。労働者を低コストな投資に限定するようなルールがあるなら、投資業界ロビイストはそうしたルールをひっくり返そうとするだろう。

念のため言っておくと、ぼくは金融会社に巨大な儲けをもたらすのが民営化の主要な動機だとは思わない。それはおおむねイデオロギー的なものだ。でもその儲けは、ウォール街が民営化を求める大きな理由ではあるし、他のみんなは大いに警戒すべきだ。

そして高齢者の貧困という問題がある。

チリの制度を絶賛する民営化支持者たちは、それがいまだに政府支出を減らすという約束を果たしていないことは決して述べない。このシステムが生まれてから二〇年以上たつのに、チリ政府はいまだにお金を注入し続けている。なぜか？　連邦準備制度理事会（FRB）のある研究が述べるように、チリ政府は「最低限の年金を提供できるだけの資本を蓄積できない労働者のために、補助金を出」さねばならないからだ。言い換えると、民営化は多くの退職者を極貧に追いやり、政府が戻ってきて彼らを救済しなければならないわけだ。

イギリスでも同じことが起こりつつある。イギリス年金委員会は、サッチャーの民営化が年金問題を解決したと考える連中は「愚者の楽園」に暮らしていると警告する。高齢者貧困の広範な復活を避けるには、大量の政府支出追加が必要となる――イギリスはアメリカ同様、この問題を解決できたつもりでいたのだ。

イギリスの経験はブッシュ政権の計画に直接関係している。現在のヒントを信じるなら、最終計画はおそらく、社会保障の確定年金を減らすことで将来の支出を節約すると主張するはずだ。そうした節約は幻想でしかない。二〇年後、イギリスの委員会の米国版は、退職者の貧困激増を避けるために巨額の追加政府支出が必要だと警告するだろう。

で、ブッシュ政権はうまく機能している退職年金制度を潰したいとのこと。それも、ちょっとした改革だけで今後何世代にもわたり、財務的にしっかりしたものにできる制度だ。代わりにブッシュ政権は失敗をわざわざ真似て、他のところで試したら、お金も節約できず、高齢者を貧困から守ることもできていない仕組みを再現したいというわけだ。

第4章
社会保障制度の教訓

二〇〇五年八月一五日

社会保障制度は昨日、七〇歳になった。そしてほとんど万人が驚いたことに、我が国で最も成功した政府プログラムはいまだに顕在だ。

ほんの数ヶ月、世間の主流の見方はブッシュ大統領が社会保障について自分の望みを実現するというものだった。ところがブッシュ氏の民営化運動はあまりに手ひどくコケたので、この話題は世間の話題からほぼ消え去ったほどだ。

でもここでちょっと社会保障制度に戻っておきたい。というのもブッシュ氏が何をやらかそうとしていたかを忘れないでおくのは重要だからだ。

多くの評論家や論説委員たちは、いまだにブッシュ氏が社会保障制度を「改革」しようと頑張ったのを評価したがる。実はブッシュ氏は社会保障制度を潰しにきたのであって、救いにきたんじゃない。ブッシュの計画はじわじわと社会保障を社会保険制度からミューチュアルファンドに変えてしまい、F・D・ルーズベルト大統領がつくり出した仕組みは名前しか残らないようにしてしまうものだった。

ブッシュ氏は自分の狙いをごまかしただけでなく、現在の仕組みについても繰り返しウソをついた。あらごめんなさい――いまのって失礼でしたかしら？　それでも、ブッシュ氏が明らかにまちがったことを何度も言ったのは事実だし、それがまちがっているのを部下たちも知っていたはずというのも事実だ。そうした虚言は、社会保障が黒人に不公平だという主張から、「一年改革が遅れるだけで社会保障制度を手直しする費用が六〇〇〇億ドルも増える」という主張まで様々だ。

一方、ブッシュ政権は社会保障管理局を政治化し、血税を使って党派的な狙いを促進した。社会保障の担当官たちは、実質的に納税者が負担した政治キャンペーンとも言うべきものに参加し、そこから世間の懐疑的な人々は排除されていた。

これは過去形で書いているけれど、一部はいまだに続いている。先週、社会保障長官ジョー・アン・バーンハートは、現在のような社会保障制度は人々がたくさん年金をもらえるほど長生きしない社会を想定して設計されているのだ、と主張する論説を発表した。バーンハート氏によると「現在存命中の高齢アメリカ人は、一九三五年の誰も想像できなかったほどの数になっている」。

ところが社会保障管理局のウェブサイトにある「社会保障制度の期待寿命」という記事は、まさに社会保障制度が「ほんの数人しか年金を受け取らないように設計されている」という考えをはっきり否定している。またこのシステムが「近年における期待寿命の劇的な延びと称するもの」により問題に直面するという考えも否定する。

そして現在の高齢アメリカ人比率は、まさに社会保障制度の創設者たちが予想したのと同じくらいだ。一九三四年のルーズベルト大統領の経済安全保障委員会報告は、社会保障制度法の基盤となったものだけれど、二〇〇〇年にはアメリカ人の六五歳以上人口比率が一二・七%くらいだと推計している。実際の数字は一二・四%だった。

とはいえバーンハート氏が頑張っても、民営化は当面なくなったようだ。議会の民主党指導層は、評論家政治に臆することなく立ち向かった――評論家たちは民営化大賛成だったのに。そしてアメリカ国民は、いまのままの社会保障制度が気に入っていることをはっきりと示した。

でも民営化キャンペーンは、ブッシュ政権が政策をどうやって売り込むかという見事な教訓を与えてくれた。狙いをごまかし、事実についてウソをつき、政府機関への支配力を濫用するのだ。これは減税とイラク戦争を実現したときの戦術と同じだ。

そしてこの教訓を学ぶべき理由が二つある。一つは、ブッシュ氏の次の狙いに備えておくことだ。イランについてあれほど強がってみせても、もう一度戦争を提案するわけにはいかないはずだ――手持ちの戦争以上の戦いを展開するだけの兵員がいない。でも国内でもう一つ大きな計画を試みる余地はあるはずで、たぶん税制改革になるだろう。

備えあれば憂いなし。改革の本当の狙いは公表されず、政権は現状の仕組みについて虚偽を述べ、財務省は完全に党派的な動きを見せるだろう。

もう一つの理由は、民営化に対する社会の猛然とした拒絶は、イラク騒動をめぐって広がる失望とともに、民主党に対して現政権のごまかしパターンをやり玉にあげる機会をもたらすということだ。問題は、民主党があえてその機会をつかみにいくか、ということだ。というのもそれをやるには、自分たち自身もごまかされたということを認めることになってしまうからだ。

第5章
民営化の想い出

『ニューヨーク・タイムズ』ブログ
二〇一五年三月二八日

デヴィッド・ワイゲルは、ハリー・リード回顧録の中でもおもしろい話を書いている。ブッシュ大統領が社会保障制度の民営化を試みたときの反撃で彼が果たした役割だ——特に彼がリベラル派のブロガーと手を組んだやり方を採りあげているのだ。

その出来事ならよく覚えている。理由はいくつかあって、私もまたいろいろ書いていて、民営化をめぐるダメな議論を次々に明かしていたからだ。そういうことをやったのは初めてではなかったけれど、二つの点が目新しかった。きわめて強烈な活動だったこと、そしてこのときばかりは、議論で私の主張する側が政治的な戦いで勝利したということだ。

また現代アメリカで政策議論が実際にどういうふうに展開するかという認識が、私の中で形成されたのもこの時期だった。そこには常に三つの派閥がある。右派は、事実にも論理にも興味がない。左派（というのはこの国だとあまり左翼的じゃない——一般的な基準からすれば中道左派でしかない）、そして自称中道派で、この連中は全国的にはほとんど支持者がいないけれど、首都界隈ではえらく影響力を持つ。

また社会保障制度論争の初期に学んだことは、中道派は右派と左派が対称的な存在だと必死で信じたがっていて、民主党と共和党がそれぞれ独自のやり方で極端なのだと思いたがる、ということだ。これはつまり、この連中は共和党の提案がいかにひどいものだろうと、いつも共和党やその政策提案について、何かヨイショする方法はないものかと探し回っているということだ。だからこそポール・ライアンが、財政規律の大将として賞をもらえたりする羽目になる。

というわけで昔々の二〇〇五年、ブッシュは怪しげな主張とまったくのヨタを組み合わせて飛ばしていた。まず、社会保障制度が危機に陥っているという主張、次に財務的にまったく役にたたない民営化こそその対処法だという主張。中道派はどうやってこんなお粗末なすり替え手品をヨイショできたんだろうか？

うん、二〇〇五年のジョー・クラインはこう言っている。

> 民間口座は返済能力と何の関係もないし、ここで重要なのが返済能力だという点で私はポール［クルーグマン］に同意する。ポールと意見が異なるのは、私は民間口座がすばらしい政策だと思っていることで、情報時代には補助金の分野でも工業時代とはまったくちがった構造が必要と考えている点だ。だがそういう変更は、二大政党がこれほどまっこうから対立していると、なかなかできない。
>
> 民主党は過去一〇年から一五年にわたり、しゃあしゃあと恥知らずにこの問題についてデマを飛ばしてきた。社会保障制度についても、メディケアやメディケイドについても何ら積極的な提案をしていない。そろそろ連中も妥協すべきだろう。

なんだってぇ？⁉　当人の名誉のために言っておけば、クラインはのちにこのときの自分が完全にまちがっていたことを認めた。でも言いたいのは、ここに現れているのが二大政党に対称性があるというふりを中道派ができるようなネタを、なんでもいいから探し出さねばという本能的な動きなのだ、ということだ。

ちなみに、民主党がメディケアとメディケイドについて何もしていないという話だけれど、社会保障制度論争の頃に行われた予算の将来予測を見るとおもしろい。当時の議会予算局は、二〇一四年度までにメディケア支出が七〇八〇億ドルに増え、メディケイド支出が三六一〇億ドルになると予想していた。二〇一四年の実績値はそれぞれ六〇〇〇億ドルと三〇一〇億ドルだった。これはオバマケアの下でメディケイドが拡大されたにもかかわらずこの水準で収まっている。この予想外の低コストの少なくとも一部は、アフォーダブルケア法（オバマケア）に含まれていた対応のおかげだ。そしてわざわざ言うのも変だが、これはこうしたプログラムを破壊したり民営化したりせずに実現した。

が、話を二〇〇五年に戻そう。ハリー・リードが認識したのは、そろそろとてもお真面目な方々（ＶＳＰ）のご機嫌うかがいはやめて、かわりにＤＦＨと手を組むべきだということだ。ＤＦＨは、薄汚いバカなヒッピーどもの略称だけれど、それだけじゃない。そういう人々は本当に、政策と政治についてまともなことを言っていた。あれは重要な転回点だったのだ。

第6章
政府が優れているところ

二〇一五年四月一〇日

共和党大統領を願う連中が政策アジェンダ――これは必ず金持ちの減税と貧困者や中産階級の福祉カットについてのものだ――を繰り出す横で、通路の反対側では本当の新しい考え方が生まれつつある。いきなり多くの民主党員たちは、いつも「補助金」削減を主張する首都界隈の正統教義に背を向けることにしたらしい。むしろ社会保障の支給額を増やせと提案しているのだ。

これは二つの面で歓迎すべき展開だ。まず、社会保障の支給額を増やすべきだという具体的な理由はかなりしっかりしたものだ。第二に、もっと根本的なこととして、民主党はやっと反政府プロパガンダに立ち向かい、政府が民間よりもうまくできることだってあるのだという現実を認識するようになってきた。

あらゆる先進国と同じく、アメリカは市民が必要とし、欲しがるものを提供するにあたり、主に民間市場と民間イニシアチブに頼る。我が国の政治的な発言の中で、それを変えようと提案する人はほとんど誰もいない。政府が経済の大きな部分を直営するのがよいことだと思えた時代はとっくに終わっている。

それでも、一部の仕事はなんだかんだで政府がやるしかないのもわかっている。あらゆる経済学教科書には、国防や航空管制といった「公共財」の話が載っている。これはあらゆる人に提供しないと、誰にも提供できないものだし、したがって利潤を求める企業はそんなものを提供するインセンティブがない。でも政府が民間部門よりよい成績を上げるのは公共財だけだろうか？　いやいや。

政府のほうが上手な古典的な例は、健康保険だ。はいはい、保守派はいつも民営化をやたらに推す――特にメディケアを、民間保険購入バウチャーでしかないものにしたがる。でもどんな証拠を見ても、これはまさにまちがった方向の動きだとわかる。メディケアとメディケイドは民間保険よりはるかに安くて効率的だ。官僚機構ですら民間より少ない。国際的に見ると、アメリカのヘルスケア制度は民間に頼る部分があまりに大きいという点で独得だ。おかげで、とんでもなく非効率だし値段も高い。

そして政府が優れている大きな例がもう一つある。退職年金の提供だ。

一般人が本当に、経済学者たちがモデルで想定したがる（そして右派がプロパガンダで想定したがる）ほど完全に合理的でずっと先まで見通せるエージェントだったなら、社会保障制度なんかいらないのかもしれない。理想的な世界では二五歳の労働者たちが、自分が七〇代になったときに快適な生活を送るにはいくら必要かという現実的な推計を行って、それに基づく貯蓄判断をするはずだ。またその貯蓄の投資方法についても賢明で聡明に立ち回り、リスクと収益の最高のトレードオフを探すはずだ。

が、現実世界では、勤労アメリカ人の多く、いやほとんどは、退職貯蓄があまりに少ない。また貯蓄の投資もマズい。たとえば最近のホワイトハウス報告書を見ると、アメリカ人たちは顧客の厚生よりも自分の手数料を最大化しようとする投資アドバイザーのせいで、毎年何十億ドルも失っている。労働者たちの貯金が少なくて投資がヘタでも、それは自己責任だろうと言いたくもなるかもしれない。でも人は仕事も子供もあるし、人生で各種の危機にも対処しなければならない。それに加えて投資のエキスパートにもなれというのは酷だ。いずれにしても、経済は本当の生活を送る本当の人々のためのものであるはずだ。ほんのわずかな人しか通れない障害物競走であってはいけない。

そして退職の実際の世界では、社会保障制度はうまく機能する仕組みの代表格だ。単純できれいで、運営経費も低く、官僚機構も最小限。生涯頑張って働いてきた高齢アメリカ人に、まともな隠居生活を送れる機会を提供するけれど、何十年も将来を見通して、同時に投資の神様になるといった、常人離れした能力を要求したりはしない。唯一の問題は民間年金が低下し、それが４０１（Ｋ）式の不十分な仕組みで置き換えられたことで、いまの社会保障制度では埋め切れないギャップが生じたということだ。だったら社会保障制度を拡大してはいかが？

言うまでもなく、この方向での提案はすでにヒステリーに近い反応を引き起こしている。これは右派だけにとどまらず、自称中道派も見せている反応だ。数年前に書いたように、社会保障制度の削減を訴えるのは首都界隈で昔から「真面目さのバッジ、自分がいかに国士らしくやる気があるかを示す方法」だと思われてきた。そしてジョージ・Ｗ・ブッシュ元大統領が社会保障制度を民営化しようとしてから、まだ一〇年しかたっていない。そのときも中道派はやたらに支持した。

でも本当に真面目な行動というのは、何が機能して何が機能しないかをきちんと見るということだ。民営化退職年金制度は、きわめてまずい形でしか機能しない。アメリカの社会保障制度はとてもうまく機能する。だからその成功を元に先に進むべきなのだ。

第２部

オバマケアへの道

積極的なアジェンダ構築

私は本物の医療経済学者ではないけれど、テレビではそういう役割も演じる――そしてもっと重要なこととして、『ニューヨーク・タイムズ』論説ページでもその役割を果たす。その際には本物の医療経済学者の中でも最高の人々、特に今は亡きプリンストン大学の同僚ウーウェ・ラインハートから学んだ。

なぜ医療か？　社会保障制度の民営化に対するきわめて勇気づけられる勝利の後で、進歩的な政策マニアたちはある課題に直面した。何に反対しているかは示せたけれど、何を支持しているのか？アメリカの政策でどんな変化を実現したいのだろうか？

先進国の中でのちがいに馴染みのある人ならすぐに思いつくのは、アメリカも他のみんなと同じことをすべきだということだ。万人に基本的なヘルスケアを提供しよう。アメリカは富裕国の中で、よい仕事や既存の病状を抱えた人々が健康保険に入れないという異様な国だ。高価な治療が必要なら、金銭的な破滅か、ヘタをすると早死にに直面しかねない。だったら文明世界に加わる努力をしてはいかが？

でも二〇〇〇年代半ばの民主党は、一九九三年に失敗したクリントンの医療改革をまだひきずっていた。ビル・クリントンは、医療制度の大規模修復を試みた。彼の計画は崩壊して大炎上した（ブッシュの社会保障制度改革と似ている）。うまくやりなおせる見込みはあったか？

あった。アフォーダブル医療法、通称オバマケアは、不完全かつ不完備な改革ではあったけれど、それでも既存のヘルスケアを何千万人ものアメリカ人に拡大した。でもそこに到る道筋は、とても簡単などと言えるものではなかった。

タイミングが決定的だった。オバマケアは、二〇〇九年から二〇一〇年にかけて民主党が連邦議会とホワイトハウスをどちらも牛耳っていたきわめて短い期間に施行された。このコントロールが実現したのは、ブッシュ政権末期に展開した経済カタストロフが主な原因だ。政治的なリーダーシップもまた重要だった。もしナンシー・ペロシ――社会保障制度への攻撃を打破したのと同じ指導者――が民主党を焚きつけなければ、その機会は消え去っていたはずだ。

でも同時に、しっかりした思考もまた決定的だった。民主党が医療改革を実現する準備がそこそこ整っていた理由は、その支持者と政治マニアたちが、それに先立つ数年に地盤を固めていたからだ。医療改革の必要性を訴え、それを実現するための政策と政治的戦略を整えていたのだ。

この戦略の中心部分は、民主党の改革計画が意図的に、既存の医療システムをできるだけそのまま残したということだった。

現代の医療について理解すべき決定的なポイントは、それが主に何らかの健康保険で支払われねばならないということだ。なぜか？　医療費は不均等にふりかかるけれど、でもいったん生じたら巨額になる。定期検診や市販薬は大したお金はかからない。透析だの心臓手術だのとなれば、巨額になる。普通の年には、ほとんどの人々はそんな巨額支出に直面しない。結果として、いつの年でも医療費の大半を占めるのはごく少数の人々となる。でも自分がいつその不運な人々に加わるかはわからないし、そうした治療の費用を負担するには、大金持ちでなければならない――あるいはまともな健康保険が必要だ。

じゃあみんなどうやって保険に入るんだろうか？　二〇〇〇年代半ば、そしておおむね現代ですら、アメリカの制度はイカレたツギハギで、しかもでっかい穴がいくつか開いている。高齢市民はメディケアが負担し、全員ではないけれど多くの貧困者はメディケイド――政府が直接費用を負担するプログラム――がカバーしている。その他のほとんどの人々は、勤め先を通じて保険に入っている。これは税制優遇と、企業が従業員に健康保険を提供するときには全従業員を含めるよう強制するルールの組み合わせによるものだ。だが何百万人もがこの網からこぼれ落ちる。メディケアには若すぎ、メディケイドの対象になるほどは貧しくなくて、仕事は保険を提供してくれるほどいいものではない。

そうした穴をどうやって埋めようか？　経済学的にはむずかしくない。メディケアのような保険を全員に広げるのは簡単だ。結局のところ、他の国の多くはまさにそうしている――隣国カナダを含め。そして知り合いの医療政策マニアのほとんどは、こうした「単一支払い者」方式を大いに歓迎するはずだ。

問題は、ここからどうやってそこにたどりつくか、ということだ。特に、単一支払い者方式への移行はつまり、雇用者による保険を政府プログラムで置き換えるということになる。これは政治的にかなり面倒な話だ。その理由は二つある。

つまらないほうの理由は、利益団体の力だ。そう、それがつまらない問題なのだ――とはいえ、決してどうでもいい問題ではない。ビル・クリントンが一九九三年に大規模医療改革を成立させようとしたとき、保険会社はその計画にミソをつける派手な広報キャンペーンを展開して反対し、それが失敗の大きな原因となった。

でも業界の利権がなくても、すべてを単一支払い者方式へと変換しようとするのは、一・五六億人のアメリカ人――人口の半分――に、いま持っている保険をあきらめろと告げることだ。確かに、別の健康保険は手に入るし、現在職場の保険でカバーされている人々の大半にとって、この新しいプログラムのほうがお得になると正当に言える。でもそう言っても信じてもらえるだろうか？　改革に反対する保守派の攻撃になびく人がどれくらいいるだろうか？

二〇〇五年から二〇〇八年にかけて起きたのは、進歩派の政策マニアと政治家が、どちらも次善の解決策を支持したということだ。職場ベースの保険はそのままにして、保険なしの人々に保険を広げるために、規制と補助金の組み合わせを使おう。外国の経験から、これがうまく機能できるのはわかっていた。たとえばスイスは、これに似た分散型システムを使い、国民皆保険を実現している。そしてメディケア・フォア・オールよりははるかに政治的な実現性も高そうだった。

これでできたのがアフォーダブル医療法、またの名をオバマケアだ。この第二部の各種コラムは、その議論がどんなふうに発達し、法案がどういう結果となり、そしてオバマケアが施行されたときに何が起きたかを記述している。

第7章
疲弊する医療

二〇〇五年四月一一日

社会保障制度の危機を捏造したといって現政権を非難する人々は、逆に何もしないと言って糾弾されている。国の問題に取り組んでいないというわけだ。私はこれに対して、ちゃんと取り組んでいると主張したい。アメリカは確かに本当の危機に直面している――でもそれは社会保障制度ではなく、医療の問題だ。

物知りな企業重役たちもそれを知っている。大企業の最高財務責任者を対象とした最近の調査では、六五％が医療費への即時対処が「とても重要」と考えている。社会保障制度について同じ回答をしたのはたった三一％だ。

でも真剣な医療改革は提案されていないし、現在の政治環境では今後も提案されないだろう。というのも医療危機はイデオロギー的に不都合だからだ。

医療についての基本的な事実から始めよう。

いま、「メディケア改革」ではなく「医療改革」と言ったことに注目。メディケアの費用上昇は、政治的な議論では大きく採りあげられるけれど、それはこれが政府のプログラムだからだ（そしてそれがしばしば、危機をあおりたい人々によって、不適切にも社会保障制度といっしょくたにされているからだ）。でもこれは歯止めの利かない政府支出の話ではない。メディケアと民間健康保険の費用はどちらも一人あたりGDPより大きく増加しているし、双方の加入者一人あたりの費用を見ると同じくらいの上昇を示している。

つまり本当に迫っているのは、医療全般の費用激増であって、納税者が負担している医療に限った話ではない。

医療支出上昇は、医療価格の上昇が主な原因ではない。これは主にイノベーションに対する反応だ。医学が対応できるものごとの範囲はどんどん拡大している。たとえばメディケアは最近になって、心臓疾病を抱えた多くの患者が使うインプラント型心拍装置の費用を負担するようになった。研究で、これがきわめて有効だということがわかったからだ。これはよい報せであって、悪い話ではない。じゃあ何が問題なのか？　医療の進歩を歓迎し、その費用はよい支出だったと考えてはいかが？

これに反対する意見が三つある。

まず、アメリカの伝統的な民間健康保険制度は、労働者が雇用者を通じて保険に入るというもので、これが解体しつつある。カイザーファミリー財団によると、二〇〇四年には二〇〇一年に比べ、健康保険を提供する仕事は少なくとも五〇〇万件少なかった。そして医療費は保険を負担し続けている企業に大きな負担となっている。ゼネラルモーターズは生産する自動車一台あたり一五〇〇ドルの医療費を使っているのだ。

第二に、メディケア支出の増大は進歩のしるしかもしれないけれど、それでも誰かが負担せざるを得ない――そして現在、医療の進歩を全高齢アメリカ人に提供しようとするときに必要となる増税をきちんと主張したがる政治家はほとんどいない。

最後に、アメリカの医療システムはひどく非効率だ。アメリカ人は、アメリカの医療は世界最高だと思いがちだ（マスコミエリート層で、フランスがヘルスケアの品質のほぼあらゆる指標でアメリカより上だというのを頑として認めない人にお目にかかったこともある）。でもそれはウソだ。一人あたりの医療費は他のどの国よりも圧倒的に高い——カナダやフランスより七五％も高い——のに、期待寿命から乳児死亡率まで、あらゆる指標で先進国の最底辺近い。

この最後の点はある意味で、いい報せではある。長期的には、医学の進歩で厳しい選択を迫られることになる。金持ちだけが命を救う治療を受けられ、他の連中はお呼びでないという社会になりたくなければ、ずっとたくさん税金を支払わねばならない。でも現在の仕組みに無駄が多いなら、効率的な改革をすれば医療の質を改善しつつも費用は引き下げられるから、厳しい選択も先送りできる。

でも効率的な改革のためには、いくつか思い込みをなくす必要がある——特に、いつもダメなのは政府で、市場競争こそが常に解決策なのだというイデオロギー主導の信念を捨てねばならない。

実際のところ、医療では民間のほうが肥大して官僚的だし、それに対して一部の政府機関——特に退役軍人保健局——は無駄がなく効率的だ。医療では、競争や個人の選択が高コストと低品質につながりかねず、実際にそうなっている。アメリカは先進国の中で最も民間依存の競争的な医療システムを持っている。そして圧倒的に高い費用と、最悪に近い結果しか得られていないのだ。

第8章　医療コンフィデンシャル

二〇〇六年一月二七日

アメリカの医療は改革必須の状況だ。でもどんな形の変化がいいのか？　お手本になるよい事例はあるだろうか？

そうですねえ、費用を抑えつつもすばらしい医療を提供するのに大成功している医療システムを知ってるんですがねえ。そしてこの仕組みの物語は、反政府イデオロギーに対する有益な矯正を提供してくれるんですよ。というのもこの仕組みでは、政府はお金を払うだけじゃない——病院やクリニックを自前で運営してるんですから。

いやいや、どっか遠い国の話じゃない。ここで言ってるのはこのアメリカの退役軍人保健局（VHA）だ。ここのサクセスストーリーは、アメリカの政策論争で必死で隠されているものなのだ。

『アメリカ管理医療ジャーナル』の記事によると、一九八〇年代から一九九〇年代初頭にかけてVHAは「官僚主義で非効率で低劣な医療」というさんざんな評判を得ていた。でも一九九〇年代半ばに開始された改革でこの仕組みは一変し、「退役軍人保健局が品質、安全、お値打ち感の改善性向により、ここはますます医療における先進例として認知されてきた」。

昨年の退役軍人医療システムの顧客満足度は、全米品質研究センターが毎年行う調査によると、六年連続で民間医療を上回っている。この高い品質水準（これはパフォーマンスの客観指標でも裏付けられている）は巨額の予算増なしに実現された。それどころか退役軍人向けのこの仕組みは、アメリカ医療のその他の部分に蔓延する巨額の費用増大をほとんど回避できているのだ。

ＶＨＡはどうやってそれを実現したのか？

その成功の秘密は、それがユニバーサルな統合システムだということだ。あらゆる退役軍人がカバーされているので、この患者の保険適用について調べたり、保険会社に支払い請求をしたりするための大量の事務員を雇わずにすむ。医療のあらゆる面をカバーするので、電子記録などの費用削減イノベーションの最先端を導入できるし、効率的な治療もできるし、医療過誤も避けられる。

さらにＶＨＡは、フィリップ・ロングマンが『ワシントン・マンスリー』誌で書いたように、「患者たちとほぼ生涯にわたるつきあいを持つ」。結果として「予防医療や効率の高い疾病管理に投資するインセンティブが本当にある。それは別に、他の誰かのための節約になるのではない。自分自身のリソースを最大化している。要するにＶＨＡは、医療セクターの他の人々ができないことができる。それは、系統的に品質を追求しつつ、自分の財務健全性を脅かさないということだ」。

ああそうそう、もう一つ。退役軍人の医療制度は、医療の提供者としっかり価格交渉するので、ほとんどの民間保険会社よりはるかに医薬品への支払いが低い。

退役軍人制度をあまり理想化する気はない。実はその将来を懸念すべき理由もある。イラク帰りで負傷しトラウマを負った退役軍人に対応するだけのリソースをもらえるだろうか？　だがＶＨＡの変身は明らかに、過去一〇年で最も嬉しい保険政策の物語だ。ではなぜその話を耳にしたことがないのだろうか？

答はたぶん、評論家や政策担当者たちが退役軍人制度について語りたがらないのは、認知的不協和に耐えられないからだと思う（ある有力な評論家は、私的な会話でこの仕組みの成功について私が話し始めると、怒鳴りだした）。というのもＶＨＡのサクセスストーリーの教訓——政府機関が民間部門よりも安くよい医療を提供できるという教訓――は、今日のワシントンで主流となった、民営化促進、反政府の常識と真っ向から対立するものだからだ。

支配的イデオロギーと医療の現実との不協和は、メディケアの医薬品法制の状況についても説明してくれる。それは退役軍人の仕組みで成功しているものを一覧にして、そのすべてで逆のことをやったように見えるのだ。たとえばＶＨＡは保険会社を入れないようにする。でも医薬品法案は、まともな機能を何も果たさないのに無理矢理保険会社を押し込もうとする。ＶＨＡは医薬品の価格交渉をうまくやっている。医薬品法案は、メディケアがそれをやってはいけないと言う。

それでも、イデオロギーがいつまでも現実を抑えるわけにはいかない。「社会主義医療」という糾弾は最終的にはメディケア創設を妨害しきれなかった。そして先見の明を持った人々はすでに、アメリカ医療の真の未来を示すのは、人々がタイルを買うときにやるように医療を「買い比べ」するようなブッシュ大統領の非現実的なビジョンではなく（タイルというのはブッシュ大統領が持ち出した喩えで、ぼくが出したものじゃない）、退役軍人保健局のやり方だと述べているのだ。

第9章
医療テロ

二〇〇七年七月九日

最近だとチンピラはすぐにテロに走りたがる。だからイギリス当局が、全英保健サービスで働くムスリム医師集団が最近の爆弾テロ未遂に関わっていたと発表したら、何が出てくるかは予想がつくべきだった。

「全英医療：テロの温床か？」という見出しを背後に、フォックスニュースのアナウンサーであるニール・カヴートと評論家ジェリー・ボウヤーは真面目くさって、ユニバーサル医療がテロを促進するという議論を展開してみせた。

これはブッシュ時代の政治的言説の基準からしてもお粗末だったけれど、フォックスは長い伝統にしたがっていただけだ。六〇年以上にわたり、医薬産業複合体と政治仲間たちは恫喝戦術を使い、アメリカが良心にしたがって、医療アクセスを全市民の権利にするのを阻止してきた。

いま良心といったのは、医療問題は何にも増して道徳の問題だからだ。

マイケル・ムーア『シッコ』に対する圧倒的な反応から学べるのはそういうことだ。医療改革者たちは何としてでも、アメリカ人中産階級の懸念に応えねばならない。健康保険がなくなってしまったり、最も必要とするときにそれは適用範囲外だと保険会社に言われるという、増大する一方の正当な恐れに応えねばならない。でも改革者たちは人々の利己性にだけ注目してはいけない。アメリカ人の持つ、品位と人間性にも訴えねばならない。

『シッコ』を見て人々が激怒するのは、アメリカの医療システムがひたすら残酷で不正だからだ――病院の料金が払えない人々は、文字通り歩道に放り出され、母親の保険が適用されない緊急治療室が処置を拒んだために子供が死に、勤勉なアメリカ人たちが医療費のおかげで屈辱的な貧困に追いやられる。

『シッコ』は行動しようと強力に訴える――でも現状の擁護者たちがおとなしく引っ込むとは思わないこと。歴史を見ると、彼らは新しい脅しの口実を見つけて改革を撃退するのがとても得意だとわかる。

こうした脅しの手口にはしばしば、公的な健康保険の危険についてのとんでもない主張が含まれる。『シッコ』では、ロナルド・レーガンがかつてアメリカ医学会で行った録画の一部が登場する。当時提案されていた、高齢者健康保険計画――現在メディケアと呼ばれるもの――が全体主義をもたらすぞと脅しているのだ。

ちなみに現在、メディケア――これはすさまじい成果を挙げ、独裁政治にはつながらなかった――は民営化によりダメになろうとしている。

でも現在の仕組みで利益を得ている、大金持ちの利益団体は、国民医療皆保険がすさまじい税負担とひどい医療につながると思い込ませたがっている。

さて、アメリカ以外のあらゆる富裕国は、何らかの国民医療皆保険のようなものを持っている。こうした国の人々は、結果として少し多めに税金を払う――でもその分を、健康保険の掛け金や自己負担の医療費の節約で取り返している。皆保険のある国の総医療費は、アメリカよりずっと低い。

一方、存在するあらゆる指標を見れば、品質、必要な医療へのアクセス、結果としての健康上の成果の面で、アメリカの医療は他の先進国よりマシなどころか、ひどい結果しか挙げていない――アメリカと比べて一人あたり四割ほどの医療費しか払わないイギリスと比べてもアメリカは低いのだ。

確かにカナダ人は、一部の手術に関しては保険のあるアメリカ人より待ち時間が長い。でも全体として、平均的なカナダ人の医療アクセスは、平均的な保険のあるアメリカ人と同じくらいだ――そして保険のないアメリカ人よりはるかに優れている。そうした人々は、必要な医療を最後まで受けられないことも多い。

そしてフランス人は、どんな大規模な待ち行列もなしに、最高の医療と言えるものを提供できている。『シッコ』には、パリ在住のアメリカ人がフランス医療を絶賛する場面がある。きちんとデータを見ても、それは単なる妄想なんかじゃない。本当にそれくらい優秀なのだ。

するとここで、『シッコ』冒頭でムーアが尋ねる質問が出てくる。私たちアメリカ人はどういう連中なんだ?

「私たちは常に、無軌道な利己性がダメな道徳だということを知っていました。いまやそれがダメな経済学だということも知ったのです」とルーズベルト大統領は一九三七年に宣言した。これは今日の医療にも完璧に当てはまる。これは苦しいトレードオフに直面するような話とはちがう――ここでは、正しいことをすれば費用効率も上がる。国民医療皆保険は、毎年何千人ものアメリカ人の命を救いつつ、本当に医療費を下げる。

だからこれは試験だ。国民医療皆保険を阻む唯一のものは、利益団体による脅しと影響力の買収だけだ。ここでそれを克服できないなら、アメリカの将来は希望なんかないも同然となる。

第10章
持久戦

二〇〇七年七月一六日

健康保険がないなんて、大したことじゃない。ブッシュ大統領に聞いてみるといい。先週、彼はこう言った。「だってアメリカではみんな医療にアクセスできるじゃないですか。結局、緊急治療室に行けばいいだけなんだから」

この冷酷ぶりには本当の影響力がある。ホワイトハウスによると、ブッシュ氏は健康保険を拡大するという超党派法案を阻止し、健康保険のない現在の推定四一〇万人の子供たちに定期検診や予防医療といった不可欠なものを受けさせないことにした。結局、そんなガキどもが本当に保険が必要ってわけじゃないんでしょう——緊急治療室に行けばいいだけ、なんですよね？

はいはい、ブッシュ氏が自分ほど恵まれない人々に対する共感を持ち合わせていないというのは、今に始まった話じゃない。でもその意図的な無知はもっと大きな構図の一部なのだ。おおむね、国民医療皆保険の反対者たちが描く、アメリカの医療制度のすばらしさというのはまったく現実離れしていて、フランスやイギリスやカナダの医療について彼らが語る脅しと同じくらいデタラメだ。

健康保険がなくても必要な医療はすべて緊急治療室で受けられるという主張は皮切りでしかない。その先には、アメリカで健康保険のある幸運な人々は、長いこと待たずに医療を受けられるというお話が控えている。

実はこのおとぎ話がここまで長続きしているというのは不思議でたまらない。ブッシュ氏や、最近になって「アメリカの最貧層はカナダやイギリスよりはるかによい医療が受けられる」と宣言したフレッド・トンプソンのような人々が、貧しく声のないことも多い健康保険なしのアメリカ人たちの絶望を一蹴できるのはわかる。でも保険のあるアメリカ人が常に即座に医療を受けられるというふりをして、どうして責められずにいるんだろうか。ほとんどの人々は、それがデタラメだと証言できるはずなのに。

『ビジネスウィーク』の最近の記事が率直に述べている。「実際には、データを見ても談話を聞いても、アメリカの人々は国民医療皆保険を持つ国々の患者と同じくらい、いやそれ以上に待たされていることがわかる」

コモンウェルス基金が行った国際比較調査によれば、すぐに医療を受けるのがいかにむずかしいかという点で、アメリカは先進国の中でも最低クラスだ（ただしカナダはアメリカより少し劣る）。そして、営業時間後や週末に医療が必要な場合には最悪の場所だ。

専門医に診てもらったり、選択性の手術を受けたりという点では、少しマシだ。でもそういう指標ですらドイツのほうが上だ——そしてたぶん、この調査に含まれていなかったフランスも、ドイツの成績と比肩するはずだ。

さらに、すべての医療の遅れが同じ原因というわけじゃない。カナダとイギリスでの遅れは、医師が限られた医療リソースを最も緊急性の高いところに集中させようとして生じる。アメリカでは、保険会社がお金を節約しようとして起こる。

おかげで、最近UCLA教授マーク・クライマンが経験したような惨事が生じる。保険会社が必要な生体検査の承認を遅らせ続けたために、ガンで死にかけたのだ。クライマン氏はブログにこう書いている。「なぜ保険会社が時間稼ぎをしていたか、後になってやっとわかった。『ティアII』に行くという選択肢を選べば、そうした承認をすべてすっ飛ばせたのだ。そんな選択があるとは当時知らなかったし、またそれを使うと保険料は高くなる」

「うちの保険会社が何人について死ぬまで手をこまねいたかはわからないけれど、でもゼロでないのはまちがいない」と彼は付け加える。

　公平のために言っておくと、クライマン氏は自分の健康保険会社が、治療費の負担額を増やさせようとして自分の生命を危険にさらしたと憶測しているだけだ。だが一見するとまともな健康保険を持っているように見えるアメリカ人でも、保険会社が自分たちの「医療損失」——これは実際に治療費を負担する羽目になるというのを示す業界用語だ——を抑えようとするために死んでしまう場合があるというのは疑問の余地がない。

　その一方で、アメリカ人は腰骨交換手術を受けるときにはカナダ人より早いのは事実だ。だがこの例には不思議な点がある。この事例は、民間健康保険のほうが政府の運営する仕組みよりも優れているという主張の一環として絶えず使われている。でも実際には、アメリカの腰骨交換手術の大半は、えー、そのー、メディケアが負担しているのだ。

　その通り。腰骨交換ギャップは、実は、ちがう二種類の政府健康保険システムを比べたものなのだ。アメリカのメディケアはカナダのメディケア（そう、カナダは自国の仕組みをそう呼ぶ）に比べて待ち時間が短い——それだけの話。民間保険の美徳と称するものは何の関係もない。

　すると結局のところ、国民医療皆保険の反対者たちは、正直な議論のネタが尽きてしまったらしい。残っているのは妄想だけ。他の国の医療に関するおっかない作り話と、ここアメリカの医療に関するおとぎ話だ。

第11章 医療の希望

二〇〇七年九月二一日

あらゆる証拠から見て、どうやらアメリカ人に、他のあらゆる先進国の国民がとっくに持っているものを提供するのが、やっと政治的に可能になったらしい。保証された健康保険だ。国民医療皆保険の経済性はしっかりしているし、世論調査を見ても、保証付き医療には世間の強い支持がある。だから恐れるべき唯一のものは、恐れそのものだ。

残念ながら、恐れはやたらに出回っている。

確かに、恐れの中でも一つは、とりあえずは克服されたらしい。それは当初のクリントン保険プラン失敗で手傷を負った、民主党政治家たちの臆病さだ。

事態がどれほど変わったかを見るには、ヒラリー・クリントンの変貌ぶりを考えよう。たった一五ヶ月前、『ニューヨーク・タイムズ』は「彼女の医療保険カバー範囲を広げようという計画は、おずおずとした段階的なもの」であり「彼女は絶えず究極の挑戦から逃げ続けている。それは、包括的な民主党の医療プランがどんなものかを説明するということだ」と述べた。

実際、どうやって費用を抑えるのかと尋ねられた彼女は、はぐらかした。「それはどんな仕組みを考案するか次第ですね。そしてそれがいまだに私にははっきりしないんですよ、国民が何を受け入れるかがね」

でもそれは昔の話だ。

ジョン・エドワーズは二月に、国民医療皆保険の巧妙で真面目なプランを提案することで、医療改革の問題を俎上にあげ、そしてそのプランの費用はブッシュ減税の一部を期限がきても延長しないことでまかなう、と勇敢にも発表した。いきなり国民医療皆保険は、はるか遠くの進歩派の夢から、次期政権で本当に起こりそうな何かに変わった。

クリントン上院議員は、独自のプランを出すのをかなり遅らせた――その遅れは医療改革支持者たちにかなり不安をもたらし、そしてこれから説明するように、将来にとって凶兆となる可能性もある。それでも今週になってやっとプランを発表したし、それはエドワーズのプランに負けないくらい強力だ――というのも細かい但し書きにまで入り込まない限り、クリントンのプランはまさにエドワーズのプランそのものだからだ。

これは批判ではない。政治家がオリジナリティを発揮するよりも、医療を正しく理解するほうがずっと重要なのだ。クリントン上院議員は政治的には慎重かもしれないが、医療経済学を理解しているし、いいものを見ればちゃんとそれがわかる人物だ。

エドワーズとクリントンのプランや、少し弱いが似たようなオバマのプランは、保険規制、補助金、公共と民間の競争のよく考えられた組み合わせを通じ、国民医療皆保険か皆保険に近いものを実現する。もっと単純明快な、単一支払い者方式を支持していた人はがっかりするかもしれない。だが万人のためのメディケアが当分は議会で可決される見込みはほとんどないのに対し、エドワーズ型のプランはわずか二年後には、民主党が多数派の議会が本当に可決し、そして民主党の大統領が承認しそうな見込みがある。

でもそこに到達するには、はるかに多くの恐れを克服しなければならない。

共和党からまともな対案は出てこない。主要な共和党候補からの医療プランは、見たところ、古くさいものばかり。主に金持ちが得をする免税を軸としているのに、それが何やら市場の魔術を呼び覚ますと主張するのだ。『アメリカン・プロスペクト』誌のエズラ・クラインが残酷ながらも正確に述べた通り「共和党のビジョンは、病人や死にかけの人々が、健康保険料の一部を税金から控除できるというものだけれど、そもそもそういう人々は健康保険に入れないという世界を描いている」。

でも共和党候補は、誰になるかはわからないけれど、自分の計画の利点について世間を納得させたいのではない。むしろまだまともな健康保険を持っている、ますます縮小しているアメリカ人層を、民主党がそれを奪ってしまうぞと主張することで脅かしたいのだ。

この悪口と脅しキャンペーンはすでに始まっている。民主党計画はすべて、マサチューセッツ州知事時代のミット・ロムニーが承認した医療プランときわめて似ていて、唯一のちがいはアメリカ人たちにそれ以外の選択肢も提供するということだ。それでもロムニー氏は、クリントンの計画を「ヨーロッパ式の社会主義医療」とこきおろした。そしてフレッド・トンプソンは、クリントンの計画が選択を許さないという——でも実際には大量の選択肢が提供されている——そしてそれが「処罰」に頼っているという。

こうした攻撃は、大して効かないので民主党が来年勝つのは止められそうにない。でもそれで話が終わるわけじゃない。民主党が大統領になって、議席数をさらに拡大した場合ですら、保険業界と医薬品業界のロビーは公約を破るように彼らを脅そうとするだろう。

だからこそ、クリントン上院議員が医療プランを発表したときの長い遅れは、国民医療皆保険の支持者（この私を含む）をあれほど不安にさせたのだ——その不安は、彼女が最終的にはプランを示したという事実によっても完全にはぬぐいきれていない。民主党の指名を受ける人が誰であれ、とてもよい医療プランに基づいて選挙活動ができるというのはすばらしい。残る問題は、その人物がプランを現実にするだけの決意を持っているか、ということだ。

第12章
恐怖は空振り三振

二〇一〇年三月二一日

日曜日の医療法案の議決前日、オバマ大統領は民主党議員たちを相手に、台本なしの演説をした。その終わり近くに彼は、なぜ民主党が改革を可決すべきか述べた。「ごくたまに、自分自身やこの国について抱いていた最高の希望をすべて現実のものにできるような瞬間がやってくる。自分の約束を果たせるチャンスだ。（中略）そしていまこそ、その約束を実現するときだ。私たちは、勝利が確約されているわけではないけれど、正直ではいられる。成功は確約されていなくても、自分たちが持つ精一杯の光を輝かせることはできるのだ」

そしてその反対側で、共和党の元下院議長ニュート・ギングリッチ——共和党の多くの人々に知的リーダーとして誉めそやされている人物——はこう述べた。もし民主党が医療改革を可決させたら、「やつらはリンドン・ジョンソンが民主党を四〇年にわたり崩壊させたのと同じくらい、自分たちの党を破壊することになる」。そのリンドン・ジョンソンがやったこととは？　公民権法を承認したことだ。*1

私はギングリッチ氏がこの点ではまちがっているのではと思う。健康保険を保証する提案は、施行されるまではしばしば議論が分かれる——ロナルド・レーガンは、メディケアがアメリカの自由の終焉を意味するのだと論じたことで有名だ——けれど、いったん施行されたら常に人気が高い。

でも今日述べたい論点はそれじゃない。むしろ、この両者の対比をしてほしいのだ。一方では、結語の主張は人々の善意への訴えで、政治家たちにそれが自分のキャリアを傷つけることになっても正しいことをしようと述べるものだ。その反対側は、冷酷なシニシズム。医療改革を糾弾するのに、それを公民権法と比べるというのがどういうことか、考えてみてほしい。現代アメリカ人で、人種平等を推進したリンドン・ジョンソンがまちがっていたと述べるような人物がいるだろうか？（実はいる。議決前夜に、民主党議員たちに人種偏見発言を投げつけた、ティーパーティによる抗議デモの参加者たちだ）。

そしてそのシニシズムは、医療改革反対キャンペーン全体の核心だ。

はいはい、保守派の政治知識人数名は、こうした問題についてしっかり考えるふりをしてから、改革が財政に与える影響を懸念するなどと主張してみせた（それなのに議会予算局から、それが財政健全性に影響しないというお墨付きが出ても、不思議と立場を変えなかった）。あるいは、費用を抑える手段をもっと強化しろと述べた（この改革は、それまでのどんな法制よりも医療費抑制に努めているのだが）。だがほとんどの場合、改革の反対者たちは、既存医療システムや、民主党が提案している穏健で中道的なプラン――ミット・ロムニーがマサチューセッツ州で導入したのと似た概要を持つもの――の現実に対処するそぶりさえ見せなかった。

むしろ反対の情動的な核心は、恥知らずな恫喝であり、事実や誠実さなどでそれに歯止めがかかることはまったくなかった。

生死判定委員会というデタラメ（サラ・ペイリンが言い出した、オバマケアでは誰が医療を受けられるかという生死の判断を、官僚的な委員会がすべて行うようになるという主張）だけではない。人種的な憎悪拡大もある。たとえば『インベスターズ・ビジネスデイリー』のある記事は、医療改革が「アファーマティブアクションのムキムキ版であり、誰が医者になるか、誰が治療を受けるかまですべてを肌の色で決めてしまう」と断言する。また中絶費用負担に関するとんでもない主張もあった。

若い働くアメリカ人たちに、必要なときに医療が受けられると保証するのが、何か圧制的なことなのだという頑固な主張もあった。高齢アメリカ人は、そうした保証をリンドン・ジョンソン大統領――ニュート・ギングリッチがダメな大統領だと考えている人物――が保守派の大反対を押し切ってメディケアを導入してきて以来、ずっと享受してきたというのに。

そして一つはっきりさせておこう。恫喝キャンペーンを行っていたのは、共和党のエスタブリッシュメントと無関係の、泡沫過激派などではない。それどころか、当のエスタブリッシュメントがこの動きにはどっぷり関わり、ずっとお墨付きを与えてきたのだ。サラ・ペイリンのような政治家――彼女が共和党の副大統領候補だったのをお忘れなく――は、生死判定委員会というデタラメを嬉々として広め、チャック・グラスレー上院議員のような、良識ある穏健派の政治家とされる人物ですら、それがウソだと口にするのを拒んだ。議決の前夜、共和党議員は「今日、自由がちょっとばかり死ぬ」と警告し、民主党の手口を「全体主義的戦術」として糾弾した。たぶんその戦術というのは「投票」と呼ばれるプロセスのことだろうと思う。

疑問の余地なく、恫喝キャンペーンは有効だった。医療改革は、もともと大いに人気があったのに、反対がかなり広まってしまった。とはいえ、それも最近は少し改善しているけれど。でも問題は、それが改革を阻止するほど大きなものか、ということだ。

そしてその答はノーだ。民主党はなしとげた。下院は上院版の医療改革を可決し、改善版が和解を通じて実現されるはずだ。

これはもちろん、オバマ大統領の政治的勝利だし、下院議長ナンシー・ペロシの勝利でもある。でもそれは、アメリカの魂の勝利でもあるのだ。結局のところ、悪意に満ちた無軌道な恐怖による攻撃は、改革を阻止できなかった。今回ばかりは、恐怖が空振り三振だったのだ。

＊1原書編集者注：二〇一〇年三月二三日　医療法案に関するポール・クルーグマンのコラムでは、ニュート・ギングリッチが「リンドン・ジョンソンが民主党を四〇年にわたり崩壊させた」のが公民権法を成立させたためだ、と述べたという引用が行われた。この引用はもともと『ワシントン・ポスト』に登場したもので、同コラムが印刷にまわる前に、ギングリッチ氏のこの発言はジョンソンの偉大なる社会政策についてのもので、一九六四年公民権法についてのものではないと同紙は報じた。

第13章 オバマケア、失敗し損ねる

二〇一四年七月一三日

医療改革がどうなっているか知っているアメリカ人は何人いるだろうか？　それを言うなら、マスコミで、それが挙げている成果を追いかけている人がどれだけいるだろう？

たぶん最初の質問への答は「あまり多くない」で、二番目への答は「ヘタをするともっと少ない」ではないか。理由は後で述べる。そして私が正しいなら、それは驚くべきことだ――政策の大成功が何百万人ものアメリカ人の生活を改善しているのに、それがほとんど顧みられないのだから。

なぜそんなことがあり得るのか？　説明責任をまったく果たさずに、必死であら探しをすればいい。アフォーダブル医療法は党派的な人々や右派メディアからノンストップで攻撃をくらい、主流派のニュースもこの法律が直面したトラブルにばかり飛びつきたがる。多くの攻撃は大惨事が起こると予測していたけれど、どれ一つとして起こっていない。でも惨事が起きないというだけでは売れる見出しにならないし、災厄を予言してまちがっていた人々は、平気でおっかない新しい警告を抱えて戻ってくる。

特に、オバマケアが健康保険のないアメリカ人の数にどんな影響を与えたか見てみよう。連邦ウェブサイトをめぐる初期の混乱で、申請用ウェブサイトがしばしばダウンし、使いにくかったため混乱を招いた。右派は大喜びしたし、主流メディアからもいろいろ否定的な報道が相次いだ。二〇一四年初頭、多くの記事は初年度の登録者数がホワイトハウスの予測をはるかに下回るだろうと自信たっぷりに予測していた。

そこへ、少し遅れて登録者数の激増が生じた。悲観論者たちは、なぜ自分たちが大まちがいをしでかしたかという苦しい問題に直面しただろうか？　まさか。その同じ連中は単に、陰謀論と新しい災厄の予言を抱えて再登場しただけだった。ワイオミング州選出のジョン・バラッソ上院議員は、政権が「数字を操作している」と言った。多数の「専門家」が、登録した人々は実際には保険料を支払わないだろうと宣言した。健康保険に新たに入れた人より、それを失った人のほうが多い、とテキサス州選出のテッド・クルズ上院議員は言った。

でも登録した人々の大半は実際に保険料を払ったし、多くの独立調査──ギャラップ、アーバン研究所、コモンウェルス基金──はすべて、昨秋以来、健康保険のないアメリカ人が激減していることを示している。

右派からは、健康保険なしのアメリカ人激減は経済回復によるもので、医療改革のせいではないという主張も見られた（じゃあ保守派はいまやオバマ経済を賞賛してるというわけですかね？）。でもこれはかなりショボい説だし、明らかにまちがっている。

まず、この減少はあまりに激しすぎて、せいぜい穏やかな回復しか見せていない雇用では説明しきれない。また別の点として、アーバン研究所の調査によると、メディケイドを拡張した州──これは一般に、医療改革を成功させようと頑張った州だ──と、連邦政府が貧困者の医療費をカバーするのを断固として拒否した州との間には驚くほどの差が見られる。そして当然ながら、メディケイドを拡張した州では、それを拒否した州に比べて健康保険なしの住民は三倍も減っている。経済なんかじゃない、政策のせいだよ、お馬鹿さんたち。

費用はどうだろう？　去年には、保険料が跳ね上がって「保険料ショック」が生じるという主張がたくさんあった。でも先月、保健福祉省は、連邦補助を受けている人々——新規のオバマケア登録者の大半——で、平均の保険料は月額たった八二ドルだったと報告している。

はいはい、確かにオバマケアで損をした人はいる。若く、健康で、豊かすぎて補塡を受けられない（そして雇用者の健康保険にも入れない）場合には、たぶん保険料は上がっただろう。そしてそうした補助金の財源となる追加の税金を支払えるくらい豊かな人は、支出が打撃を受けた。でも、改革の反対者たちですらそういう話を喧伝したがらないというのは、なかなか示唆的だ。むしろ反対者たちは絶えず、高齢で病気の中産階級の被害者を捜そうとし続け、それが見つからずに困っている。

ああそうそう、コモンウェルス基金によると、新規に健康保険に入った人の圧倒的多数は、共和党員の七四％も含め、その健康保険に満足しているそうですよ。

もし医療改革がそんなにうまくいっているなら、なぜ世論調査で相変わらず不評なのか、と思うかもしれない。私としては、オバマケアがその設計上、すでにまともな健康保険を持っている人にはまったく影響しないことを認識するのが重要だと思う。結果として、多くの人々の見方はマスコミの主に否定的な報道に左右される。それでもカイザーファミリー財団の最新追跡調査によると、アメリカ人の中で改革について親戚や知人から報される人が増えているという。ということはつまり、実際にこのプログラムの恩恵を受けている人の話が伝わりつつあるということだ。

そしてはじめに示唆した通り、メディアの人々——特にエリート評論家——はよい報せを聞くのがいちばん遅い人になるだろう。というのも彼らは一般に、よい健康保険に入れる人々の社会経済的な階級にいるからだ。

でもそれほど恵まれていない人々にとって、アフォーダブル医療法はすでに巨大なよい影響をもたらした。いつもながらの連中は相変わらず失敗だと叫び続けるだろう。でも本当のところ、医療改革は——なんと！——うまくいっているのだ。

第14章
医療のホラー話は空想でしかない

二〇一五年三月三〇日

アメリカの政治ではいい加減な数字がやたらに出回る。でもテキサス州の下院議員ピート・セッションズ（議事規則委員会議長）は最近、オバマケアの費用が「容認しがたい」と論じたときに、そのいい加減ぶりの新記録を樹立した。彼によると、「簡単なかけ算」をすれば、健康保険の拡大で受益者一人あたり五〇〇万ドルかかっていることがわかる、という。でもこの計算はちょっとまちがっていた——具体的には、千倍以上もちがっている。新規に健康保険対象となったアメリカ人の実際の費用は、四〇〇〇ドルほどだ。

もちろん、誰にだってまちがいはある。でもこれは許し難いまちがいだ。アフォーダブル医療法についてどういう立場にせよ、一つ否定しがたい事実は、それが納税者に与える負担が予想よりずっと低いということだ——議会予算局によると、二割方低い。議会の古参議員ならそれを知っていて然るべきだし、予算局の報告を読む手間さえかけないなら、その問題について演説をする資格なんかない。

でも、オバマケアについてはずっとこんな調子だった。法の施行前には、反対者たちは全面的な大惨事を予測してみせた。ただ実際にふたを開けてみると、この法律はかなりうまく機能している。じゃあ災厄の予言者たちはどう反応したか？　自分たちが起こると予言したひどい出来事が、実は起きたのだというふりをしてみせたのだ。

改革の敵たちが、実際の成功物語ではなく空想上の災厄の話をしたがる分野は費用に限らない。オバマケアが、すさまじい失業を生み出すはずだったのを思い出そう。二〇一一年に下院は「雇用を殺す医療法案撤廃」という法案を可決したほどだ。反対者によると、医療改革は経済を歪め、特に雇用者は従業員を非正規労働に追いやらざるを得なくなる、という。

ところが、オバマケアは二〇一四年の初めに全面施行となった――そして民間の雇用はむしろ加速し、クリントン時代に迫る勢いとなった。一方、非自発的な臨時雇用――正規雇用に就きたいのにそれが得られない人々――の数は激減した。でもいつもの連中は例によって、自分たちの陰惨な予想が実現したかのように語る。ほんの数週間前にジェブ・ブッシュが語った話では、オバマケアは「この景気回復なるものにおける、最大の雇用抑圧要因だ」とのこと。

最後に、果てしないスナークやブージャム狩りは続く――普通の勤勉なアメリカ人が、医療改革のおかげでつらいめにあった例はないか、みんな必死で探している。いま見た通り、オバマケアの反対者たちはおおむね計算をきちんとしない（計算をしたら後悔する）。でも彼らが本当に求めているのは、お涙頂戴の悲劇物語で、この法案の何かの側面により貧窮してしまった、可哀想な人々が数人でもいないかと期待されているのだ。

驚いたことに、彼らはそんな悲劇を見つけられていない。去年の初め、繁栄を求めるアメリカ人の会（コーク兄弟が支援している団体だ）はオバマケアの被害者と称する人々を掲げる一連の広告を打った――でもそうした悲嘆話のどれ一つとして検証に耐えられなかった。もっと最近ではワシントン州のキャシー・マクモリス・ロジャース下院議員はフェイスブックで、オバマケアのホラー話を募集した。でも代わりに得られたのは、医療改革で人生が改善し、時に命が助かった人々の証言の山だった。

現実には、医療改革で損をしたアメリカ人は、税金が上がった超高所得者と、若くて健康で（つまりこれまでは保険会社にリスクの低い人とされていた）、裕福（つまり補助金の対象外）なせいで保険料が上がった人々だけだ。どちらの集団も、被害者として攻撃広告に使うには向いていない。

要するに、事実を見れば医療改革への攻撃はネタが何もない。でも世間はそれを知らない。費用についてのよい報せはまったく伝わっていない。Vox.comによる最近の世論調査だと、オバマケアが予想よりも安上がりだと知っているアメリカ人はたった五％で、四二％は政府が予想以上の支出をしていると思っている。

そして健康保険を手に入れた一六〇〇万人ほどのアメリカ人によるよい経験は、いまのところ世間の認知にほとんど影響していない。理由の一部は、アフォーダブル医療法がすでによい健康保険に入っている人々にほぼ何の影響も与えないよう設計されているからだ。この法律以前も、アメリカ人の大多数は雇用者の医療保険やメディケア、メディケイドでカバーされており、その立場はまったく変わっていないのだ。

でももっと深い水準だと、ここで見ているのはポスト真実の政治が持つ影響力だ。私たちがいま生きる時代は、政治家とそれに仕える自称専門家たちが、不都合な事実を決して受け容れる必要がないと感じている時代であり、まちがっているという証拠がどれほど圧倒的に積み上がっても、意見が否定されずにいる時代なのだ。

その結果、空想上の災厄が本当の成功を覆い隠してしまえる。オバマケアは完璧ではないけれど、何百万人もの生活を劇的に改善した。それを誰かが有権者に伝えてあげるべきだ。

第３部

オバマケアへの攻撃

冷酷さの黒幕

二〇一二年六月、最高裁判所がオバマケアは合憲だという決定的な判決を下したとき、あなたはどこにいただろうか？　まったく思い出せないなら、あなたは保健政策おたくではないのだ。これに対し、私は保健政策おたくだ。そのときはイギリスで、妻とパブにいて──Ｗｉ‐Ｆｉ経由で──報道にかじりついていた。

最初の報道はわけがわからず、まるで法廷が医療改革を潰したかのようだった。ありがたいことに、ちがった。そして改革が実は生き延びたというのがわかったら、やるべきことは一つしかなかった。私はスコッチをダブルで注文し、一気に飲み干した。

改革は生き延びたとはいえ、法廷はアフォーダブル医療法に一つだけ制限を加えた。貧困ラインの一三三％より下の所得の人々すべてにメディケイドを拡張するという条項を、州ごとに選択可能としたのだ。

そんなの大差ないと思うかもしれない。というのも、この法律によれば当初はかかった費用はすべて連邦政府が負担する。数年したらそれが九割になるけれど、それでもものすごくお得な話だ。だって、ほぼ何の追加費用もなしに健康保険を大量の住民に提供しつつ、州の経済を発展させる連邦予算を手に入れられる機会だ。それを断るような州政府があるだろうか？

あった。共和党が支配するほとんどの州政府だ。なかにはやがて宗旨替えした州もある。でも二〇一九年半ば現在、費用がまったくかからないのに、最も脆弱な市民の一部に不可欠な医療を提供しないと決めた州がいまだに一四州もある。

当初は、メディケイド拡張を拒否するのは戦略的な動きであって、オバマケア全体にミソをつける手口なのだという正当化もできただろう。でもオバマケアはすでに、かなり長いこと施行されている。メディケイド拡張を拒否してオバマケアが潰れるなら、とっくの昔に潰れていたはずだ。だから現時点では、何かさらに薄汚いことが起こっているのだというのを受け容れざるを得ない。

金持ちに課税して貧乏人を助ける計画に反駁するのは、まあ一つの考え方ではある。そうした立場について、金持ちへの課税は雇用を減らすとかなんとか、あるいは貧乏人より金持ちのほうを重視しているからというだけでもいいけれど、正当化することはできる。でも貧乏人を助ける無料のお金を断るというのは、話がまったくちがう——それは冷酷さ自体のための冷酷さなのだ。

が、二〇一二年以来アメリカ政治についてみんなが学んだのは、まさにそうした種類の冷酷さを持つ人がたくさんいるのだ、ということだ。それでも、それは有権者のかなり小さな部分だと私は思う。でも共和党の票田に占める割合はずっと大きく、専門の共和党政治家たちの中では圧倒的な多数派だ。

これで話は、またオバマケアへの攻撃に戻ってくる。これは二〇一六年選挙の後で、共和党がしばらくの間、議会とホワイトハウスの両方を牛耳っていた時期に起きたことだ。共和党はついに、バラク・オバマの最も重要な国内イニシアチブをキャンセルする機会を手に入れた。アフォーダブル医療法を丸ごと廃止するのだ。彼らから見れば、それは筋の通ったことだろう。法律を丸ごと廃案にしたら、メディケイド拡張のための高所得者層への税金を廃止し、中所得世帯への補助金をなくすことになるのだから。でも廃止したら何千万人もの医療保険が奪われるというのが明らかになって、共和党ですらこの見通しには尻込みした。

すると残ったのは、妨害キャンペーンだ。オバマケアの重箱の隅をつついて、あまり露骨に人々の健康保険を奪わないようにしつつ、なかなか保険が手に入らず、入っても高価なものにしてしまうのだ。これができたのは、そもそも医療改革を可決させるために民主党が行わねばならなかった譲歩のせいだ。アフォーダブル医療法は、単純な政府保険プログラムではなく、官民ハイブリッド型のシステムなので、可動部品がたくさんあり、したがってその動きを邪魔するのもそんなにむずかしくはない。

このキャンペーンで変なのは、それが直接的には誰の利益にもならなかったということだ——金持ちは相変わらず同じ税金を払うしかない。だからメディケイド拡張を断るのと同じように、それは純粋にこの法律の受益者にダメージを与えるのが狙いで、場合によってはそれは、法律をそのままにしておくよりも高くついた。

よい報せは、オバマケアを構築した人々は、私を含む多くの人々が思ったよりもしっかりと仕組みを構築しておいた、ということだ。この法律が妨害工作にまったく影響を受けなかったなどというわけではないけれど、多くの人が恐れたよりはずっと堅牢だった。この部分に収録したコラムで描くのは、オバマケア法への攻撃と、それがおおむね生き延びたやり方だ。

第15章　三本脚はよい、脚なしは悪い

二〇一七年七月一〇日

党への忠誠心の名の下に、共和党の上院議員五〇人は有権者たちにすさまじい被害を与える気があるのだろうか？　私には見当もつかない。

でもこれは、なぜ共和党がオバマケアに対する悲惨でない対案を提示できないのか考えるよい頃合いに思える。それは別に、彼らがバカだからではない（とはいえ驚くほど反知性的にはなってきた）。アフォーダブル医療法の大きな部分を変えようとすれば、それを全部破壊せざるを得ないからなのだ。

既存の病状がある人々も含め、万人に健康保険を提供したいとしよう。知り合いの保健経済学者たちのほとんどは、単一支払い者方式を是非とも求めたがる──つまりメディケア・フォア・オールだ。でも現実的には、これはとりあえずはあまりにむずかしすぎる。

一つには、保険業界は排除されるのを快く思わないだろうし、彼らは影響力も強い。さらに単一支払い者方式に切り替えると、かなり増税が必要だ。ほとんどの人は、増税分よりは保険料がなくなるほうが大きいけれど、選挙戦でそれを納得してもらうのはむずかしい。

さらに六五歳以下のアメリカ人の大半は雇用者の保険に入っているので、その健康保険でそこそこ満足している。その保険を別のもので置き換えるという提案はすべて、そのほうがいいんだとどれほど誠実に約束してあげたところで、みんな不安になるだろう。

だからアフォーダブル医療法は逐次主義を採用した――いわゆる三本脚の椅子だ。

まず手始めに、保険会社は病歴にかかわらず、同じ保険商品を同じ価格で万人に提供するよう義務づける。これで既存病歴の問題が片付く。でもこれだけだと「死のスパイラル」が生じる。健康な人は病気になるまで保険に入らず、だから加入者はみんな不健康となり、保険料が上がり、それで健康な人はなおさら入らなくなり、というわけだ。

だから保険規制は、個人への義務とセットにしなければならない。いまは健康な人も健康保険に入らねばならない、という義務だ。そして保険は最低基準を満たすものでなければならない。ほとんど何もカバーしない安い保険に入るというのは、保険に入らないのと機能的に同じだ。

でも保険に入る余裕がない人は？　椅子の三本目の脚は、低所得者にとっての費用を抑える補助金だ。最低所得の人なら補助率一〇〇％で、メディケイドの拡張という形になる。

重要な点は、この三本の脚はどれも不可欠ということだ。どれか一つでもなくしたら、この仕組みは機能しない。

でも三本脚が揃ってもうまくいくだろうか？　いく。

これまでオバマケアで何が起きたかを理解するには、いまの法文（およびその最高裁による解釈）だと、この法律が機能するかどうかは、州政府の協力にかなり依存するということを認識してほしい。そして実際に協力した州は、メディケイドを拡張し、独自の保険取引所（各種の保険商品が提示され、加入者がそれを比較して選べるサイト）を運用し、加入と保険会社の競争を奨励したことで、この仕組みが実にうまく機能した。

たとえば、ケンタッキー州とお隣のテネシー州を比べよう。オバマケアの完全導入前の二〇一三年には、テネシー州のほうが健康保険のない人が少し少なかった。ケンタッキー州は一四％だったのが、テネシー州は一三％だ。でも二〇一五年になると、この法律を全面施行したケンタッキー州は、保険なしの人口比率をたった六％に下げた。テネシー州は一一％だ。

あるいは、保険会社が一社（またはゼロ）しかなく、競争が働かない郡の問題を考えよう、最近の研究で指摘されているように、これはほとんどが共和党支配の州だけに見られる問題だ。共和党の州知事がいる州では、人口の二一％がそうした郡に住んでいる。民主党の州知事がいる州だと、それが二％未満だ。

だからオバマケアは、誰も信じようとしないけれど、よく考えられた法律で、州がその気になればうまく機能する。もっと上手く機能するように改善はできるし、そうしたほうがいいのだけれど、でも共和党はそれを実現しようとはしない。むしろ全力でこの三本脚の椅子から、脚を一本か二本切り落とそうと頭を絞っている。

まず、個人の保険加入義務を絶対に潰そうとしている。これは健康な人々には不評だけれど、必要な人のためにこの仕組みを機能させるには不可欠だ。

第二に、補助金を削ろうと腐心している——メディケイドへの壮絶な予算削減も含む。それで浮いたお金を金持ちの減税に回そうというわけだ。そうなったら、ほとんどの世帯にとって保険料が激増する。

最後に、いまやクルズ議員の修正案の話がやたらに出てきた。これは保険会社に、最低限のカバー範囲しかなく、税控除の割合が大きい最低限の保険商品を提供させようというものだ。これは既往症例を持つ人々には役立たずだ。そうした人々は費用の高い市場に追いやられてしまう——そして実質的に三本目の脚を切り落とすことになる。

すると、保険のない人々の数が激増しないようにするには、共和党は自分たちの計画のどこを捨てねばならないか？　全部だ。

つまりこれだけ長期にわたりオバマケアを糾弾し続けていたのに、共和党はそれをどう改善するか見当もついていないわけだ。いや実は、改善しようなんて思ってないんだろう。

第16章
オバマケアは天才的に安定している

二〇一八年四月九日

新聞の一面は、無理もないことながら、現在トランプ政権を取り巻くおよそ一三万件ほどのスキャンダルでいっぱいだ。でも世論調査によると、これだけ強烈な汚職疑惑があっても、中間選挙にはあまり影響しなさそうだ。有権者が懸念している最大の問題は、むしろ医療らしい。

そして、そりゃそうだろう。有権者たちは正しい。共和党が上院も下院も過半数になったら、またもやオバマケアを廃止させ、アメリカ人二五〇〇万人か三〇〇〇万人から健康保険を奪おうとするだろう。なぜか？　このプログラムを妨害しようという試みが、これまでずっと失敗し続けてきたからで、そろそろ時間がなくなりつつあるのだ。

そうした妨害工作が完全な失敗だったとは言わない。トランプ政権は、保険料を激増させるのに成功した——「成功した」というのは、まさにまちがいなくそれが狙いだったからだ。

アフォーダブル医療法の保険取引所への参加も二〇一六年以来減った——その減少のほとんどは、州が運営する取引所ではなく、トランプ政権が運営するところで起きている。そして健康保険なしのアメリカ人総数は、オバマ政権下で激減したのに、また増えてきた。

でも共和党が期待して目論んでいたのは、保険加入者の減少と費用高騰の「死のスパイラル」だった。そしてそうした死のスパイラルが起こりつつあるという絶え間ない主張は、それなりの影響もあった——国民の大半は、取引所が崩壊しつつあると信じている——でも実際はちがう。実はこのプログラムは、その破綻を目論む人々が運用していることを考えると、驚くほど安定している。

オバマケアの安定性の秘密は？　答は、誰も信じてくれないだろうが、この制度を設計した人たちがとても賢かったから、ということだ。政治的な現実のおかげで、彼らはピタゴラスイッチ的な装置を作るはめになった。基本的には単純な目標を実現するための、複雑な仕組みだ。知り合いのあらゆる進歩的な保健専門家は、メディケアを万人に適用するのがいちばんいいと言うけれど、それは不可能だった。でもショックに対してかなり耐久性のある仕組みが作れた。これは、この仕組みを破壊したいホワイトハウスというショックも含む。

元々、オバマケアは「三本脚の椅子」の上に成り立つはずだった。民間保険会社は、既存症状をもとにした差別化を禁じられた。個人は、現在健康な場合でも、最低限の基準を満たす保険に入るよう義務づけられた——「個人の義務」だ。そして保険に入りやすくするための補助金が提供された。

でも共和党は、そうした脚の一本を切り落とそうと精一杯頑張ってきた。個人の加入義務を廃止させる以前から、彼らはすでに広報活動を大幅に減らし、健康なアメリカ人が加入するのを妨害しようとしてきた。

結果として、実際に健康保険に入る人々は、本来よりもずっと少数で不健康になっており、保険会社は保険料を上げるしかない。

でもそこで補助金が出てくる。

オバマケアだと、アメリカの最貧層はメディケイドでカバーされているので、民間の保険料は関係ない。一方、所得が高めの人々——貧困ラインの四倍まで、つまり四人世帯で年収九万五〇〇〇ドルまで——は補助金が受けられる。これは人口の五九％だけれど、所得が高めの人々の多くは雇用者を通じて保険に入っているので、取引所で保険を買う人々の八三％になる。そしてここでおもしろいこと。その補助金は固定額ではない。むしろ補助金を決める式は、所得に占める保険料の割合に上限ができるような形で高く設定されているのだ。

これが何を意味するかといえば、メディケイドの拡張で健康保険に入った人や、取引所を通じて保険を買った人々二七〇〇万人のうち、トランプが仕組んだ保険料上昇で被害を受けるのはたった二〇〇万人ほどだということだ。これでもかなりの人数だけれど、でも死のスパイラルを引き起こすほどの数ではない。実は、理由はややこしいのだけれど（「シルバー・ローディング」というやつなんだが、これがなんだかは聞かないでくれ）、補助金後の保険料は、実は多くの人にとってかえって下がった。

おかげで共和党は、えらく悶々としている。

当初から、共和党はオバマケアを心底嫌っていたけれど、それはこれが破綻すると思っていたからではなく、それが成功しかねず、おかげで政府が実は人々の生活を改善するようなこともやれるのだと実証してしまうのを恐れていたからだ。そしてその悪夢がだんだん実現しつつある。かなり時間はかかったけれど、アフォーダブル医療法はやっと人気が出つつあって、共和党がそれを潰しかねないという世間の懸念は、政治的に大きく足を引っ張りつつある。

私から見ればこれは、もし共和党が議会を牛耳り続けたら、またもやアフォーダブル医療法そのものを潰すための総攻撃を始めるだろうということだ——これがおそらく最後のチャンスなのを彼らもわかっているからだ。早くオバマケアを潰さないと、次の一歩はこの仕組みをさらに拡大し、あらゆる年齢層のアメリカ人がメディケアに参加できるようにする動きとなるはずだ。

だから、中間選挙で医療が大きな争点になると考える有権者は正しい。最も重要な争点ではないかもしれない——この選挙にアメリカ民主主義の生死がかかっているという主張が十分に成り立つ。でも、医療だって実に大きな問題なのだ。

第17章 病気で破産、死んじまえ

二〇一八年九月三日

本当のことを言おうか。ジョン・マケイン上院議員は、異端児との世評が高かったけれど、晩年の一〇年はきわめて正統派の共和党員で、どんなに無責任なものだろうと、党の公式見解に忠実に従っていた。気候変動を抑えるための行動を一回支持しておきながら、それを放棄したのを思い出そう。でもその汚名の大半を、たった一つの行動で雪(そそ)いでみせた。アフォーダブル医療法を廃止しようという共和党の試みに対し、重要な反対票を投じたのだ。そのたった一票の「ノー」で、何千万人が医療を奪われずにすんだ。少なくともしばらくの間は。

でもいまやマケインはいなくなり、それとともに、目に見える範囲では議会にいる気骨らしきものを持った唯一の共和党議員も消えた。結果として、もし一一月に共和党が議会を制したら、まちがいなくオバマケアを潰す。これは憶測ではない。先週、ペンス副大統領がはっきり述べた公約なのだ。

でも二〇一七年に廃止活動を潰した問題はどうなった？　共和党はまちがいなくこの一年をかけて政策アイデアを見直し、アフォーダブル医療法を潰しつつ、一般アメリカ人、特に既往症状を持つ人々にすさまじい被害を与えないようにする方法を考案しようとしてきたはずだ。そうだよね？

はーい、冗談でしたー。

もちろん共和党は、医療についての考えを改めたりはしていない（医療に限ったことではないが）。

その一部は、現代の共和党は政策分析をしないせいだ。民主党は証拠をしっかり見て、本当の問題への解決策を考案しようとする、シンクタンクや好意的な独立専門家のネットワークを持っている。そしてそれがときには、実際の法案にも影響する。共和党には、それに相当するものが何もない。子飼いの「専門家」たちは基本的に、政治的ご主人の聞きたいことを何でも言うという商売しかしていない。

でも医療の場合、さらに深い問題がある。共和党がアフォーダブル医療法の対案を考案できないのは、そんな対案が存在しないからだ。特に、既往症状の持ち主に対する保護を温存したければ――これはほとんどの有権者にとって最も重要な保健問題で、これは共和党員の半分も含む――オバマケアはそれを実現するための最も保守的な政策なのだ。他にあり得る唯一の選択肢は、メディケア・フォア・オールといったもので、これには右派ではなくかなり左派寄りの動きをするしかない。

保健経済学者たちはこの点を、長年にわたり何度も説明してきた。でもいつもながら、理解しないことで給料をもらっている人に、何かを理解させるのはとてもむずかしい。それでも、もう一度やってみようか。

既往症状の持ち主を民間保険会社にカバーしてもらいたければ、病歴に基づく差別をやめさせねばならない。でもそれだけでは不十分だ。もし保険が万人に同じ値段で提供されたら、加入する人はしない人より不健康な人が多くなるので、リスクの大きいプールができて、保険料を上げるしかなくなる。ニューヨーク州の場合がそうで、アフォーダブル医療法以前は個人の保険料はとても高かった――そしてオバマケアが施行されるとすぐに半減した。

というのもオバマケアは、健康な人々も保険に加入させるインセンティブを作ったからだ。一方では、保険に入らないと罰則がある（個人の義務）。一方では、医療関連費用を所得比で制限するように設計された補助金がある。共和党はこの義務を潰すことで医療を妨害しようとして、おかげで保険料は上がった。でもこの仕組みは、その補助金のおかげでまだ成り立っている。

　論点を繰り返すと、オバマケアは既往症状の持ち主をカバーする最も保守的な選択肢であり、もし共和党が本当にそうした症状を抱える何百万人ものアメリカ人のことを気にかけるなら、アフォーダブル医療法を支持し、強化しようとするはずなのだ。

　ところが共和党は、二ヶ月後に議会を制したらこの法律を潰そうとする。でも既往症状の持ち主にも保険を提供するのは人気がある。だから、自分たちもそれをやるのだというふりをしつつ、出している提案は実はそんなことを何もしない。

　どうしてこんな厚顔な詐欺がまかり通ると思っているんだろうか。だって、これは詐欺でしかない。有権者がそこまでバカだと思っているのだろうか？

　まさにその通り。最近の集会でドナルド・トランプは、民主党が「メディケアを潰して社会主義の費用を捻出したがっている」と宣言している。

　でももっと重要な標的がマスコミだ。マスコミ関係者の多くはいまだに、現代保守主義に蔓延するごまかしへの対処方法を学んでいない。

　たとえばネヴァダ州選出のディーン・ヘラー上院議員のような人物が、既往症状の持ち主を保護すると主張しつつも実際にはそんな規定のない法案を共同提出するとき、期待しているのは「ヘラー、既往症状を持つアメリカ人を保護する法案を発表」といった見出しだ。そして重要な事実——その法案ではそんなことはできない——は、七段落目の奥深くに隠されてしまう。

　あるいは彼の立場からしてもっといいのは、その第七段落には「一部の民主党議員は」その法案がインチキだというけれど共和党は意見がちがう、としか書いていないことだ。だって、両論併記しませんとねえ。

　だから既往症状の持ち主だったり、今後そうした症状が出かねないと思ったりしているアメリカ人なら、現実をはっきり見据える必要がある。共和党はあなたの医療を狙っている。一一月に彼らが議会を制したら、手の届く価格での――いやどんな価格であろうと――医療保険はものの数ヶ月で消えてしまう。

第18章　民主党が医療の公約を守るには

二〇一八年一一月二二日

ニュージャージー州がお手本だ。文句あっか？

「民主党は、単にドナルド・トランプを叩くだけでなく、積極的な政策を持たなければ」。中間選挙で評論家がこの手のことを何度言ったことだろうか。実はセス・モールトンのような人々は、中間選挙が終わってもまだこれを言い続けている。彼は、ナンシー・ペロシが下院議長として復活するのを阻止しようという（明らかに失敗している）活動の先鋒にいる。

このぐうたらな糾弾が苛立たしいのは、それがはっきり、数字でわかるほどまちがっているからだ。そう、みんなトランプのことで頭がいっぱいだったけれど、でも民主党のメッセージにはトランプが驚くほど登場しない。ウェスリアン・メディアプロジェクトの集計によると、二〇一八年の選挙で突出しているのは、民主党が国家代表ツイート屋さんにどれほど言及したかではなく、どれほど言及しなかったか、ということだ。二〇〇二年以来、ホワイトハウスの住人を攻撃する広告を対立党がこれほど打たなかったのは初めてだ。

では民主党の勝利につながった選挙キャンペーンは何を語っていたのか？　何よりも医療で、これは民主党の広告の半分以上に登場した。すると疑問が生じる。いまや民主党が下院で大勝利して、州での選挙でもかなり勝っているとはいえ、主要な選挙公約を守るために何かできるのだろうか。

できる。

実は、下院を制しただけで民主党は一つ大きな狙いを実現した——アフォーダブル医療法廃案をあり得ないものとしたことだ。確かに共和党による、既往症状の持ち主に対する保護に反対する訴訟はまだ判決待ちだ——共和党寄りの裁判官がずっとこの件に判断を下さないので、ますます状況は異様になりつつある。でも法を潰そうとする立法府での活動はもうなくなる。

その一方で、共和党はいまだに上院とホワイトハウスは支配しているので、医療に関する大規模な新しい連邦法制はあり得ない。民主党は将来の課題について議論はできる。おそらくそれは、六五歳以下のアメリカ人にもメディケアに何らかの形で加入する選択肢を与えるものになりそうだ。そして、この議論をしておくのは重要だ。二〇〇九－二〇一〇年に大規模な医療改革を実現できた理由の一つは、廃案にしたときの実際の影響をまったく考えなかった二〇一七年の共和党とはちがって、先立つ二年で重要な問題をすでに整理してあったからだ。でも少なくとも当面は、ワシントンは膠着状態となる（それでもかつての状況よりはマシだ！）。

でも州レベルではできることがある。

アフォーダブル医療法は、厳密にいえば全国的なプログラムを作ったわけではない。むしろ、五〇州のそれぞれのプログラムについて、ルールを決めて予算をつけただけだ。州は独自の健康保険市場を作るよう奨励されたけれど、でも連邦サイトhealthcare.govを使ってもよかった。二〇一二年最高裁判決のおかげで、メディケイド拡張から退出を選んでもいいことになった。そして多くの州は、連邦からの補助を蹴って、住民たちから医療を奪う道を選んだ。

これで州の政治傾向に応じて医療の命運が分かれた。アフォーダブル医療法施行前の二〇一三年、カリフォルニア州の無保険者比率は平均以上の一七・二％だった。ノースカロライナ州は多少ましで「たった」一五・六％が無保険だった。でも昨年時点で、カリフォルニア州の無保険者比率は一〇ポイント低い七・二％となったのに、ノースカロライナ州ではそれがまだ二桁だ。

どこで差がついたのか？　根っからの民主党州であるカリフォルニアは、知事も州議会も民主党で、オバマケアを機能させるべく手を尽くした。メディケイドを拡張し、独自の市場を運営し、人々を保険に入らせようと頑張った。共和党配下のノースカロライナ州は何もしなかった。

そして過去二年、州レベルでの行動の重要性は高まる一方だ。トランプ政権とその仲間の議会は、アフォーダブル医療法を完全に廃止できないので、それを妨害しようと手を尽くした。健康なうちに保険に入れと奨める個人の加入義務を廃止した。保険会社が自分たちのリスクを管理するための再保険を廃止した。広報活動も大幅に削った。

こうした手口はすべて、保険料を引き上げ、加入者を減らした。でも州にその気があれば、トランプの開けた穴をふさげるのだ。

そのやり方について最も劇的なお手本となるのがニュージャージー州だ。ここでは民主党が二〇一七年末に完全に制して、すぐに個人の加入義務と再保険を州レベルで構築した。その結果は驚異的だった。二〇一九年のニュージャージー州での保険料は、二〇一八年より九・三％下がり、いまや全国平均よりかなり低い。トランプの妨害を阻止することで、平均的な保険加入者は年額一五〇〇ドルほど節約できたらしい。

いまや民主党がいくつもの州で勝ったから、ニュージャージー州の例を真似られるし、是非そうすべきだ。できればそれを超えてほしい。たとえば州レベルで公的な健康保険——保険数理的にしっかりした政府版の健康保険——という選択肢をつくってはいかが？

ポイントは、今回下院で多数派を制しただけでは、オバマケアを守る以上のことは当面あまりできないけれど、州レベルでの仲間たちはずっと多くのことができるし、その過程で党全体が今年の中間選挙で掲げた公約を実現できるということだ。ニュージャージー州の人たちがよく言うように、それで何か文句あっか？

第4部

バブルとその崩壊

恐れていたすべての集大成

一九九〇年代末のアジア金融危機のことを、まだ覚えている人はいるだろうか？　その後起こった様々なことのおかげで、もはやはるか昔話のように思える。でもよく観察していた人々にとって、それはひどく恐ろしい出来事だった。それは、目先の影響だけのせいではない――何兆ドルもが失われ、何千万人もの生活が乱された――むしろその後の先触れとなる現象だったから恐ろしかったのだ。

一九九六年頃、経済学者の大半は、この私も含め、世界はリスクでいっぱいとはいえ、ある一つのリスク、一九三〇年代型の不況というリスクは、経済的知識の進歩により撲滅されたと信じていた。なんといっても、他の社会的な悪だって撲滅されてきたのだから。一八五四年にジョン・スノウ医師は、ロンドンでのコレラ発生がたった一つの公共取水ポンプと結びついていることに気がついた。汚染水がこの病気を広めていることに疫学者たちが気がついたら、もはやコレラの流行は過去のものとなった。

同様に、一九三六年にジョン・メイナード・ケインズは、支出不足と連鎖反応的な銀行破綻が大量失業の原因だと気がついた。そして政治家たちがその診断を理解するようになったら、大恐慌型の不況もまた過去のものとなった。

不景気は、かなりひどいものですら、なくなりはしなかった。アメリカの失業率は、一九八二年には一一％近くにまで上がった。でもその不景気は、第二次大戦後のほとんどの経済停滞と同じく、心臓発作というよりはショック療法みたいなものだった。政策担当者たちがおおむね意図的に引き起こしたもので、インフレの暴走になりかねないと恐れたものを冷却するために行われたものだったのだ。古くさい「パニック」だの、銀行の取り付け騒ぎや、人々がタンス預金に走るせいで起こる企業倒産だのが復活するとは誰も思わなかった。

でも一九九〇年代末には、タイ、マレーシア、インドネシア、韓国でまさにそれが起こった。もっと緩慢な危機、持続性の悪病が、数年前までは新興経済超大国と広く認識されていた日本を襲った。そして一部の観察者たち——残念ながら、あまりに多くの西洋経済学者たち——はこうした危機を、単なる異常事態で他のみんなには何ら教訓にならないと一蹴したがったけれど、他の人々は心底震え上がった。

というのもこうした国々の一部はかなり現代的で洗練されていたし、政治家たちは理想的ではなかったにせよ（他人のことを言えた義理だろうか?）、国を運営していたのはバカではなかった。特に日本は、根本的な水準でかなりアメリカと似ていた。豊かで、教育水準も高く、技術的に発達して、政治的に安定した大国で、金融および財政当局も、傑出はしていなくても、有能ではあった。日本が停滞とデフレの「失われた一〇年」にはまってしまえるなら、アメリカも同じ目にあいかねないのでは?

当時私はそうした懸念について書いた。特に一九九八年の学術論文「復活だぁっ！　日本の不景気と流動性の罠」は、時間がたってもほとんど価値は衰えなかったと思うし、一九九九年の拙著『世界大不況からの脱出』（三上義一訳、早川書房）でもその主張を強く打ち出している。他にも似たような警告を発した人たちはいて、その中には当時プリンストン大学教授だった、ベン・バーナンキという人もいた。でも多くの人は、そんなメッセージを聞きたがらなかった。

でもアメリカと日本の類似性は、高まる一方だった。二〇〇五年頃には、私と多く（とはいえ十分ではなかった）の人々は、巨大な住宅バブルらしきものを懸念するようになっていた。そのバブルが潰れたら、ひどいことが起きるのは明らかに思えた。ふたを開けてみると、それは誰も認識しなかったほどひどいものだった。長年の金融規制緩和と金融「イノベーション」（これはしばしば、単に規制を逃れる方法を見つけるという意味でしかなかった）がつくり出した銀行システムは、現代的なハイテクを使ってはいても、大恐慌前夜の銀行システムと同じくらいパニックに弱いものとなっていた。

そしてパニックがやってきた。

この部分に収めたコラムは、私や他の人々がひしひしと募らせていた、何かがひどくまちがった方向に進んでいるという恐怖感と、起こるのではと恐れていたことが実際に起きたときに私たちが克服しなければならなかった誤解の壁を描いている。そしてその時点では、問題はそれにどう対処すればいいかというものになっていた。でもそれについては、次の部分でもっと詳しく述べよう。

第19章 バブルが尽きたらどうなるか

二〇〇五年五月二七日

ドットコムバブルをご記憶だろうか？　二〇〇〇年以来起きた様々なことのせいで、もうはるか古代のことのようだ。でも一部の悲観論者、特にモルガン・スタンレーのスティーブン・ローチは、過去の過剰のツケをまだ払いきっていないのだと論じている。

ぼくはこの見方を全面的に受け容れたことはなかった。でも住宅市場を見ていると、そろそろ考え直そうかと思う。

二〇〇一年七月に、巨大債券ファンドのピムコにいるエコノミスト、ポール・マッカレーは、ＦＲＢが単にバブルを新しいバブルと置き換えるだけだと予測した。「ＦＲＢは、アメリカの享楽主義を持続させるため、必要なら住宅価格にバブルをつくり出す余地がある。そしてＦＲＢはそれをやる意思もあると思う。ただし政治的正しさのせいで、グリーンスパン氏はそんなことを一切否定するだろうが」

マッカレー氏が予測した通り、金利カットで住宅価格は高騰し、それが今度は単なる建設ブームにとどまらず消費者支出増加をもたらした。というのも住宅所有者たちはローン再編を通じ、さらに借り入れを増やしたからだ。このすべては、ＩＴバブルが破裂したときに失われた雇用を埋め合わせるだけの職をつくり出した。

いまや問題は、住宅バブルに取って換わるのは何か、ということだ。

経済が永遠に、住宅購入と借り換えだけに依存し続けられると思っている人は誰もいなかった。でも住宅ブームが勢いを失う頃には、もはやそんなものは不要になっているとみんな期待していた。

でも住宅ブームは誰も想像しなかったほど長続きしたのに、それが終わったら経済はいまでもひどいことになってしまう。つまり、住宅建設の異様な勢いが沈静化して、消費者が家を担保に借り入れするのをやめたら、経済には急ブレーキがかかる。もし住宅価格が下落し始めるようなことがあれば、実にいやな状況となる。建設と消費者支出が同時に暴落して、経済は即座に不景気に逆戻りだ。

だからこそ、アメリカの住宅市場が一九九〇年代末の株式市場のように、あの投機バブルの熱っぽい最終段階を迎えている兆候を示し始めているのを見るのは恐ろしいのだ。

一部のアナリストはいまだに、住宅価格は常軌を逸していないと固執する。でも一見するとバカげた資産価格が実はまともなのだという議論を何かしら思いつく人物は、いつのバブルでもいる。*Dow 36,000*（『ダウ36000』[*1]）をご記憶だろうか？　そうした合理化に反対して、著書『投機バブル　根拠なき熱狂』（植草一秀監訳、沢崎冬日訳、ダイヤモンド社）で株価バブルを正しく指摘したロバート・シラーは、その新版に住宅市場の恐ろしい分析を加筆し、住宅バブルは「アメリカ史上最大のバブルかもしれない」と言う。

アメリカの一部地域では、投機屋になるべきでない人々の間に投機熱が蔓延していて、過去のバブルですでに何度も見られた様相を呈している。一九二〇年代にお買い得株の情報を持っていた靴磨きの少年、一九九〇年代に、テレビでスポーツチャンネルではなくCNBCの株価ニュースを流していたビールとピザの店、といったものだ。

アラン・グリーンスパンですら、住宅市場に「バブルの特徴」が見られることを認めているけれど、「一部地域だけ」だと言う。そして確かに、最狂のバブルは、フロリダ沿岸部やカリフォルニアといった少数の地域に集中している。

でもこれは、決して小さな地域ではない。大きく豊かな地域だ。だから全国的な住宅市場もかなりバブルっぽく見える。多くの住宅購入は投機的だ。全米不動産仲介協会の推計では、去年販売された住宅の二三％は投資目的で、居住用ではなかったという。『ビジネスウィーク』によると、新規住宅ローンの三一％は利払いのみで、これは人々が支払い能力ギリギリまで使っているしるしだ。

留意すべき重要な点は、株式市場バブルの破裂は多くの人々に被害を与えるということだ――高値で株をつかんだ人々だけじゃないのだ。二〇〇三年夏になると、民間雇用は二〇〇一年のピークに比べて三〇〇万も低かった。そして雇用喪失は、株式バブルが住宅バブルにすぐに置き換わらなければ、ずっとひどくなっていたはずだ。

ならば住宅バブルが崩壊したら何が起こる？　ＦＲＢが、何か代わりのものを見つけられなければ、まったく同じことが繰り返される。そして何が代わりになるかはなかなか思いつかない。結局のところ、経済を運営するＦＲＢの能力は主に、住宅市場での好景気と不景気をつくり出せることで生じているのだから。住宅がバブル後の停滞を迎えたら、何が残るというのだろう。

ローチ氏は、二〇〇一年以降にＦＲＢが成功したように見えるのは幻影でしかなく、単に将来に禍根を積み上げただけだという。それがまちがっていることを願いたい。でも確かにＦＲＢには、そろそろ使えるバブルが尽きかけているように見える。

＊1訳者注：アメリカのＩＴバブルで、ダウ平均株価指数がその時点の四倍近い三万六〇〇〇ドルに到達すると主張した一九九九年の本。もちろんそんな数字にはならなかった。著者の一人は現在、トランプ政権の経済ブレーンの一人。

第20章
あのシューッという音

二〇〇五年八月八日

これがバブルの終焉だ。パチンと破裂するのではなく、シューッと空気が抜けるのだ。

住宅価格は株式市場に比べて変動がずっと遅い。一日で価格が二三％下がるブラックマンデーのようなものはない。それどころか、住宅ブームが破綻しても、しばらくは物件価格は上がり続ける。だからアメリカの住宅バブルが終わったというニュースは、価格暴落という形ではやってこない。むしろ、成約件数低下と在庫上昇という形になる。売り手は、もはや買い手が支払いたがらない価格で売り抜けようとするからだ。そしてそのプロセスはすでに始まっているかもしれない。

もちろん、一部の人は住宅バブルの存在自体を否定するだろう。どうしてそれがまちがいだとわかるのか、説明しよう。

証拠の一つは、不動産をめぐる狂乱感覚だ。これはどうしても一九九九年の株式狂乱を思い出させる。一九九九年のベストセラーとなった*Dow 36,000*（『ダウ３６０００』）の著者たちこそが、いまや住宅バブルなどないという最も声高な主張者となっている。

そして数字を見てみよう。多くのバブル否定論者は国全体の平均物件価格を指摘する。こちらは、不安ながらもまったく常軌を逸しているわけではない。でも住宅の場合、アメリカは実は二つのちがった国なのだ。それを平原国とゾーニング地帯と名付けよう。

平原国は、アメリカ中心部にある。住宅を建てるのは簡単だ。住宅需要が上がれば、平原国の都市部は、そもそも伝統的な都心を持たないので、周縁部に広がってスプロールするだけだ。結果として、住宅価格は基本的に建設費で決まる。平原国では、そもそも住宅バブルが起こり得ない。

でも沿岸部にあるゾーニング地帯では、高い人口密度と用途地域規制――つまりゾーニング――の組み合わせで、新規の住宅建設がむずかしい。だから人々が、たとえば住宅ローン金利の低下とかでもっと住宅にお金を出していいと思っても、新規の住宅が建つ一方で、既存住宅の価格も上がる。そして物件価格が上がり続けると思ったら、みんなもっとお金を出す気になり、それがさらに価格をつり上げ、というのが続く。言い換えると、ゾーニング地帯は住宅バブルになりやすい。

そしてゾーニング地帯の住宅価格は、全国平均よりずっと急速に上昇しており、明らかにバブルを示している。

全国平均の住宅価格は、二〇〇〇年第一四半期から二〇〇五年第一四半期にかけて五割ほど上昇した。でもその平均は、平原国の都市部と、ゾーニング地帯を混ぜ合わせたものだ。平原国のヒューストンの物件価格は二六％上がり、アトランタは二九％。これに対してゾーニング地帯のニューヨークでは七七％上昇、マイアミは九六％、サンディエゴは一一八％の上昇だ。

物件価格が上がり続けると信じていない限り、サンディエゴのような住宅価格なんか支払えるはずがない。賃料は物件価格よりもずっとゆっくりしか上がっていない。労働統計局の「住宅所有者の帰属家賃」指数は一九九九年末から二〇〇四年末にかけてたった二七％しか上がっていない。『ビジネスウィーク』によれば二〇〇四年のサンディエゴにおける住宅賃貸費用は、同じような住宅を所有する費用に比べて四割だった――これは住宅ローンの低金利を考慮した数字だ。だからサンディエゴで物件を買うのは、価格が急上昇を続けると信じていないと筋が通らない。これはほぼバブルの定義そのものだ。

バブルは、人々が巨額の売却益が確実に得られるとみんなが思い込むのをやめたら終わる。サンディエゴで、前回の住宅バブルはそうやって終わった。住宅価格は急上昇したけれど、一九九〇年にそれが止まった。間もなく市場は売り家であふれ、物件価格は下がり始めた。一九九六年になると、インフレ調整後の価格で二五％ほど下がっていた。

そしていまのサンディエゴでもそれが起きている。現在の上昇に比べたら、一九八〇年代の価格上昇なんてかわいいものだ。売りに出ている一軒家やマンションは過去一年で倍増した。「一、二年前ならほぼ一夜にして売れた住宅——多くの場合、競り上げ競争まで起きた——がいまや何週間も売れ残っている」と『ロサンゼルス・タイムズ』は報じている。同じことが、かつては大人気だった市場でも起きている。

一方、アメリカ経済は住宅バブルに深く依存するようになった。二〇〇一年以来の経済回復は、多くの点でがっかりするようなものだったけれど、住宅建設支出の激増と、住宅ローン借り換えに依存した消費者支出増大なしにはそもそもあり得なかった。ちなみに、個人貯蓄率がゼロに下がった話はしましたっけ？

いまやバブルから空気が抜け始め、シューッという音が聞こえだした。そしてみんな——ゾーニング地帯の不動産を持つ人に限らず——懸念すべきだ。

第21章　金融危機をもたらすイノベーション

二〇〇七年一二月三日

昨夏に始まった金融危機は、九月と一〇月に少し休暇をとったけれど、いまや威力倍増で戻ってきた。

どんなにひどいか？　うん、金融インサイダーたちがここまで怯えているのは見たことがない――経済ドミノが世界中で倒れているように見えた、一九九七‐一九九八年アジア通貨危機のときでも、これほどひどくはなかった。

今回、マーケットのプレーヤーたちは本気で震え上がっている――というのも、自分で作った複雑な金融システムを、当の自分たちがわかっていないことにいきなり気がついたからだ。

でもその話に入る前に、まずいま何が起きているかを話そう。

信用――マーケットプレーヤーたち同士の貸し借り――は、金融市場にとって、車のエンジンのオイルみたいなものだ。言われてすぐに現金を調達する能力（みんなが言う「流動性」とはそういうことだ）は市場にとっても経済全体にとっても、不可欠な潤滑剤となる。

でも流動性がいま干上がりつつある。一部の信用市場は実質的に閉店状態。他の市場の金利――たとえば銀行同士が貸し借りを行うロンドン市場――での金利は、いまだに安全と思われているアメリカ国債の利率が暴落しているのに、かえって上がっている。

債券マネジメント会社ピムコのビル・グロスはこう語る。「いま目にしているのは、基本的には現代銀行システムの崩壊です。現代の銀行システムはレバレッジ融資複合体で、ややこしすぎて理解不能なため、連邦準備制度理事会議長ベン・バーナンキですら、八月半ばにヘッジファンドのマネージャたちから、直接の速習講義を受けねばならなかったほどです」

金融市場の凍結は、長続きするようなら、融資全体の激減をもたらし、企業投資も住宅建設と同じ道をたどることになる——そしてこれは不景気ということで、しかもかなりヤバいものとなる。

流動性消失の背後にあるのは信頼崩壊だ。マーケットのプレーヤーたちは、返済してもらえるか自信が持てないので、お互いにお金を貸そうとしない。

直接的な意味で、この信頼崩壊は住宅バブル崩壊により生じたものだ。住宅価格高騰は、ドットコムバブルよりさらに筋の通らないものだった——だって昔のルールはもう当てはまらないのだという主張を正当化するような、華々しいハイテクすらなかったんだから——それなのに金融市場はなぜか、イカレた住宅価格が新常態だとして受け入れ続けた。そして、バブルがはじけたとき、AAAの格付けをもらっていた投資の相当部分がゴミクズだということがわかった。

だから、サブプライム住宅ローンに対する「スーパーシニア」受益権——つまり、借り手が行うローン返済すべてに対して最初に受けとる資格を持つ投資で、したがってそうした借り手の相当部分が返済不能でデフォルトした場合ですら、全額が確保できるはずの投資——は七月以来、市場価値が三分の一下がった。

でも本当に信頼を毀損したのは、その金融的な有害ゴミがどこに埋まっているか、誰も知らないという事実だ。シティグループは、サブプライム住宅ローンに何十億ドルものエクスポージャーを持っているはずではなかった。でも、ふたを開けてみると、持っていた。フロリダの地元政府投資プールは、フロリダ州学区の銀行役を果たすものだけれど、リスクフリーのはずだった。ところがちがった

（そしていまや、学校は先生の給料が払えずにいる）。

どうして事態がこんなに不透明になってしまったのか？　答は「金融イノベーション」――今後はこの言葉は、投資家を心底震え上がらせるべきだろう。

まあ、公平を期すなら、一部の金融イノベーションは決して悪いものじゃない。私としても、当座預金に利息がつかず、週末にはお金をおろせない時代に戻りたくはない。

でも近年のイノベーション――ＣＤＯとかＳＩＶとかＲＭＢＳとかＡＢＣＰとかいったアルファベットの乱舞――はインチキな想定を元に売り出されていた。リスクを広げて、投資を安全にする手法として宣伝されていたのに、実際にやったのは――それを考案した人々に大儲けさせた以外は（彼らはすべてがおじゃんになったときにも、それを返す必要はなかった）――混乱を広げ、投資家たちに自分でも気がつかないほどのリスクを抱え込ませたことだった。

なぜこんなことが容認されたのか？　深いところでは、これはイデオロギーの問題だったと私は思う。政策担当者たちは、市場が常に正しいという見方にこだわり、警鐘をあっさり無視したのだった。特にアラン・グリーンスパンは、連邦準備制度理事の一人エドワード・グラミリッチのサブプライム危機の可能性に関する警告を一蹴している。

そして自由市場の教義はなかなか死なない。ほんの数週間前に、財務長官ヘンリー・ポールソンは『フォーチュン』誌に対し、金融イノベーションが規制を出し抜いたと認めた――でも「その逆であってほしいと思う人はいないでしょう」と付け加えている。それがファイナルアンサーですか、長官殿？

でもポールソン氏の、借り手が住宅ローンの返済について銀行と話し合い、差し押さえを避けられるようにする、という新しい提案は、原理的にはいい考えのようだ（とはいえまだ詳細はわからないけれど）。でも現実的には、これだけだとサブプライム問題はごくわずかしか軽減されないだろう。

結局のところ、政策担当者は金融業界に好き勝手にイノベーションさせたということだ——そして業界がやったのは、自分自身をイノベーションして、他のみんなをすさまじくひどい大惨事に陥れることだったわけだ。

第22章　マドフ経済

二〇〇八年一二月一九日

バーナード・マドフ——敏腕投資家（とほとんどみんなが思っていた）、慈善家、社会のお手本——が詐欺師だったと暴露されて、世界は震撼したし、それも当然だ。その五〇〇億ドルにのぼるとされるねずみ講の規模は、すぐに理解できるようなものではない。

それでも、素朴な疑問を抱くのは私だけじゃないはずだ。マドフ氏の物語は、投資業界全体とそんなにちがうものなの？

金融サービス産業は、過去一世代にわたり全米所得に占めるシェアをますます高めてきて、その業界を仕切る人々はすさまじく金持ちになった。でも現時点だと、業界の大半は価値を生み出すより破壊してきたように見える。そしてこれはお金だけの問題ではない。他人のお金を管理することで得られた莫大な富は、社会全体を腐敗させる効果を持っているのだ。

まずその連中の手取りから始めよう。昨年、「証券、商品契約、投資」産業の従業員の平均給与は、経済の他の部分の平均給与の四倍以上だった。一〇〇万ドル稼ぐなんて当たり前。二〇〇〇万ドル以上の所得ですら、結構ありがちだった。過去一世代で、最富裕層アメリカ人の所得は爆発的に増えたのに、平均的な労働者の賃金は停滞している。その格差の大きな原因は、ウォール街での高給だ。

でもそうした金融スーパースターたちは、それだけの稼ぎに見合うことをやったんでしょう？　いや、必ずしもそうではなかった。ウォール街の報酬システムは、見かけ上の利潤には大盤振る舞いするけれど、その見かけが後になってただの幻覚だとわかっても構わないのだ。

たとえば仮想的な例として、ある資金マネージャが、顧客のお金を元手に大量の借金をして、その借金とあわせた総額を高収益ながらリスクの高い資産、たとえば怪しげな住宅ローン担保証券などに投資したとしよう。しばらくは——たとえば住宅バブルがふくらみ続けている間は——彼は（ほぼまちがいなく男なのだ）大儲けを出して巨額のボーナスをもらう。そしてバブルが破裂し、投資が有害ゴミに変わったら、顧客の投資家たちは大損だ——でもマネージャがボーナスを返すことはない。

待てよ、ちっとも仮想的じゃなかったな、いまのは。

ならば、ウォール街全般がやったことは、マドフ事件とどれほどちがうというのか？　えーと、マドフ殿は何段階かすっ飛ばし、投資家を理解不能のリスクにさらして巨額の手数料をもらうのではなく、あっさり顧客のお金を盗んだ。そしてマドフ殿は自分でもわかって詐欺を働いていたけれど、ウォール街の多くの人々は、自分の大風呂敷を信じている。それでも最終的な結果は同じだ（ただし自宅での逮捕の部分は除く）。資金マネージャたちは金持ちになった。投資家たちのお金は消え去った。

しかもはした金とはちがう。最近では、金融部門はアメリカGDPの八％を占める。一世代前はそれが五％未満だった。その追加三％がまったく無駄だったというなら——たぶんそうだったらしい——無駄と詐欺と濫用に年間四〇〇〇億ドル払っていたということだ。

でもアメリカのねずみ講時代の費用は、直接的な無駄金をまちがいなくはるかに上回る。

最も粗雑な水準で言えば、ウォール街の不正利得は政治家を腐敗させたし、今も腐敗させ続けている。しかも見事に超党派的な形で。ブッシュ政権の高官クリストファー・コックスは、証券取引委員会の委員長として、金融詐欺の証拠が山積みになっても見て見ぬふりをしたし、民主党はヘッジファンドやプライベートエクイティ企業の重役に有利な、とんでもない税制の抜け穴をいまだにふさいでいない（シューマー上院議員、お元気でしょうかね）。政治家たちは、お金がものを言うと立ち去ってしまう。

一方、お手軽な個人の富が持つ磁力により、我が国の未来はどれほどダメになっただろうか。若者たちの中で最も賢い有能な人々は投資銀行に流れ、科学、公職など、その他すべての分野から奪われてしまったのだから。

何よりも、ふくれあがった金融産業で稼ぎとして得られた巨額の富——いや本当に稼いだと言えるのだろうか——は、人々の現実感覚を歪め、判断力を鈍らせた。

重要人物のほぼ全員が、目前に迫った危機の警鐘を見逃したのを思い出そう。なぜそんなことがあり得たのか？　たとえば、なぜアラン・グリーンスパンはほんの数年前に「金融システムは全体として見ればもっと回復力を増した」などと言えたのだろうか——それもほかならぬ派生商品（デリバティブ）のおかげで？　思うにその答は、エリートですら大儲けしている人々を偶像化し、彼らがわかってやっているのだろうと思い込む生得的な傾向があるということなんだろう。

結局のところ、実に多くの人がマドフ氏を信用したのもそのせいだ。

いまや残骸を調べ、なぜ事態がこんなに急速に、こんなに大幅にまちがった方向に動いてしまったのか理解しようとみんな努力しているけれど、答は実はかなり単純だ。いま私たちが見ているのは、マッドフになって／狂ってしまった世界のなれの果てなのだ（最後は、マドフのマドと、狂うを意味する「マッド」のかけ言葉表現）。

第23章　無知ぶり戦略

『ニューヨーク・タイムズ』ブログ
二〇一三年四月二七日

しばらく前にノア・スミスが、ケインズ派経済学、特にこのワタクシに反対してみせる人々にありがちな戦略を一つ描いて見せた。「とにかく徹底して無知なバカ者のふりをする」。もちろんいつもながら、この戦略が最も有効なのはそれが「ふり」ではなく、その人が本当に無知なバカ者である場合だ。

ということで話は、ケン・ランゴンの大口舌に移る。そこで彼は私の議論への返答として「こんなお高くとまった思想だの考えだのでご託をあれこれ並べるのはよそうぜ。それで人がどうなるか知ってるだろう、目がうつろになっちまう。あいつが何を言ってんのやら、自分にゃさっぱりわからん」とのたまった。

ちなみに、古い西部劇以外で誰かが「お高くとまった（high falutin'）」というのを聞いたのは、これが初めてかもしれない。

とにかく、これには私の虚栄心が傷ついたぞ。私は自分が、経済学の議論をなるべく単純にして、それを普通の言葉で述べるのがかなり上手だと自負してるんだから。確かに「みんなも自分の財布の紐を締めてるんだから、政府も自分の財布の紐を締めろや」という水準の単純さには決して到達できていない。でもそれは、世界がそこまで単純ではないからだし、一部のせりふは聞こえはよくても、ひたすらまちがっているからだ。

さて、ランゴンが本当にいまのせりふくらいバカなのかどうかは知らない。推測するに、たぶんちがうんじゃないか――一般人のような話し方をしようとして、なんだか一九五〇年代のＢ級映画の役者みたいな口ぶりになる様子で馬脚があらわれている。それでもこれは、経済で何が本当に起こっているか、なぜ私が自分のやっていることを支持するかを述べ直すチャンスかもしれない。というわけで、順番に行こう。

1. 個別の家族は、ある金額を稼いで別の金額を支出し、その両者の間にまったく関係がない。でも経済全体はそうはいかない。私の支出はあなたの収入になるし、あなたの支出は私の収入になる。二人とも支出を抑えたら、二人とも収入が減る。

2. いまや、多くの人が支出をカットした状況にいる。それはその人が支出を減らそうと思った場合もあるし、債権者にそれを無理強いされた場合もある。支出を増やしたがっている人はあまりいない。結果として、収入も減り経済も沈滞し、やる気のある労働者何百万人もが仕事を見つけられない。

3. いつもこんな状態だったわけではないけれど、でもそういう状態になったら、政府は民間部門と競合しなくなる。政府の購入は、民間財の生産に使われるリソースを使わない。遊休リソースを活用するだけだ。政府の借り入れは、民間の借り入れを押し出さない。使い道のない資金を活用するだけだ。結果として、いまこそ政府がもっと支出すべき時であって、減らすべき時じゃない。もしこの洞察を無視して政府支出を減らしたら、経済が縮小して失業が増える。それどころか、収入が減るから民間支出さえ縮小する。

4. 私たちの問題に関するこの見方は、過去四年にわたり正しい予測を生み出してきた。それ以外の見方はすべてをまちがっていた。財政予算で金利は高騰しなかった（そしてＦＲＢが「お金を刷って」もインフレにならなかった）。緊縮政策を試したところはすべて、経済停滞をひどく悪化させた。

5. はいはい、政府は長期的には借りを返さねばならない。でも支出削減や増税は、経済がもはや沈滞しておらず、民間部門が完全雇用を生み出すだけの支出をしたくなるまで待つべきだ。

これがそんなにどうしようもなくややこしい話だろうか？　そうは思わないんだが。さて、たぶんランゴンみたいな人は、こんなのみんな理解不能のご託だと答えるだけだと思う。でも彼が本当にバカでない限り（すでに述べた通り、怪しいと思う）、それは単に彼が理解したくないからというだけのことだ。

第24章
誰も負債をわかっちゃいない

二〇一五年二月九日

ジャネット・イエレンを含む多くの経済学者は、二〇〇八年以来の世界的な経済問題を、「デレバレッジ」の話だと見ている。つまり、あらゆる借り手が同時に、自分の債務を減らそうとしたということだ。なぜデレバレッジが問題なのか？　私の支出はあなたの収入で、あなたの支出は私の収入だ。だからみんなが同時に支出を減らしたら、世界中で収入が減る。

あるいは二〇〇九年にイエレン氏が述べた通り、「個人や企業にとっては賢明な用心——経済を常態に戻すために不可欠かもしれない用心——が、経済全体の苦境を拡大してしまう」。

じゃあ、経済をその「常態」に戻す作業はどのくらい進んだんだろうか？　まるで進んでいない。なぜかというと、政策担当者たちは負債の何たるかについて、まちがった見方に基づいて対応を進めてきた。だから、問題を減らそうとする試みは、かえって事態を悪化させてしまったのだ。

まず、事実から。マッキンゼー・グローバル研究所は「負債と（あまり進まぬ）デレバレッジ」という報告書を出した。これは基本的に、総負債の対GDP比を減らせた国はない、という結論を出している。家計負債は一部の国、特にアメリカでは減った。でも他の部分の負債が増えているし、民間で大きなデレバレッジが起きているところでも、政府債務がそれを相殺する以上に増えている。

負債比率を減らせないのは、努力が足りない証拠だと思うかもしれない——世帯や政府は本気で引き締めをしておらず、世界が必要としているのは、そうです、さらなる緊縮なのだ、と。でも実は、すでに空前の緊縮策が採られている。国際通貨基金（ＩＭＦ）が指摘したように、金利を除いた実質政府支出は富裕国すべてで減った――苦境に陥った南欧の債務国も大幅な財政削減をしたけれど、史上最低の金利で借りられるドイツや米国のような国でも財政カットが行われた。

でもこれだけ緊縮があっても、事態はかえって悪化した――そしてこれはまさに予想通りのことだ。というのもみんなが財布の紐を締めろという要求は、経済で負債が果たす役割を誤解しているために生じたものだからだ。

債務に対して「後代にツケを残すな」といったスローガンで反対する人を見るたびに、その誤解が作用しているのがわかる。深く考えなければ、なんだかもっともらしい。借金を積み上げる一家は貧しくなるんだから、国全体の負債を見るときだってそうなんじゃないの？

いいえちがいます。借金を抱えた一家は他の人にお金を借りている。でも全体としての世界経済は、自分自身に対して借金をしているのだ。そして国は他の国から借金できるのは事実だけれど、アメリカは実は二〇〇八年以来、以前ほど外国から借金していないし、ヨーロッパは差し引きで見れば、むしろその他世界に貸しているお金のほうが多い。

負債というのは自分自身に借りたお金なので、経済を直接は貧しくしない（そしてそれを返しても豊かにはならない）。確かに負債は金融の安定性を脅かしかねない――でも負債を減らそうとして経済がデフレと不景気に陥ったら、事態はまるで改善しない。

これで話は目下の出来事に戻ってくる。というのも全体的なデレバレッジの失敗と、そこから生まれるヨーロッパの政治危機との間には直接的なつながりがあるからだ。

ヨーロッパの指導層は、経済危機が支出過剰で引き起こされ、一部の国が稼ぎよりもたくさん使う暮らしをしていたのが悪いのだという発想をすっかり鵜呑みにした。ドイツのアンゲラ・メルケル首相は、倹約への復帰が取るべき道だと固執した。ヨーロッパは、倹約で有名なシュヴァーベン地方の主婦を見習うべきだ、と。

これはスローモーションの大惨事をもたらす処方箋だった。ヨーロッパの債務国は、確かに財布の紐を締める必要性はあった——でも実際に採用を強制された緊縮財政は、すさまじく残酷なものだった。一方、ドイツなどの中核経済——周縁国での緊縮を相殺するために支出を増やさねばならない国々——もまた支出を減らそうとした。結果は、債務比率を下げるのが不可能な環境の創出だった。実質成長はないも同然となり、インフレもまたゼロ近くなり、最悪の被害を受けた国では文句なしのデフレがはびこった。

苦しむ有権者たちはこの政策的大惨事に驚くほど長いこと耐え、じきにその犠牲が報われるというエリート層の約束を信じた。でも苦痛はいつまでも続くのに、目に見える進歩はなかったから、過激化が生じるのは当然だった。ギリシャでの左派の勝利や、スペインでの反主流勢力台頭に驚いた人々は、単にうわの空だっただけだ。

誰も次に何が起こるかは知らない。博打の胴元たちによると、ギリシャがユーロにとどまるというオッズはまだ半々よりも高いそうだ。[*1] でもとどまらなくても、そこで被害が終わるとは思わない——ギリシャが離脱すれば、この通貨プロジェクト全体が脅かされかねない。そしてユーロが破綻すれば、その墓碑にはこう刻まれるべきだ。「ダメな喩え話のせいで死亡」

＊1訂正：二〇一五年二月一九日　ポール・クルーグマンの月曜日のコラムは、ギリシャがユーロ圏を離脱するという胴元のオッズについて、不正確な記述を行いました。正しいオッズは、半々より悪い、であって、半々より高い、ではありませんでした。

第5部

危機管理

マクロ経済学の勝利

二〇〇八年の世界金融危機は、基本的に万人の不意をついた。確かに一部の人は、この私も含め、問題が起き始めているのは認識していた——でもこれほどの規模とは予想もしていなかった。また、一部の人が厳しい危機を予測していたのも事実だ。でもおおむねそういう人々は、いつも起きもしなかった危機ばかり予想してきたのだった。

それでも、危機はショックだったとはいえ、経済学専門家の相当部分——次の部分で見る通り全員ではなかったけれど、それでもかなりの人々——は危機後の環境に知的な備えができていた。というのもひどく沈滞した経済で物事がどう機能するかを示す、枠組みとモデルがあったのだ。この枠組みは当初、大恐慌の間に鍛えられたもので、それが一九九〇年代のアジア危機と、日本の長い停滞の中で研ぎ澄まされていた。

この枠組みについては第26章「IS - LM入門」で説明する。これは本書で最もこむずかしい論説の一つで、ごていねいにちょっとわかりにくいグラフまでいくつか入っている。すみませんね、いやなら飛ばしてくれてもかまわない。でも危機直後の数年で私たちの一部が語っていた内容の根底にあるのがどんな論理か、少し感じてもらうのは重要だと思ったのだ。これですら、お話をかなりそぎ落として単純化している。でも実は、二〇〇八年以後の世界を理解するために必要なのは、まさにそれだけだったのだ。

この基本的なマクロ経済学の枠組みが述べているのは、経済が深く沈滞しているときには——具体的には、たとえば金融危機の後で、金利をゼロまでずっと引き下げても、完全雇用を回復できるほどの刺激にならないくらい沈滞しているときには——すべてが変わってしまうということだからだ。

つまりですね、通常なら、あるいはかつて通常だった時代なら、不景気への対応は主に、ＦＲＢやその外国版——ヨーロッパ中央銀行、イングランド銀行、日本銀行などに任される。こういう「中央銀行」は、「お金を刷る」権限と能力を持っている（文字通り刷るわけではないけれど、おおむねそんなものだ）。そしてこの新しく作ったお金を使って、国債を買う。すると彼らはこれで、短期融資の金利を実質的に左右できる——銀行同士が貸し借りするオーバーナイトの融資や、政府が短期の活動資金に使う、一ヶ月や三ヶ月ものの国債などの金利だ。

でも何か本当にひどいことが起きたら、中央銀行は金利をずっと引き下げてゼロにできる——それでも不十分なことがある。そしてそうなったら、すでに述べた通り、ルールが変わる。この部分の最初のコラムで書いたように、「美徳が悪徳となり、慎重さがリスクの高い行動となり、分別が愚行になる」。財政赤字は有害どころか有益になる。金利を押し上げたりはしない。及び腰のほうがやりすぎよりもずっと大きなリスクになる。そして責任あるように見えること——巨額の財政赤字に直面して政府支出を抑えたり、すさまじく大量のお金を刷らないようにしたりする——をやると、不景気をさらに悪化させてしまう。

これは経済学者以外——政治家、財界、有力なメディア関係者——に納得してもらうのがむずかしい主張だ。就任したてのオバマ政権の経済学者は、この枠組みを熟知していたし、ＦＲＢ議長のベン・バーナンキも理解していた。そしてオバマ政権とＦＲＢはどちらも、この理解に基づいて行動し、オバマ「刺激策」とＦＲＢの保有資産激増という形でそれを実施した。でも刺激策は、まったく中途半端だった——当初から、それでは必要な額から見て少なすぎるのは明らかだった。

こうしたすべては第27章「景気刺激策の算数」で説明している。この論説は次のような政治的警告で終えた。

「こんなシナリオが目に浮かぶ：弱い刺激策、いま議論しているよりさらに貧弱なものが、追加の共和党支持を得るためにでっち上げられる。その対策で失業率の上昇は止まるけれど、それでも事態はかなりひどいままで、失業率は九％あたりにまで上がり、なかなか下がらない。するとそこでミッチ・マコネルが『ほらごらん、政府支出なんてうまくいかないよ』と言うわけだ。

これがまちがいであることを祈りたい」

残念ながら、まちがいじゃなかった。まさにその通りのことが起きた。そして最悪の事態はまだ先だった。これから見るように、二〇一〇年になるとほとんどの影響力ある人々は、えーとワタクシのような人物からの助言に背を向けるようになっていたのだった。

でも分析ツールとしてのマクロ経済学はおおむね裏付けられた。二〇〇八年以降の出来事は、不況経済学の枠組みが予測することを見事に裏付けていた。巨額の財政赤字でも金利は上がらず、すさまじい規模でお金を刷ってもインフレは起きず、支出カットで分別を示そうとした政府は、結果としてずっとひどい停滞に苦しんだ。

言い換えると、二〇〇八年以降の経験は、マクロ経済学分析の知的勝利だった。確かにそれは、ほろ苦い勝利ではあった。というのも政治家たちは、よい助言をもらったのに、半信半疑でしか受け容れてくれず、そしてその後は完全に背を向けたからだ。でもこの部分のコラムが願わくば示してくれるように、分析面で私たちは本当に、だいたいのところは正しく捉えていたのだ。

第25章 不況経済学の復活

二〇〇八年一一月一四日

言うまでもないかもしれないけれど、経済ニュースは悪くなる一方だ。でもひどいとはいえ、大恐慌の再演はなさそうだ。それどころか、失業率が大恐慌以後のピークである一九八二年の一〇・七％に達することもおそらくはないだろう（この点についてもっと自信を持てればとは思うけれど）。

だが現状はすでに、私が不況経済学と呼ぶものの領域にどっぷり入り込んでいる。この不況経済学というのは、一九三〇年代のような状況のことで、経済政策の通常のツール――何よりも、金利をカットすることで経済を押し上げるという中央銀行の能力――がまったく効かなくなるという話だ。不況経済学が動き出すと、経済政策の通常のルールはもはや当てはまらなくなる。美徳が悪徳となり、慎重さがリスクの高い行動となり、分別が愚行になる。

何のことか理解するには、最新のひどい経済ニュースが持つ意味を考えよう。木曜日の、失業保険の新規申し込み件数の発表で、これが五〇万件を超えた。ひどい報告ではあるけれど、それだけを取り出せば、そんなに悲惨には思えない。結局のところ、これは二〇〇一年の不景気や、一九九〇－一九九一年の不景気で見られたのと同じくらいの数字でしかない。そしてこのどちらも、歴史的基準からすれば比較的穏やかなものでおさまった（とはいえいずれの場合も、労働市場が回復するまでには長いことかかったのだけれど）。

でもこうした以前の場合はどちらも、弱い経済に対する標準的な政策対応――ＦＲＢの政策でいちばん直接的に動かせる、フェデラルファンド金利引き下げ――がまだ使えた。いまはそれがない。実効フェデラルファンド金利（これは公式のターゲット金利とは別物だ。ターゲット金利は、専門的な理由で無意味になってしまった）は、最近では〇・三％を下回っている。基本的には、もうカットするものが残っていない。

そしてこれ以上金利カットの余地がないので、経済下落の勢いを止めるものは何もない。失業が増えると、消費者支出はもっと下がる。すでに今週、量販店ベストバイは「地殻変動じみた」売上低下を警告している。消費者支出が弱まれば、企業の投資計画も減らされる。そして景気が弱まれば雇用はさらにカットされて、さらに収縮のサイクルが強まる。

この転落スパイラルから経済を引っ張り出すために、連邦政府は支出を増やし、苦しむ人々に援助を出すことで経済刺激策を提供しなければならない――そして政治家たちや経済官僚たちが、いくつか伝統的な偏見を克服できない限り、その刺激策は手遅れで少額すぎるものになってしまう。

そうした偏見の一つは財政赤字の恐怖だ。通常なら、財政赤字を心配するのはよいことだ――そして財政規律は、危機が終わったらすぐに取り戻すべき美徳ではある。でも不況経済学が進んでいるときには、この美徳が悪徳になる。ルーズベルト大統領が一九三七年に拙速に財政均衡を目指したために、ニューディール政策は破綻しかけた。

もう一つの偏見は、政策は慎重に進めるべきだというものだ。通常なら、これは筋が通っている。絶対必要だとわかるまで、政策を大きく変えたりしないほうがいい。でも現状だと、慎重さのほうがリスクが高い。悪い方向への変化はすでに起きているので、行動を遅らせれば経済の傷が深まる可能性は高まるばかりだからだ。政策対応はできるだけうまい仕組みにすべきだけれど、スピードが重要だ。

最後に、通常なら政策目標に慎みと分別を持たせるのはよいことだ。でも現状だと、やりすぎるほうが、反対方向にまちがえて出し惜しみするよりずっとマシだ。刺激策が必要以上だったら、経済は過熱してインフレになるかもしれない――でも中央銀行は、金利を上げればそんな危険はすぐ抑えられる。これに対し、刺激策が小さすぎたら、不足分を中央銀行が補う手だてはない。だから不況経済学がはびこっているなら、分別こそが愚行となる。

こうした話は目先の経済政策について何を物語るだろうか？　オバマ政権はほぼまちがいなく、現状よりさらにひどい経済の中で就任することになる。ゴールドマン・サックスの予測だと、現在六・五％の失業率は、来年末には八・五％に到達するだろうとのこと。

あらゆる指標から見て、新政権は大規模な景気刺激策を提供するはずだ。私自身がざっと計算したところでは、その刺激策は巨額でなければならず、六〇〇〇万ドル規模が必要だ。するとと問題は、オバマ政権の人々はそんな規模のものを提案するだけの度胸があるか、ということになる。

この疑問への答がイエスだと期待しよう。新政権に本当にそれだけの度胸があると期待しよう。というのもいまは、伝統的な分別に負けてしまうととても危険なことになるからだ。

第26章
ＩＳ－ＬＭ入門

『ニューヨーク・タイムズ』ブログ
二〇一一年一〇月九日

　このブログやそれ以外について、多くの読者がＩＳ－ＬＭってのが何なのか説明してくれと言う。よかろう――このブログ界隈の会話は内輪の人々が行っているやりとりをめぐるものとなっていたから、一般人にはいささか意味不明だったかもしれない（だからこそ、自分の投稿には「専門的」というラベルをつけていたわけだ）。

［加筆：ＩＳ－ＬＭは、投資（Investment）－貯蓄（Savings）、流動性（Liquidity）－お金（Money）の略だ――これはこの先を読み続けてもらえれば、いろいろ納得してもらえると思う］

だからまず理解すべき最初の点は、ＩＳ－ＬＭの正しい説明方法はいろいろあるということだ。それは、これがいくつか相互に作用する市場をモデル化したものだからだ。だからいろんな方向から入ってこられるし、どのやり方も出発点として成り立つ。

　こうしたＩＳ－ＬＭへのアプローチで私のいちばんのお気に入りは、金利が決まるやり方についての、一見すると相容れない二つの見方を和解させる方法として考えるものだ。一つの見方は、金利は貯蓄の需給で決まるというものだ――「融資可能資金」アプローチというやつだ。もう一つは、金利は利子がつく債券と、利子はつかないけれど取引に使えて、だからその流動性のおかげで特別な価値を持つ現金とのトレードオフで決まる、と述べる――「流動性選好」アプローチだ（はいはい、厳密にはお金とはいえないものでも利子がつくものはあるけれど、通常は流動性の低い資産よりずっと利率は低い）。

この両方の見方がなぜどちらも成り立つのだろうか？　それは、ここでたった一つではなく少なくとも、二つの変数を考えているからだ――金利だけではなく、ＧＤＰも考えている。そしてＧＤＰの調整こそは、融資可能資金と流動性選好を同時に成り立たせているものだ。

まず融資可能な資金の側から始めよう。仮に、みんなが貯蓄したい金額と、望む投資支出の金額がいまは同じだったとしよう。そこで、何らかの理由で金利が下がった。そうしたら金利は元の水準に戻るだろうか？　必ずしもそんなことはない。望む投資が望む貯蓄より高くなったら、経済拡大が生じて、それが所得を引き上げる。そしてその所得増の一部は貯金されるので――そして投資需要がその追加貯金ほどは増えないとすれば――ＧＤＰが十分に増えたら、みんなの望む貯蓄と望む投資は、その新しい金利水準で等しくなる。

つまり、融資可能資金は、単独で金利をすぐ決めるわけじゃないということだ。金利とＧＤＰの組み合わせとして考えられる一連のものを決める。低い金利は高いＧＤＰに対応することになる。それがＩＳ曲線だ。

一方、自分の資産をどう配分するか決めようとしている人たちは、お金と債券とのトレードオフをしている。お金の需要が右肩下がりとなる――金利が高ければ、流動性を捨てて高い収益率を取ろうという人は増える。一時的に中央銀行がお金の供給（マネーサプライ）を固定させたとしよう。その場合、金利はみんなの需要をそのお金の供給と一致させるものでなければならない。そして中央銀行は、お金の供給を変えることで金利を動かせる。お金の供給を増やしたら、人々がもっとたくさん現金を持ちたがるように、金利は下がらなくてはならない。

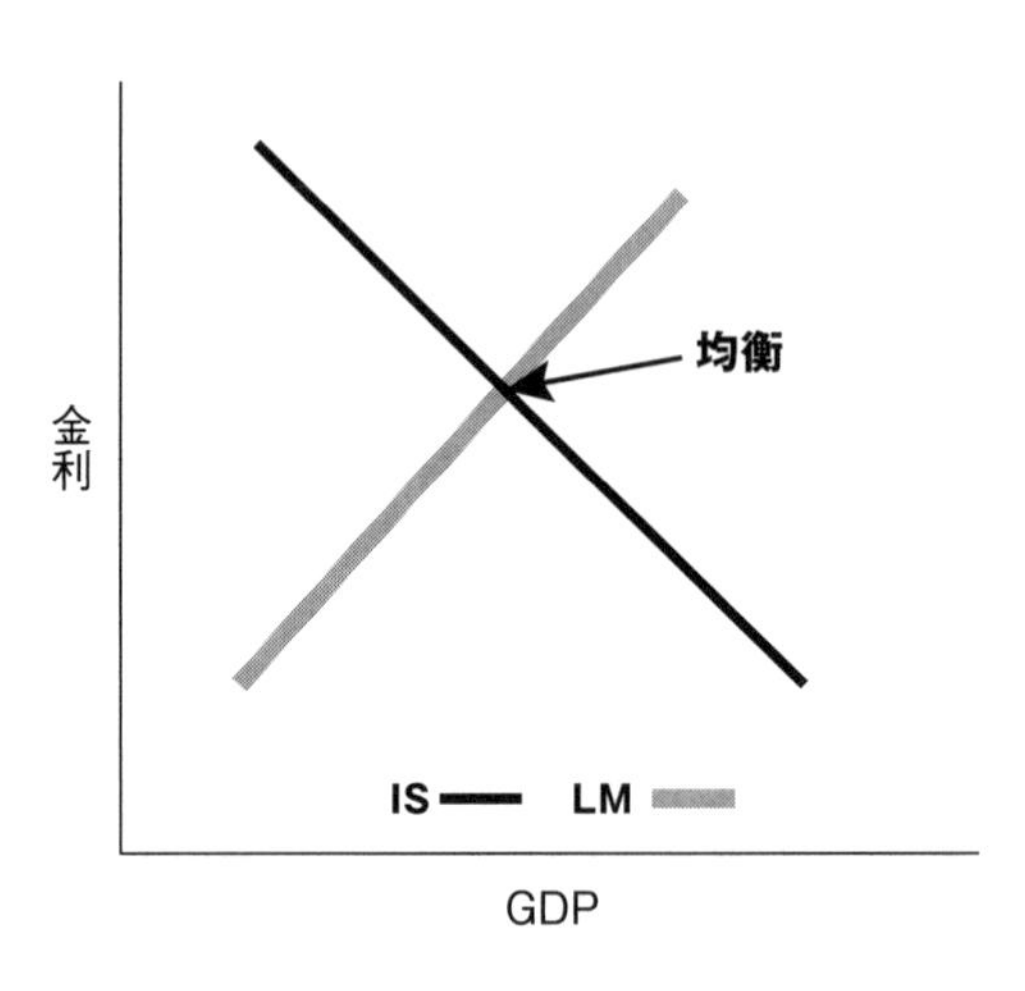

でも、ここでもGDPを考慮する必要がある。GDPが上がったということは取引が増えたということで、他の条件が同じならお金の需要もそれだけ増える。だからGDPが上がれば、お金の需給を一致させる金利も上がらねばならない。つまり融資可能資金と同じく、流動性選好は金利だけを決めるのではないということだ。それは金利とGDPの組み合わせを決める——それがLM曲線だ。

そしてこの二つでIS - LM曲線ができる。二本の曲線の交点は、GDPと金利の両方を決めるし、その点では融資可能資金と流動性選好がどちらも均衡している。

この枠組みが何の役にたつのか？　まず、ありがちな誤謬はこれで回避できる。たとえば貯蓄は必ず投資と等しいから、政府支出は総支出を増やしたりできない、といった誤謬だ——これで有名なシカゴ学派の教授たちがなぜか納得しているような議論の水準はすぐに超えられる。そして、いろいろ混乱も避けられる。たとえば、財政赤字は金利を押し上げるから、経済はかえって収縮するといったような混乱だ。

でも最も驚異的な点として、IS - LMは現在のよう

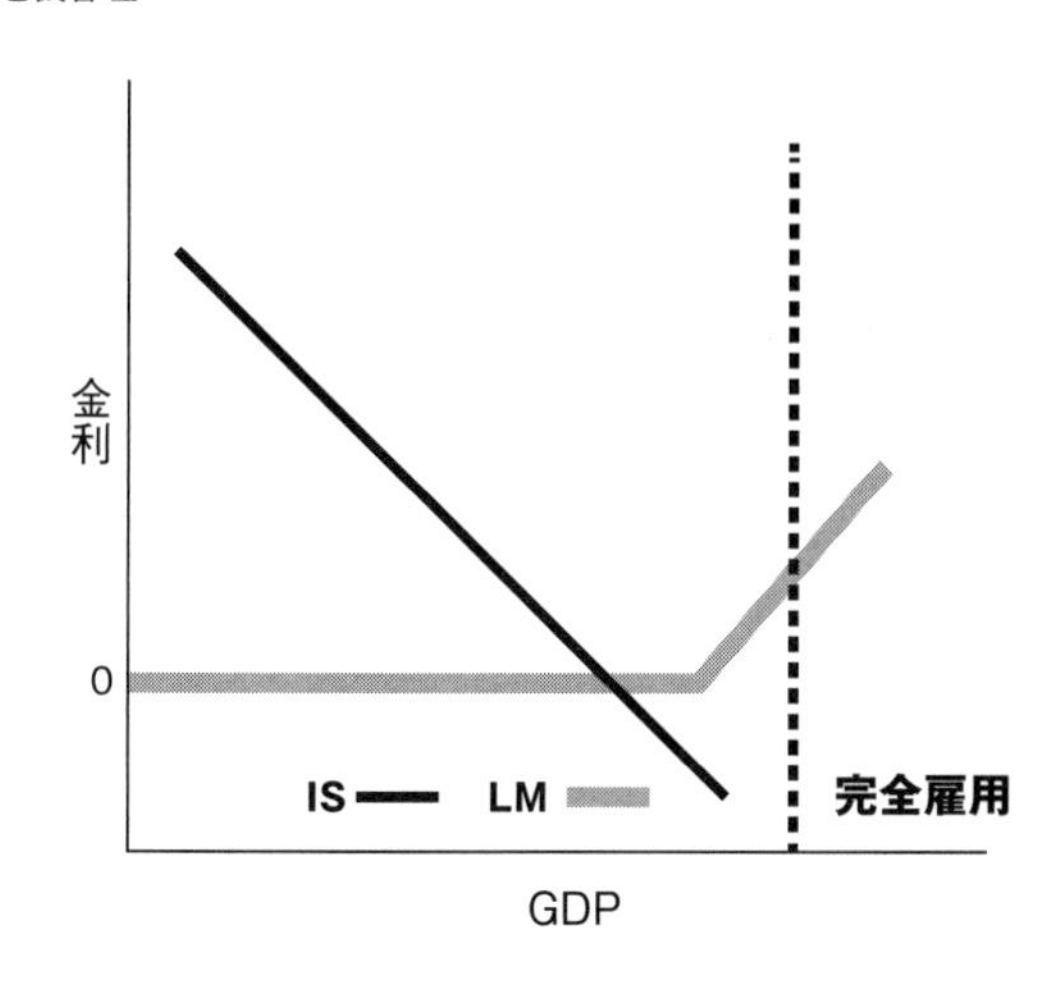

な極端な条件について考えるのにとても便利なのだ。ここでは民間需要があまりに下がってしまい、経済はゼロ金利でも停滞したままになっている。この場合、グラフはこんな具合だ。

なぜＬＭ曲線はゼロのところで平らになっているのか？　もし金利がゼロ以下になったら、みんな債券ではなく現金を持つだけだからだ。その時点で、人々は単なる価値の貯蔵手段として現金を保有しているだけで、お金の供給を変えても何も変化は起きない。これはもちろん、流動性の罠というやつだ。

そしてＩＳ－ＬＭは流動性の罠で何が起きるかについていくつか予想をしてくれる。財政赤字はＩＳを右に動かす。流動性の罠では、これは金利にはまったく影響しない。お金の供給（マネーサプライ）を増やしても何も起きない。

だから二〇〇九年初頭、『ウォールストリート・ジャーナル』やオーストリア学派などのいつもの連中が、金利が高騰してインフレが止まらなくなるぞと絶叫していたときにも、ＩＳ－ＬＭをわかっている人々は金利は低いままのはずだと予想していた。マネタリーベースを三倍にしてもインフレは起きない、とも述べていた。その後の出来事は、私が見る限り、ＩＳ‐ＬＭ派の正しさを圧倒的に裏付けた——商品価格のせいで額面のインフレは少し動きはしたけれど——そして、金利高騰にインフレを唱えた連中は大まちがいだった。

はいはい、ＩＳ‐ＬＭはいろいろ単純化しているので、これだけで話はできない。でもこれは、よい経済モデルのやるべき仕事をきちんとやっている。目に見える状態について理解できるようにして、異常な状況でも何が起こるかについて、とても有益な予測をしてくれた。ＩＳ‐ＬＭがわかっている経済学者たちは、わかっていない人たちと比べて、現在の危機を理解するにあたってはるかによい成績をおさめている。

第27章 景気刺激策の算数（専門的ながら重要）

『ニューヨーク・タイムズ』ブログ
二〇〇九年一月六日

オバマ景気刺激策についての情報が少しずつ入ってきたので、その効果についてざっと計算を始められるようになった。結論からいえば、たぶん出てくる刺激策は、今後二年にわたり平均失業率を二ポイントも削れないだろう。それすらできないかもしれない。すると、この新任政権が超党派的な合意を得るために、刺激策を低めに出しているのではという懸念が出てくる。

これを敷衍して、私がどんな計算をしたか示そう。

議論の出発点はオークンの法則、つまり実質ＧＤＰ変化と失業率変化の関係だ。オークンの法則の係数の範囲は、２から３の間だ。私は２を使った。ここでの作業では楽観的な推計だ。失業率を本来の水準から一ポイント下げるには、実質ＧＤＰを二％増やさねばならないということだ。アメリカのＧＤＰはざっと一五兆ドルなので、失業を一ポイント下げるにはＧＤＰを年に三〇〇〇億ドル上げなくてはならないわけだ。

さて、オバマ刺激策で聞こえてくるのは、二年で七七五〇億ドルの予算を求めているという話だ。うち三〇〇〇億ドルは減税で、残りは財政出動となる。つまり減税が年に一五〇〇億ドル、財政出動は年に二四〇〇億ドルという感じになる。

減税や財政出動はどれだけGDPを押し上げるか？　economy.comのマーク・ザンディによる広く引用された推計だと、乗数は財政出動で１・５、減税の推計は大小実に様々だ。給与所得減税は、オバマ刺激策の半分くらいで、これは乗数１・２９となかなかよい。残り半分の事業所税減税は、ずっと効果が低い。

特に事業所が、今年度の損失に基づいて過去の税金還付を受けられるというのは（これは刺激策の大きな特徴だと報じられている）、インセンティブ効果のまったくないランプサムの移転のようにしか見えない。

かなりオマケして、減税の全体としての乗数を1としよう。するとこのプランが単年度でGDPに与える影響は１５０×１＋２４０×１・５＝５１００億ドル。失業率を一ポイント下げるには三〇〇〇億ドルいるから、この金額で失業はそのままの状態よりは一・七ポイント下がる。

最後に、これを経済見通しと比べよう。「完全雇用」というのは明らかに、五％近い失業率ということだ――議会予算局（ＣＢＯ）は、ＮＡＩＲＵ（インフレを加速しない失業率）を五・二％としている。これは私には高すぎるように思える。現在の失業率は七％で、上昇中だ。当のオバマ自身が、刺激策がなければ二桁台に上りかねないと述べている。仮に、刺激策がないと今後二年にわたり、九％の失業率になりそうだとしよう。この刺激策はそれを七・三％に引き下げる。ないよりマシだが、批判者はこの数字を見て、失敗だったと騒ぎ立てるだろう。

そしてここで政治が出てくる。これは強い刺激策を支持していた人々が期待していた計画をはるかに下回るものらしい――そしてそれは、共和党の票を得るためにやったらしい。でもこの計画が、上院で期待通り八〇票を得たとしても（怪しいが）、この刺激策が失敗と見なされたら、取り沙汰されるやり方次第では、民主党の責任だということにされるだろう。

こんなシナリオが目に浮かぶ：弱い刺激策、いま議論しているよりさらに貧弱なものが、追加の共和党支持を得るためにでっち上げられる。その対策で失業率の上昇は止まるけれど、それでも事態はかなりひどいままで、失業率は九％あたりにまで上がり、なかなか下がらない。するとそこでミッチ・マコネルが「ほらごらん、政府支出なんてうまくいかないよ」と言うわけだ。

これがまちがいであることを祈りたい。

第28章 オバマギャップ

二〇〇九年一月八日

「進路を変えるには手遅れとは思わないが、もしできるだけ早く大規模な行動をとらなければ、本当に手遅れになってしまう。何もしなければ、この不景気は何年も続きかねない」

木曜日、大統領に当選したバラク・オバマはこう宣言し、なぜアメリカは経済停滞に対して、きわめて積極的な政府対応を必要としているのか説明した。彼の言う通り。これは大恐慌以来最も危険な経済危機で、長引く停滞になる可能性があまりに高い。

でもオバマ氏の処方箋は、この診断に見合うものではない。彼が提示している経済計画は、経済的な脅威に関する物言いほど強力ではない。それどころか、必要な水準には全然足りないのだ。

アメリカ経済がどれほど大きいかを念頭に置こう。産出に対する需要が十分なら、アメリカは今後二年で三〇兆ドルもの財やサービスを生み出す。でも消費者支出と事業投資が激減している現在、アメリカ経済の生産できるものと、売れるものとの間に巨大なギャップが生じつつある。

そしてオバマ計画は、この「産出ギャップ」を埋めるにはほど遠い規模でしかない。

今週、議会予算局は予算と経済見通しの最新分析を発表した。予算局は、刺激策がないと失業率は二〇一〇年初頭には九％を超え、その後何年も高止まりすると言う。

ちなみにこの予測は陰気なものだけれど、独立機関の予測と比べるとむしろ楽観的なほうだ。当のオバマ氏自身が、刺激策がないと失業率が二桁になりかねないと述べている。

でも議会予算局ですら、「今後二年の経済産出は潜在生産力を平均で六・八％下回る」と述べている。これは失われた生産二・一兆ドルということだ。オバマ氏は木曜日にこう宣言した。「経済は生産能力を一兆ドルも下回りかねない」。うん、これでも彼は控えめに言っていたわけだ。

二兆ドル以上のギャップ――予算局の予測が楽観的すぎるなら、これよりずっと多いかもしれない――を埋めるために、オバマ氏は七七五〇億ドルの計画を提示している。そしてそれでは足りない。

はいはい、財政刺激はときには「乗数」効果を持つ。たとえばインフラ投資などが需要に与える直接的な効果に加え、所得増が消費者支出を増やすことで、さらに間接的な影響があるかもしれない。標準的な推計だと、公共支出を一ドル増やすと、ＧＤＰは一・五ドルほど増える。

でもオバマ計画のうち、公共支出は六割程度でしかない。残りは減税だ――そして多くの経済学者は、そうした減税、特に企業向けの減税が支出をどこまで後押しするか疑問視している（民主党の上院議員の多くも同じ疑念を抱いている）。超党派の税制センターのハワード・グレックマンは、最近のブログ投稿の見出しでこれをまとめている。「額面は大きいのに、効果はそこそこ」

要するに、オバマ計画は目先の産出ギャップを半分以上は埋められなさそうだし、三分の一にも満たない可能性だって十分にあるということだ。

なぜオバマ氏はもっと頑張らないのか？

財政赤字が怖いからほどほどに抑えてあるのか？　大規模政府借り入れにはそれなりの危険がある――そして今週の議会予算局報告は、今年の財政赤字が一・二兆ドルと述べている。でも経済救済が不足するほうがずっと危険だ。就任前のオバマ大統領は、行動しない場合の結果について、雄弁かつ正確に語った――アメリカが、日本のような長引くデフレの罠にはまってしまう危険がきわめて高い――でも適切に行動しない場合の結果は、あまりマシなものではない。

よい支出先がないから計画が抑えられているのだろうか？「すぐにシャベルで穴を掘れる」公共投資プロジェクトは限られている――つまり、短期で経済を支援できるくらいすぐに取りかかれるプロジェクトはあまりない。でも公共投資は他にもやり方がある。特に医療分野では、必要とされるときに経済を助けつつ、よい成果を挙げられる。

あるいは政治的な用心のために計画が抑えられているのか？ 先月の報道では、オバマの補佐官たちは計画の総額を、政治的に目立つ一兆ドルというハードル以下に抑えようと腐心しているのだと言われた。また計画が大規模な事業所減税を含んでいるのは、額面は増えるけれど経済にはあまり役立たないが、これまた共和党の支持を議会で得ようとしているからだという。

理由はどうあれ、オバマ計画はとにかく経済のニーズから見て不十分だ。確かに、三分の一でもないよりはましだ。でもいまやアメリカは、二つの大きな経済ギャップに直面しているらしい。経済の潜在能力と実際の見通しとのギャップ、そしてオバマ氏の厳しい経済レトリックと、いささかがっかりする景気刺激策とのギャップだ。

第29章 景気刺激策の悲劇

二〇一四年二月二〇日

オバマ大統領が、アメリカ復興再投資法——「景気刺激策」——に署名して施行させてから五年たった。その間に、この法律が実によい結果をもたらしたのは明らかとなった。経済の急降下を防ぐのに役立った。何百万もの雇用を生み出したか救った。公共と民間の投資という重要な遺産を残した。一方で政治的には大惨事だった。そしてその政治的大惨事——景気刺激策が失敗したという世間的な印象——の影響で、その後の経済政策がずっと影響を受けてしまった。

刺激策のよい効果から始めよう。

なぜ景気刺激策が必要とされていたかといえば、アメリカが総支出の大幅な不足のせいで苦しんでいたから、という話だった。金融危機と住宅バブル破裂による経済への打撃は大きすぎて、普通なら短期金利をカットして不景気に対処するFRBが、それだけではこの停滞を克服できなくなっていた。するると、政府が直接使うお金をもっと増やし、減税と公共支援を使って世帯収入を押し上げ、もっと民間支出をうながすことで、一時的な後押しをしてあげようという発想が出てくる。

景気刺激策の反対者たちは、赤字支出は金利を急上昇させ、民間支出を「クラウディングアウト」すると激しく反対した。でも支持者たちは、クラウディングアウト——これは経済が完全雇用に近ければ十分に心配の種となる——はひどく停滞した経済では起きない、余った生産能力と過剰貯蓄が大量にあるのだから、と反論した。そして景気刺激策の支持者たちが正しかった。金利は高騰するどころか、空前の低さに下がった。

刺激策の便益について、何か肯定的な証拠はあるだろうか？　こいつは少しやりにくい。というのも復興法の影響と、当時起こっていた他のいろいろなものとを解きほぐすのはむずかしいからだ。それでも、ほとんどの慎重な研究は、雇用と産出に強いプラスの影響があったという証拠を見つけている。

私に言わせればもっと重要なこととして、政府支出の激変がもたらす影響について、ヨーロッパが巨大な自然実験を提供してくれた。つまりですね、ユーロ圏（ヨーロッパ共通通貨を使う国々）の全部ではないけれど一部は、熾烈な財政緊縮を無理強いされた。つまりはマイナスの景気刺激策だ。もし景気刺激策の反対者が言うような世界の仕組みが正しければ、こうした財政緊縮政策はあまり悪い経済的影響は持たなかったはずだ。というのも政府支出削減は、民間支出増大で相殺されたはずだからだ。ところが財政緊縮は、産出と雇用にひどい、ときに壊滅的な減少をもたらした。そして冷酷な緊縮を課した国では、民間支出は増えるどころか減少し、政府支出削減の直接的な影響をさらに増幅させた。

つまりこうした証拠はすべて、オバマ刺激策に大きなプラスの短期効果があったことを示している。そしてまちがいなく長期的な効果もあった。グリーンエネルギーから電子カルテまで各種のものへの大規模投資だ。

だったらなぜみんな——正確には、この問題を真面目に研究した人々以外のみんな——は刺激策が失敗だったと信じ込んでいるのだろうか？　それはアメリカ経済が、景気刺激策発効の後も鳴かず飛ばず——大惨事ではなかったけれど、鳴かず飛ばず——でしかなかったからだ。

その理由は何の不思議もない。アメリカは、巨大な住宅バブルの後遺症に取り組んでいた。いまだに住宅市場は完全には回復していないし、消費者はバブル時代に積み上げた巨額の借金で首が回らない。そして刺激策は、その苦しい後遺症を克服するには小さすぎたし短期すぎた。

ちなみにこれは、あとづけの弁解ではない。常連読者のみなさんはご存じだろうが、私は二〇〇九年初頭に頭をかきむしりつつ、復興法は不十分だと警告していた――及び腰のせいで、この政策は景気刺激策という発想自体が色眼鏡で見られる原因になるだろう、と。

オバマ政権はもっとやれたのでは、という論争はずっと続いている。同政権は、楽観的すぎる予測を出してその被害を悪化させた。金融システムへの信頼さえ復活すれば、経済はすぐに復活するというまちがった想定のせいだ。

でも、どれも過ぎた話でしかない。重要な点は、アメリカの財政政策は二〇一〇年以降は完全にまちがった方向に向かったということだ。景気刺激策が失敗と思われたので、首都界隈の話題から雇用創出はほぼ完全に消え、財政赤字についての異様な懸念がそれにとってかわった。政府支出は、一時的には復興法とフードスタンプや失業手当といったセーフティネット政策により増大していたのに、減り始めた。いちばん削減されたのが公共投資だった。そしてこの反刺激策で何百万もの仕事が失われた。

言い換えると、この景気刺激策の全体としての物語は悲劇的なものだ。まともながら不十分だった政策イニシアチブが、失敗だったと思われる羽目になり、ひどく破壊的なまちがった方向への転回をもたらしてしまったのだ。

第６部

経済学の危機

ダメな考えがもたらす損失

経済学者がどんなことについても合意できないという冗談はいろいろある。そうした冗談のほとんどは不当なものだ――私自身の感じだと、意見の不一致なんかよりも群集行動のほうが大きな問題だ。つまり、他のみんなが受け容れているからというだけでまともと思われている考えを、そのまま受け容れてしまうという行動だ。でも不景気、回復、インフレなど経済全体についての出来事を研究するサブ分野であるマクロ経済学は、確かに激しい対立が見られる分野だ。

前章の最初の論説で説明した通り、マクロ経済学の一派――究極的には一九三〇年代のジョン・メイナード・ケインズの著作に端を発する一派――は、世界金融危機に続く数年にはかなり幅をきかせていた。でもまったくちがう考えを持った、別の一派がある。そしてこの両派閥の間の衝突がかなり騒々しくなり、リーマン・ブラザーズ倒産後の数ヶ月以内に、破壊的なものになってしまったと私は見ている。

経済学業界内だと、この派閥はしばしば「汽水派」と「淡水派」と呼ばれる。というのもたまたま、おおむねケインズ派の経済学者は沿海部の大学にいるのに、反ケインズ派は内陸部にいるからだ。第32章「どうして経済学者たちはあれほどまちがえたのか？」という論説は、この両派閥の分断について説明している。だからここでは軽く触れるにとどめよう。

ここでの物語は、大恐慌から始まる。これは大惨事となった経済の出来事で、多くの知識人はこのために資本主義は破綻したと宣言した。でもジョン・メイナード・ケインズ率いる一部の経済学者たちは、この破綻の原因は、たとえばマルクス主義者などが主張するよりずっと浅はかなものなのだと論じた――かなり狭い原因でしかなく、おおむね小手先の技術的な解決策があるのだ、と。「私たちが直面しているのは、マグネトー（オルタネーター）の問題なのだ」、エンジンそのものの問題ではない、とケインズは主張した。

ケインズはまた、自分の分析が持つ含意は「そこそこ保守的だ」と述べた。景気停滞は、適切な政策で対応できる。比較的穏やかな不景気なら低金利、もっと深刻な停滞なら赤字支出だ。そしてこうした政策があれば、経済のその他大部分は市場に任せておける。実際、この立場――自由市場ケインズ主義と呼ぼう――はアメリカ経済学者のおおむね標準的な立場になったし、これはポール・サミュエルソンの画期的な教科書が一九四八年に刊行されてなおさら強まった。

でも保守派はこの考え方がお気に召さなかった。彼らは、ケインズ経済学が大きな楔の先端だと考えた。不景気対策で政府の役割を認めたら、あらゆるところで政府の役割拡大を認めることになりかねない。四〇年代と五〇年代には、こうした人々は後方戦を展開して、ケインズ経済学を大学で教えさせないようにしようとした。

でもやがて、彼らはもっと高度な旗振り役を見つけた。ミルトン・フリードマンは大恐慌が需要不足の問題だったというケインズ派の見方は認めた。でも、ケインズが推奨したよりもっと狭く、もっと技術的なやり方で防げたと論じた。アメリカのお金の供給をコントロールするＦＲＢが、お金の供給をゆっくり安定した割合で増やし続けることにしたら、大きな不景気は起きなくなるという。

フリードマンはまた、政策できわめて高い失業は防げても、失業をずっと低く抑え続けることはできないと論じた――それをやろうとしたら、インフレが加速してしまう、と。一九七〇年代のスタグフレーションは、その主張の裏付けだと広く見なされた。

でも自由市場経済学者からすれば、これでも不十分だった。彼らは――論理的には正しく――人々が完全に合理的なら、フリードマン的な経済学ですらうまく機能しないと論じた。お金の供給が変わっても、短期ですら雇用には影響しないし、特にインフレを下げようという試みは、フリードマンですら述べたような一時的失業率の上昇を必要としない、という。

なんとも間の悪いことに、事実はこの分析に協力してくれなかった。第31章「あの八〇年代のショー」で指摘するように、一九八〇年代初頭の大幅なインフレ低下は、実のところかなりひどい不景気をもたらした——二〇〇八年危機がくるまでは、一九三〇年代以来最悪の不況だった。

そしてそこで奇妙なことが起きた。マクロ経済学業界の半分——汽水派の半分——はこれを、ケインズを更新する必要はあってもかなり使える洞察がまだたくさんあるという証拠だと考えた。残り半分は実質的に、事実が自分たちの理論に当てはまらないなら、事実の解釈を変えるべきだと述べ、自由市場への信仰を温存するためにはどんな知的アクロバットも辞さないようになった。

こうした知的論争は重要なのだろうか？　淡水派経済学者たちは、直接的な政策への影響力が驚くほど小さい。第33章「悪意、悲哀、共和党経済学」で論じるように、政治的保守派が助言を求めるのはまったくの知的ペテン師どもであって、どんな派閥だろうと本物の研究者に意見を聞いたりはしない。でも淡水派は、メッセージをわかりにくくするのには貢献した。政策担当者が、やるべきことについてはっきりした見通しを必要としているときに、彼らの耳に入ったのは侃々諤々の不協和音だった。

ああそうそう、いわゆるＭＭＴ、現代貨幣理論についての論説を最後に入れておいた。これは変なドクトリンで、ほとんどはＩＳ－ＬＭ（26章で説明した）の特別な場合でしかなく、そこに新しい混乱をいくつか追加しただけだ。でもその提唱者たちはそれがわかっていない。何か深遠で過激な洞察を思いついたつもりでいる。そして進歩派の政治家の一部は、これに流されかけている。その流れを押し戻そうとしたのがその論説だ。

第30章 七〇年代の幻想

『ニューヨーク・タイムズ』ブログ
二〇一三年五月一九日

マイケル・キンズレー――および政策に本当に影響力を持つ人々も含む、その他かなりの多くの人たち――の問題は、いまだに一九七〇年代に住んでいることだとマット・オブライエンが示唆していて、たぶんその通りなんだろう。とはいえ、六〇歳の男性がどうのこうのという部分は、大きなお世話だとは思うが……

でも実はマットが言うより事態はひどい。というのもそういう人々が警告物語として記憶している一九七〇年代というのは、実際に起きた一九七〇年代とは似ても似つかない代物だからだ。

エリートの幻想によると、七〇年代の危機の発端は、いまの危機の発端と称するものと同様に、過剰にあった。負債が多すぎ、あの自堕落なプロレどもを、強い福祉国家で甘やかしすぎたのがいけない。一九七九年から八二年の苦しみは、そのツケを必然的に払わされた結果だ、という。

これは全部、まったくのデタラメだ。

財政赤字問題はなかった。一九七〇年代の政府債務はGDP比で低かったし、安定しているか低下していた。福祉の負担が増えているのは政治的には大きな問題だったが、もっと全般的な福祉国家の暴走は、どう見ても問題ではなかった――だって、アメリカがたかり屋の国になってしまったとグチる右翼どもですら、依存率の低かった七〇年代を基準にするほどなのだもの。

実際にあったのは、賃金と物価のスパイラルだった。労働者はインフレを予想したので大幅な賃上げを要求し（まだ労働者が要求を本当に出せる時代だった）、企業は費用負担が増えて価格を上げ、そのどちらも大きなオイルショックで悪化した。これは主に、自己実現的な期待という話で、問題はどうやってこの悪循環を断つかというものだった。

じゃあなぜひどい不景気が必要だったのか？　過去の罪のツケなんかじゃない。単に経済を冷やすためだ。誰か――ほぼまちがいなく、マーチン・ベイリーだと思う――はインフレ問題を、アメフトの試合でみんな立ち上がってもっとフィールドをよく見ようとすると、結果としてみんな脚が疲れるだけなのに、誰も見晴らしはよくならないときの状況と同じだと述べている。そして不景気は、実質的にはみんながすわるまで試合を止めるのに相当するものだった。

ちがいはもちろん、このタイムアウトは何百万人もの仕事を破壊し、何兆ドルも無駄にした、ということだ。

もっとマシなやり方はあったか？　理想的には、関係者を全員一つの部屋に集め、なあこのインフレを止める不調があるんだよ、労働者諸君は賃金要求を抑えて、企業のみなさんは価格引き上げをやめ、我々政府はお金を刷りすぎるのをやめるようにしよう、それですべておしまいだ、と言えるはずだ。そうすれば不景気なしに物価安定が実現する。そして、小さくて社会的に緊密な一部の国では、おおむねそれが行われた（一九八五年イスラエルの物価安定を見よう）。

でもアメリカはそんな国ではないので、これを厳しい乱暴なやり方でやろうという決断が下された。これは政策の勝利なんかじゃない！　それはある意味で、絶望の告白ではあった。

これはインフレ方面は解決したけれど、そうした話に関する他の幻想もまた、一九七〇年代についての幻想と同じくらいデタラメだ。いや、アメリカは力強い生産性向上に復帰したりなんかしなかった。それが起きたのは一九九〇年代半ばだ。六〇歳の男性は、ヴォルカーのディスインフレから一〇年後のアメリカが、相変わらず実にショボかったのを覚えているはずだ。冷戦が終わったら勝ったのは日本だったという古い冗談をお忘れだろうか？

だから七〇年代からの教訓をもとに今日の政策を作っているというだけでもひどいというのに、実在しない幻想の七〇年代をもとに政策を作っているとなったら、なおさらひどい話だ。

第31章　あの八〇年代のショー[*1]

『ニューヨーク・タイムズ』ブログ　二〇一四年五月一九日

ここオックスフォードでは、いろいろ講演や井戸端会議をしてきたのだけれど、何度も出てくるのが経済思想の発達において一九八〇年代がいかに重要だったかという話だ。

これは通常聞かれる話ではない――七〇年代が神話じみた扱いを受け、インフレ心配症の人々に絶えず持ち出されているのに対し、八〇年代はごくたまにしか引き合いに出されないし、それもなぜかサプライサイド経済学の正しさを証明するとかいう話で登場するだけだ。でも八〇年代初頭に実際に起きたのは、ルーカス派マクロ経済学に対する決定的な反駁だった――でもその反駁は多くの場所で受け容れられなかったのだけれど。

何の話かわからない人もいるだろう。一九七〇年代には、誰よりもシカゴ大学のロバート・ルーカス率いる合理的期待形成派の経済学者たちは、積極的な政府介入すべてに対する、きわめて影響力の強い主張を始めた。この主張の主要な提案は、ルーカス的なモデルに基づいたもので、金融政策の中で本当に効果があるのは、予測されていない変化だけだというものだった。中央銀行がインフレ率引き下げを目指すとみんなが理解したら、物価や賃金がそれにあわせて調整され、高い失業が続かなくてもよくなる。

でも八〇年代に実際に起きたのは、中央銀行——最も有名なのはアメリカのFRBだけれど、サッチャー主義のイングランド銀行なども含む——は金融政策を劇的に引き締めてインフレを抑えたということだった。そしてインフレは確かに下がった——いずれは。でもその過程で、ひどい不景気が起こって失業が激増し、これは金融ショックが予想外のものでなければ効かないという、もっともらしい物語で正当化できるよりもはるかに長く続いた。

これはほぼ、経済に関するおおむねケインズ的な見方の勝利を示すもので、八〇年代はその通り、ニューケインジアンの復活が特徴だった。でも多くの経済学者たちはすでに、ケインズ経済学なんかデタラメだとか、ケインズ経済学は死んだとか宣言してしまい、もう身動きが取れなくなっていた。まちがいを認めたくないので、彼らはさらに態度を硬直させ、どう見てもまちがっているのに、金融政策なんか実際の効果はまったくなく、すべては技術ショックで引き起こされたのだと主張し始めた。

でもマクロ経済学界隈の、そちらの半分を除いても、他のみんなにとって八〇年代は、政策に対する態度を決めるという点で七〇年代と同じくらい重要だった。お望みなら、七〇年代は政策の限界を示したけれど、八〇年代はそうした限界にも限界があることを示したと言ってもいい——金融政策（そして条件次第では財政政策）は、経済安定方策として相変わらず強力なツールだったのだ。そしてこの洞察は、時の試練にも耐えた。

＊1 訳者注：アメリカの人気連続コメディ番組で、七〇年代の地方都市に暮らす若者たちを戯画化した「あの七〇年代のショー」のもじり。

第32章
どうして経済学者たちはあれほどまちがえたのか？

『ニューヨーク・タイムズ』マガジン
二〇〇九年九月二日

Ⅰ．美と真実を取り違える

いまや信じられないことだけれど、ほんの少し前まで経済学者たちは、この学問分野の成功について自画自賛を繰り広げていた。その成功――と彼らが信じていたもの――は理論的なものもあれば実務的なものもあり、おかげで経済学にとっての黄金時代が到来していた。理論的には、経済学者たちは内輪の争いを解決したと思った。だからこそ、二〇〇八年の「マクロの状態」（ここでのマクロというのは、不景気とかいった経済全体の話を研究するマクロ経済学のことだ）という論文で、ＭＩＴ教授で現在は国際通貨基金（ＩＭＦ）主任エコノミストのオリヴィエ・ブランシャールは「マクロの状態はよい」と宣言した。過去の争いは終わり、「ビジョンはおおむね収斂した」。そして現実世界でも、経済学者たちは経済を仕切れるつもりでいた。二〇〇三年のアメリカ経済学会会長演説で、シカゴ大学のロバート・ルーカスは「不景気予防の中心的な問題は解決済みとなった」と宣言した。二〇〇四年には、元プリンストン大学教授でいまや連邦準備制度理事会の議長となったベン・バーナンキは、過去二〇年間における経済パフォーマンスの大中庸時代実現を祝い、それは経済政策立案がうまくなったおかげもあると述べた。

去年、それがすべて崩壊した。

現在の危機を予想した経済学者はほとんどいなかったけれど、この予測の失敗は業界としてはいちばん軽い問題でしかなかった。もっと重要な点として、経済学会は市場経済におけるカタストロフ的な破綻の可能性そのものが見えなくなっていたのだった。黄金時代の金融経済学者たちは、市場は本質的に安定している――実際、株などの資産は常にぴったり正確に値づけがされていると信じるようになっていた。主流のモデルで、去年起きたような崩壊の可能性を示唆するものは何もなかった。一方、マクロ経済学者たちの見方は分かれていた。でも主要な分裂は、自由市場経済は決して破綻したりしないと固執する人々と、経済はときどきは道を外れるけれど、でも繁栄の道から大きくくずれても、すべて全能のＦＲＢが矯正できるし、実際にそうしてくれると信じる人々の間で起きていた。どちらもＦＲＢが全力を尽くしたのに脱線した経済にどう対処していいかわからなかった。

そして危機がやってきたら、経済学業界の断層はさらに口を開くばかりだった。ルーカスは、オバマ政権の経済刺激策が「ペテン経済学だ」と述べ、そのシカゴの大番頭ジョン・コクランはそれがすでに否定された「おとぎ話」に基づくと述べる。これに対してカリフォルニア大学バークレー校のブラッド・デロングはシカゴ学派の「知的瓦解」について書き、この私はシカゴの経済学者たちのコメントが、苦労して得た知識が忘れ去られたマクロ経済学の暗黒時代の産物だと書いている。

経済学業界はどうなってしまったのか？　そして今後どこへ向かうのか？

私見ながら、経済学業界が迷子になったのは、経済学者たちが集団として、立派に見える数学にくるまれた美を真実とまちがえたせいだと思う。大恐慌まで、ほとんどの経済学者は資本主義が完璧か、完璧に近いシステムなのだというビジョンにしがみついていた。そのビジョンは大量失業に直面して維持不能になったけれど、大恐慌の記憶が薄れると、経済学者たちは古い、理想化された経済ビジョンとまたもや恋に落ちてしまった。それは合理的な個人が完全市場で相互作用するという経済であり、今回はそれを偉そうな数式が飾り立てていた。この理想化された市場との恋の再燃は、政治的な風向きの変化に対する対応も一部はあったし、金銭的なインセンティブへの反応も一部はあったのはまちがいない。でもフーヴァー研究所でのサバティカル休暇やウォール街への就職機会は決してバカにしたものではないけれど、経済学会の失敗の中心にあるのは、すべてを包含するような知的にエレガントなアプローチの偏重で、しかも経済学者に数学能力をひけらかす機会を与えてくれるようなものに対する希求だった。

残念ながら、こうした都合の悪いものを消し去ったロマン主義的な経済ビジョンのおかげで、ほとんどの経済学者たちは何か問題を起こしそうなものをすべて無視するようになった。バブルとその破裂につながる人間理性の限界も見て見ぬふりをした。暴走する制度の問題も無視した。経済のOSを突然予想外にクラッシュさせかねない、市場——特に金融市場——の不完全性も無視した。そして規制当局が規制を信じていないときに生み出される危険も無視した。

経済学業界がこの先どちらへ向かうかを述べるのはずっとむずかしい。でもほぼ確実なのは、経済学者たちは汚らしさと共に生きるのを学ばねばならないということだ。つまり、不合理でしばしば予想外の行動が持つ重要性も認識し、市場の固有の不完全性にも立ち向かい、エレガントな経済学的「万物理論」なんてはるか先の話だというのを認めねばならない。実務的にはこれは、もっと政策助言に慎重になれということだ——そして市場があらゆる問題を解決してくれると思って、経済的な安全策を潰してしまうのにはもっと慎重になったほうがいい。

Ⅱ．スミスからケインズへ、そしてまた逆戻り

分野としての経済学の誕生は通常、一七七六年に『国富論』を刊行したアダム・スミスのおかげとされている。その後一六〇年で大量の経済理論体系が構築され、その中心的なメッセージは、市場を

信じなさいというものだった。確かに経済学者たちも、市場が失敗するかもしれない場合があることは認めていたし、なかでも最も重要なものは「外部性」だ――つまり人々が他人に対し、対価を払うことなしにかける費用だ。たとえば渋滞、公害がその例となる。でも「新古典派」経済学（これは「古典派」の先人たちの概念を発展させた一九世紀末の理論家たちにちなんだ名前だ）の基本的な想定は、市場システムを信じなさいと述べる。

この信仰は、大恐慌で粉々になる。いや実は、あの完全崩壊に直面したときですら、一部の経済学者は市場は絶対に正しいのだと固執した。一九三四年に――一九三四年ですぞ！――ジョセフ・シュムペーターは「不景気は単なる邪悪ではない」と宣言した。彼によれば不景気とは「何かやらねばならないことが形を取ったものなのだ」。だが多くの――いややがてはほとんどの――経済学者は、何が起きたかという説明と、将来の不況に対する解決策について、ジョン・メイナード・ケインズの洞察に頼った。

ケインズは、あなたが何を聞かされたか知らないけれど、政府に経済運営をさせようなんてことは言っていない。ケインズは一九三六年の快著『雇用、利子、お金の一般理論』（山形浩生訳、講談社学術文庫など）での分析について「その意味あいとしてはそこそこ保守的」と述べている。彼は資本主義を修理したかっただけで、それに代わるものを考案したわけではない。注意を払う存在なしに自由市場経済が機能できるという発想は疑問視した。そして特に金融市場は疑問視していた。彼に言わせると金融市場は、短期の投機ばかりが横行し、ファンダメンタルズはほとんど考慮されない。そして停滞期には失業を防ぐため、活発な政府介入――もっとお金を刷り、必要なら公共事業に大量に投資する――をするよう呼びかけた。

是非とも理解してほしいのだけれど、ケインズは、大胆な主張をするだけにとどまらない、実に様々なことをやった。『一般理論』は重要かつ深遠な分析を行った作品だ――その分析は、当時の最高の若き経済学者たちを納得させた。だが過去半世紀の経済学の物語は、相当部分がケインズ主義からの退行と新古典派への帰還の物語だ。新古典派復活は、シカゴ大学のミルトン・フリードマンが当初は率いていた。彼は一九五三年の時点ですでに、新古典派経済学は経済の実際の仕組みに関する記述としてとても成功しているから「非常に有益だし大いに安心できるものだ」と主張している。でも不景気はどうなんだ？

フリードマンによるケインズへの反撃は、マネタリズムというドクトリンで始まった。マネタリストは、市場経済を意識的に安定させる必要があるという発想に、原理的には反対はしなかった。フリードマンはかつて「我々はいまやみんなケインジアンだ」と述べた。もっとも後になって、これは文脈を無視した引用だと主張はしたのだけれど。でもマネタリストは、きわめて限定的で制約された形の政府介入――つまり中央銀行に対し、国のお金の供給（マネーサプライ）、つまり流通現金と銀行預金の合計を、安定して増やすようにさせたら、それで不景気は防止できると主張した。フリードマンとその共同研究者アンナ・シュウォーツは、もしFRBがまともに仕事をしていれば、大恐慌は起きなかっただろうと論じたことで有名だ。後にフリードマンは、政府が失業率を「自然」な水準（アメリカでは現在四・八％ほどと思われている）より下げようとする政府の意識的な努力に反対する説得力の高い議論を行った。あまりに拡張的な政策は、インフレと高失業率の組み合わせを生み出すのだ、と彼は予言した――この予想は、一九七〇年代のスタグフレーションでその通りとなり、反ケインズ運動の評判はこれで大いに高まった。

でもやがて反ケインズ反革命は、フリードマンの立場をはるかに超えるものとなった。フリードマンの立場は、その後継者たちの発言に比べると、かなり穏健にすら思えるようになった。金融経済学者たちの間では、金融市場を「カジノ」だとするケインズの散々なビジョンは、「効率的市場仮説」で置き換わった。これは、金融市場は常に手に入る情報を使って資産価格を正しく評価する、と主張する理論だ。一方、多くのマクロ経済学者たちはケインズの経済停滞理解の枠組みを完全に拒絶するようになった。一部はシュムペーターなど大恐慌擁護派のビジョンに戻り、不景気はよいもので、経済が変化に対する調整を行うのに必要だったのだとする。そしてそこまで行く度胸のない人々も、経済停滞に対処しようとする試みはすべて、よい影響より悪い影響のほうが大きいと論じた。

あらゆるマクロ経済学者がそんな方向に向かいたがったわけではない。多くは自称ニューケインジアンになり、政府の積極的な役割を信じ続けた。でもその人々ですら、投資家や消費者が合理的で、市場が一般にはものごとを正しく評価する、というのを受け容れていた。

もちろん、こうしたトレンドに対する例外もあった。少数の経済学者たちは、金融市場が信用できるという信念を疑問視した。そして金融危機が壮絶な経済的影響をもたらした、金融危機の長い歴史を指摘した。でもこれは流れに逆らうものであり、今にして思えばバカげていた主流の付和雷同に対し、あまり勢力は広がらなかった。

Ⅲ．常に無問題のファイナンス

一九三〇年代の金融市場は、言うまでもない理由で、あまり敬意を抱かれていなかった。ケインズはそれを「百人の写真から最高の美女六人を選ぶといった、ありがちな新聞の懸賞になぞらえることができます。賞をもらえるのは、その投票した人全体の平均的な嗜好にいちばん近い人を選んだ人物です。したがってそれぞれの参加者は、自分がいちばん美人だと思う顔を選ぶのではなく、他の参加者たちがよいと思う見込みが高い顔を選」ぶ活動と呼んだ。

そしてケインズは、投機家たちがお互いの尻尾をひたすら追いかけているだけの市場に、重要な事業判断を左右させるのはとてもまずいことだと考えた。「ある国の資本発展がカジノ活動の副産物になってしまったら、その仕事はたぶんまずい出来となるでしょう」

でも一九七〇年かそこらになると、金融市場の研究はヴォルテールの小説に出てくるパングロス博士に乗っ取られたように見えた。パングロス博士は、私たちがあらゆる世界の中で最高のものに暮らしていると固執した人物だ。投資家の不合理性、バブル、破壊的な投機の研究は、学術的な対話からほぼ消え去った。この分野は「効率的市場仮説」に支配されていた。これを広めたのはシカゴ大学のユージン・ファマで、金融市場は資産を、公開情報すべてに基づく内在的な価値で評価するのだと主張する仮説だ（たとえばある会社の株価は、常にその企業の収益、事業見通しなどに関する情報に基づいた企業価値を正確に反映していることになる）。そして一九八〇年代になると、金融経済学者たち、特にハーバード・ビジネススクールのマイケル・ジェンセンは、金融市場は常に価格を正しく評価するので、企業の親分たちにできる最善のことは、自分にとってだけでなく経済全体にとっても株価を最大化することだと論じていた。言い換えると、金融経済学者たちは、ある国の資本発展をケインズが「カジノ」と呼んだものの手に任せるべきだと信じていたわけだ。

経済学界のこの変身が、実際の出来事に呼応したものだと主張するのはむずかしい。確かに一九二九年の記憶は薄れつつあったけれど、それでも投機的な過剰の物語が広く出回る強気市場があり、それに続いて弱気市場が何度も繰り返された。たとえば一九七三－一九七四年には、株は価値の四八％を失った。そして一九八七年株価大暴落では、ダウ指数はこれといった理由もなく一日で二三％近くも下落したので、市場の合理性について多少の疑念くらいは浮かんで然るべきだった。

ケインズならこうした出来事を、市場があてにならない証拠だと考えただろうが、それでも美しい思想の威力を鈍らせるには役に立たなかった。あらゆる投資家が合理的にリスクと報酬のバランスを取ると想定することで金融経済学者たちが開発した理論モデル——通称資本資産価格モデル、CAPM（キャップ・エムと読む）——はすばらしくエレガントだ。そしてその前提を受け容れるなら、きわめて役に立つ。CAPMはポートフォリオの選び方を教えてくれるにとどまらない——金融業界の観点からもっと重要なのは、金融派生商品、つまり受益権についての受益権にどう値づけすればいいかを教えてくれるのだ。この新理論のエレガントさと見かけの有用性のおかげで、考案者たちは次々にノーベル賞を受賞し、この理論の大家たちも、もっと現世的な報酬を受け取った――CAPMのもっと難解な使途は、物理学者級の計算を必要とする――物静かなビジネススクールの教授たちは、ウォール街の寵児となり、ウォール街級の給料を懐に入れるようになった。

公平を期すために言っておくと、金融理論家たちが効率的市場仮説を受け容れたのは、それがエレガントで、便利で、儲かるからというだけではない。大量の統計的な証拠も出してきたし、当初はそれが強く理論を裏付けているように見えた。でもこの証拠は奇妙なほど限られた形となっていた。金融経済学者は、資産価額が利潤などの現実世界のファンダメンタルズを考えたときに筋が通っているかという、一見すると当然の（でもなかなか答えにくい）質問をめったにしなかった。むしろ彼らは、資産価格が別の資産価格を前提としたときに筋が通っているかを尋ねただけだった。いまやオバマ政権最高の経済顧問となったラリー・サマーズは、かつて金融系の教授をバカにするため、「ケチャップ経済学者」の寓話を考案した。ケチャップ経済学者は「二リットル入りのケチャップのボトルが、一リットル入りのボトルのちょうど二倍の値段で売られていることを示し」、そこからケチャップ市場は完全に効率的だと結論するのだ、という寓話だ。

でもこうした揶揄も、イェール大学のロバート・シラーのような経済学者によるもっと礼儀正しい批判も、大して影響はしなかった。金融理論家たちは、自分のモデルが基本的には正しいと信じ続け、現実世界の意思決定をする人々の多くも同じだった。なかでも大きかったのはアラン・グリーンスパン、当時のFRB議長で古くからの金融規制緩和支持者であり、彼がサブプライム融資の抑制を訴える声や、ますますふくれあがる住宅バブルの問題に取り組むのを拒絶し続けてきた大きな理由は、現代金融経済学ですべてはコントロールできるという信念のせいだ。二〇〇五年に、グリーンスパンの

FRB人気を讃える会議で、とても示唆的な瞬間があった。ある勇敢な出席者、ラグラム・ラジャン（驚いたことにシカゴ大学）が、金融システムは潜在的に危険なほどのリスクを抱え込んでいるという論文を発表した。でも彼はほとんどあらゆる出席者に嘲笑された——ちなみに、ラリー・サマーズも彼の警告を「お門違い」と一蹴した。

でも昨年一〇月時点で、グリーンスパンは「知的な構築物全体」が「倒壊した」ので「信じられないショック状態」にあると認めていた。この知的構築物の倒壊はまた現実世界の市場倒壊でもあったので、結果はひどい不景気だった——どんな指標で見ても、大恐慌以来最悪のものだ。政策担当者はどうすべきだろうか？　残念ながら、経済停滞に対処するための明確なガイドを提供するべきマクロ経済学は、それ自体が独自の大混乱に陥っていた。

Ⅳ．マクロの困ったところ

「私たちは、仕組みも理解できない繊細な機械の制御に失敗して、とんでもない泥沼に自らはまりこんでしまった」そう書いたのはジョン・メイナード・ケインズの「一九三〇年の大停滞」という論文だ。この論文は、そのとき世界を覆いつつあった大災厄を説明しようとしたものだ。そして世界の富の可能性は、確かに長いこと無駄になっていた。大恐慌を決定的に終わらせるには第二次世界大戦が必要だった。

どうして「とんでもない泥沼」というケインズの大恐慌に対する診断は、当初はあれほど説得力があったのか？　そしてどうして一九七五年頃からの経済学は、ケインズの見方をめぐって真っ二つに分かれてしまったのか？

私はケインズ経済学の本質について、ある実話を使って説明するのが好きだ。これは寓話としても機能するもので、経済全体を襲う惨事の小規模版となっている。キャピトルヒル子守り組合の苦労をごろうじろ。

この共同組合の問題は、『ジャーナル・オブ・マネー、クレジット、バンキング』誌の一九七七年記事に描かれている。これは一五〇人ほどの若いカップルで構成される組合で、二人が晩に外出したいとき、お互いに子守りをして助け合うことにしていた。すべてのカップルが公平に子守りを負担するように、この協同組合は一種のチケット制を導入した。厚紙で作ったクーポンを作り、それを出すと三〇分の子守りをしてもらえる。当初、メンバーは加入時にクーポン二〇枚を受け取り、そして脱退時に同じ数を返すように言われた。

残念ながら、協同組合の会員たちは平均でクーポン二〇枚以上を保持したいと思っていた。何度か続けて外出したい場合に備えてのことだったのかもしれない。結果として、クーポンを使って外出したい人は比較的少なくなり、多くの人はクーポンを貯め込むために子守りをしたがった。でも子守りの機会は誰かが夜に外出しないと発生しない。つまり子守り仕事はなかなか見つからず、おかげで協同組合の会員たちは外出を渋り、子守り仕事はそのせいでさらに減り……

つまりこの協同組合は不景気に陥ったわけだ。

で、この話をどう思うだろうか？　くだらなくてつまらない話だと一蹴しないこと。経済学者たちは、アダム・スミスがピン工場に経済進歩の根源を見出して以来、大きな問題に光を当てるために小規模な話を持ち出してきた。そしてそれはきわめて当然のことだ。問題はこの事例、つまり不景気が需要不足の問題だというもの――つまり仕事を求める全員に仕事を与えるほど子守りの需要がないということ――が不景気で起きることの本質に迫っているか、ということだ。

四〇年前なら、ほとんどの経済学者はこの解釈に同意したことだろう。でもその後、マクロ経済学は二つの大きな派閥に分裂した。「汽水派」経済学者（主にアメリカ沿海部の大学にいる）はおおむね不景気についてケインズ的なビジョンを持っている。そして「淡水派」経済学者たち（主にアメリカ内陸部の大学所属）はそのビジョンがナンセンスだと思っている。

淡水派経済学者たちは基本的に、新古典派の純潔主義者だ。彼らに言わせると、あらゆるまともな経済分析は、人々が合理的で市場は機能するという想定から始まると思っている。この想定は、子守り協同組合のお話では成立していない。でも彼らに言わせると、十分な需要が経済全体で存在しないなどということはあり得ない。というのも価格が常に動いて需給を一致させるはずだからだ。もし人々がもっと子守りクーポンを欲しがったら、そうしたクーポンの価値が上がり、一枚あたり三〇分ではなく四〇分の子守りに相当するようになる――あるいは同じことだけれど、一時間の子守り費用はクーポン二枚から一枚半に下がる。そしてそれで問題解決だ。流通クーポンの購買力が上がり、人々はそれ以上抱え込む必要性を感じなくなり、不景気はなくなる。

でも不景気というのはまさに、働きたい人全員を雇うほど需要がない時期に見えるんですが？　見かけにごまかされてはいけませんよ、と淡水派理論家たちは言う。彼らの見方だと、しっかりした経済学理論によれば経済全体での需要破綻は起き得ない――つまり実際にも起こらないのです。ケインズ派経済学派は「まちがっていることが証明された」とシカゴ大学のコクランは言っている。

でも不景気は実際に起きている。なぜだろう？　一九七〇年代には、主導的な淡水派マクロ経済学者、ノーベル賞受賞のロバート・ルーカスは、不景気が起きるのは一時的な混乱のせいだと述べた。労働者や企業は、インフレやデフレによる物価水準の全体的な変化と、個別の事業状況における価格変動とを区別できないのだという。そしてルーカスは、景気循環に抗おうとする試みはすべて不毛に終わるし、積極的な政策は、混乱を悪化させるだけだという。

でも一九八〇年代になると、不景気は悪いものだという発想についてここまで限定的にしか認めない見方ですら、多くの淡水派経済学者には否定されるようになった。かわりに運動の旗手となった人々、特に当時ミネソタ大学（淡水派という名前がどこからきたかよくわかる）にいたエドワード・

プレスコットは、価格変動と需要変化は、実は景気循環とは何の関係もないのだと論じた。むしろ景気循環は技術変化速度の変動に対応したものであり、それが労働者の合理的な反応で増幅されるのだという。労働者は、環境がよければ自発的にもっと働くし、環境が悪ければ労働を減らす。つまり失業というのは、労働者が休みを取ろうとする意図的な決断なのだということになる。

こういうふうに露骨に言うと、この理論はバカげて聞こえる――大恐慌って、実は大休暇だったんですか？　そして正直言って、私は本当にこれがバカげた理屈だと思う。でもプレスコットの「リアルビジネスサイクル」理論の基本的な主張は、実に巧妙に構築された数学モデルに埋め込まれ、それが高度な統計技法を使って実際のデータに投影されていたので、多くの大学の経済学部でマクロ経済学講義の主流になった。二〇〇四年には、この理論の影響力を反映して、プレスコットはカーネギー・メロン大学のフィン・キドランドといっしょにノーベル賞をもらった。

一方、汽水派経済学者たちはギョッとした。淡水派経済学者たちは純潔主義者だったけれど、汽水派経済学者は現実主義者だった。ハーバード大学のN・グレゴリー・マンキュー、MITのオリヴィエ・ブランシャール、カリフォルニア大学バークレー校のデヴィッド・ローマーなどは、不景気についてのケインズ的な需要側の見方と新古典派理論とを和解させるのは困難だと認めたけれど、一方で不景気が需要要因で動くという証拠があまりに強すぎて否定できないことも発見した。そこで彼らは、完全市場と完全な合理性という前提からはっきり逸脱し、不景気のおおむねケインズ的な見方を採り入れられるだけの不完全性を追加した。そして汽水派の見方だと、不景気対策の積極的な政策は相変わらず望ましいものだった。

でもこの自称ニューケインズ派経済学者たちも、合理的な個人や完全市場の魅力には抗いきれなかった。だから新古典派の正統教義からの逸脱は最小限にとどめようとした。これはつまり、主流モデルにはバブルや銀行部門の崩壊といったものの余地がないということだ。そうした出来事が現実世界で起き続けているという事実——一九九七-一九九八年にはアジアでひどい金融危機とマクロ経済危機があったし、アルゼンチンで不況級の停滞が二〇〇二年に起こった——は、ニューケインズ派の主流思想には反映されなかった。

それでも、淡水派と汽水派の経済学者の世界観がちがうのだから、経済政策をめぐって絶えず衝突し続けたはずだと思うかもしれない。でもいささか驚いたことに、一九八五年頃から二〇〇七年にかけて、淡水派と汽水派の経済学者の論争は、主に行動ではなく理論についてだけだった。その理由は、私が思うに、ニューケインズ派は元のケインズ派とはちがい、不景気対策のために財政政策——政府支出や税制の変更——が必要だと思わなかったせいだろう。中央銀行のテクノクラートたちが執行する金融政策だけで、経済に必要な治療法はすべて実現できると信じていた。ミルトン・フリードマン生誕九〇周年記念式典で、元々プリンストン大学でおおむねニューケインズ派の教授であり、その頃にはFRBの理事の一人だったベン・バーナンキは大恐慌についてこう宣言した。「あなたのおっしゃる通り。中央銀行のせいでした。ごめんなさい。でもあなたのおかげで、二度とは起きません」。メッセージは明らかだ。不況を避けるために必要なのは、もっと賢いFRBだけだ、ということだ。

そしてマクロ経済政策が、マエストロの異名をとったグリーンスパンの手に任されていて、ケインズ派的な景気刺激策がない限り、淡水派経済学者たちもあまり文句を言う余地がなかった（彼らは金融政策がまるで有効だとは思っていなかったけれど、別に大した害があるとも思っていなかった）。

共通の土台がどれほど少ないか、そしてニューケインズ派の経済学ですらいかに問題を黙殺するものに成りはてていたかを示すには、経済危機が必要だった。

V. 誰に予想できただろうか……

最近の懐古的に後悔する経済学の議論で万能となっているオチは「誰に予想できただろうか……」

というものだ。これは、予測できたし、予測すべきだったたし、実は少数の経済学者が予測していたのに、その苦労のためにバカにされてしまったような大惨事について言う台詞となっている。

たとえば、住宅価格のとんでもない上昇と暴落を考えよう。一部の経済学者、特にロバート・シラーは、本当にバブルを指摘して、それが破裂したらどんなにひどいことになるかを警告した。でも主要な政策担当者たちは、この明らかなしるしが目に入らなかった。二〇〇四年にアラン・グリーンスパンは、住宅バブルの話を一蹴した。「全国的な激しい価格の歪みはきわめて考えにくい」。二〇〇五年にベン・バーナンキは、住宅価格の上昇は「おおむね強い経済ファンダメンタルズを反映したものだ」と述べた。

どうしてみんなバブルを見逃したのか？　公平のために言っておけば、金利は異様に低かったので、それが価格上昇の一部の原因ではあった。グリーンスパンとバーナンキはまた、経済を二〇〇一年の不景気から引っ張り出したＦＲＢの手柄を自慢したかったのかもしれない。その成功の相当部分が、すさまじいバブル創出によるものだったと認めると、お祝い気分に水を差すことになってしまう。

でも他に何かが起きていた。バブルなんてそもそも起きないのだという全般的な信念があった。グリーンスパンの断言を読み直すと、驚かされるのはそれが証拠に基づいたものではないということだ——そもそも住宅バブルなんてあり得ないという、アプリオリな想定に基づいていた。そして金融理論家たちは、この点でさらに決然としていた。二〇〇七年のインタビューで、効率的市場仮説の父ユージン・ファマは「『バブル』という言葉は頭にくる」と宣言し、なぜ住宅市場が信用できるかを説明した。「住宅市場は流動性は低いのですが、人々は家を買うときにはとても慎重です。通常は人生最大の投資ですから、しっかりあたりを見て価格を比べるんです。値づけや競りあげのプロセスは実に詳細です」

確かに、住宅購入者たちは一般に、価格を慎重に比べる——つまり、自分が買おうかと思っている物件の価格を、他の住宅と比べるということだ。でもこれは、全体的な住宅価格が正当化できるものかについては何も教えてくれない。またもやケチャップ経済学だ。ケチャップの二リットルびんが一リットルびんの二倍の値段だからということで、金融理論家たちは、ケチャップ価格が適正にちがいないと宣言したことになる。

要するに、効率的市場への信頼は、多くの、いやほとんどの経済学者の目をくらませてしまい、おかげで史上最大の金融バブルが生まれてしまった。そして効率的市場仮説は、そもそものバブルをふくらませるにあたっても、重要な役割を果たした。

いまや誰も診断を下せなかったバブルが破裂したので、安全と称された資産が実はいかにリスクの高いものだったかが明らかとなり、金融システムは脆弱性をあらわにした。アメリカの家計の富は一三兆ドルも消え去った。六〇〇〇万人以上が失業し、失業率は一九四〇年以来最高水準に向かっているようだ。では現代経済学者たちは、目下の苦境に対してどんな導きを与えてくれるのだろうか。そして、それを信頼していいんだろうか?

Ⅵ．景気刺激策をめぐる言い争い

一九八五年から二〇〇七年にかけて、マクロ経済学の分野には偽りの平和が訪れていた。汽水派と淡水派の間には、本当の意味での歩み寄りはまったくなかった。でもこれは大中庸時代だった――つまりインフレは抑えられ、不景気もかなり穏やかだった長い時期のことだ。汽水派経済学者たちは、FRBがすべてを統制できていると信じていた。淡水派経済学者たちは、FRBのやることが本当に有益とは思っていなかったけれど、それでも事を荒立てる必要も感じなかった。

でも危機でそのインチキな平和に終止符が打たれた。いきなり、双方が喜んで受け容れていた、狭いテクノクラート的な政策だけでは不十分になった――そしてもっと広い政策対応が必要になったので、古い対立がまたもや表面化し、空前の激しい争いとなった。

どうしてその狭いテクノクラート的な政策では不十分だったのか？　答は、一言でゼロだ。

通常の不景気だと、FRBは短期国債を銀行から買うことで対応する。これは国債金利を引き下げる。もっと高い収益率を求める投資家たちは他の資産に乗り換え、それで他の金利も下がる。そして通常は、こうした低金利がいずれは経済的な復活をもたらす。FRBは一九九〇年に始まった不景気に対処するため、短期金利を九％から三％に引き下げた。二〇〇一年に始まった不景気には、金利を六・五％から一％に引き下げて対応した。そして現在の不景気に対しては、金利を五・二五％からゼロに引き下げて対処しようとした。

でもやってみたら、ゼロでも不景気を終わらせるには不十分だった。そしてFRBは金利をゼロ以下にはできない。ゼロに近い金利なら、投資家はお金を貸すよりは現金を貯め込むだけだからだ。だから二〇〇八年末になると、金利はマクロ経済学者が「ゼロ下限」と呼ぶものにほぼ達したのに不景気はまだ悪化したから、伝統的な金融政策はまったく効力を失ってしまった。

さあどうしようか？　アメリカがゼロ下限に達したのはこれが二度目で、前回は大恐慌だった。そしてケインズが政府支出を増やせと訴えたのは、まさに金利には下限があるという見立てのおかげだった。金融政策が効かず、民間部門にもっと支出しろと言っても聞いてもらえないなら、公共部門が代わりに経済を支えねばならない。財政刺激策こそが、現在のような不況型の経済状況に対するケインズ派の答だ。

こうしたケインズ派の思想がオバマ政権の経済政策の根底にもある――そして淡水派経済学者たちはカンカンだ。二五年かそこらにわたり、彼らは経済を管理しようというFRBの活動には我慢してきた。でも全面的なケインズ復活となると、話がまるでちがう。かつて一九八〇年に、シカゴ大学のルーカスは、ケインズ経済学はあまりにトンデモなので「研究セミナーでは人々はケインズ派の理屈なんかもはや真面目に受け取らない。その話が出るとみんなひそひそ話を始め、お互いにクスクス笑い合う」と書いた。やっぱりケインズはおおむね正しかったのですと認めたら、面目が丸つぶれになってしまう。

だからシカゴ大学のコクランは、財政出動が最新の不景気を緩和できるという発想に激怒して、こう宣言した。こんなものは「一九六〇年代以来、誰一人として大学院生に教えてきたものに含まれてはいない。連中［ケインズ派の信奉者］の思想はすでにまちがっていると証明されたおとぎ話だ。ストレスが多いときには、子供時代に聞いたおとぎ話に戻るとホッとするものだが、だからといってそれがまちがいでなくなるわけではない」（汽水派と淡水派の分断がいかに根深いかという格好の証拠は、コクランがケインズ的な思想を「誰一人として」教えていないと思っている点にも見られる。実はプリンストン、ＭＩＴ、ハーバードなんかでは教えてます）。

一方、汽水派経済学者は、マクロ経済学の大きな分裂がせばまりつつあると信じて気をよくしていたのに、淡水派の経済学者がまったくこっちの話を聞いていなかったことに気がついてショックを受けた。景気刺激策に反対してみせた淡水派の経済学者たちは、ケインズ派の議論を考慮して、そこに欠点を見つけたようには聞こえなかった。むしろ、そもそもケインズ派経済学の何たるかもまるで見当がついておらず、一九三〇年以前の誤謬を蒸し返しておきながら、自分が新しく深遠なことを言っていると信じ込んでいる連中のような口ぶりに聞こえた。

そして、忘れ去られたのはケインズの思想だけではないようだった。カリフォルニア大学バークレー校のブラッド・デロングがシカゴ学派の「知的崩壊」について嘆いたときに指摘した通り、この学派の現在の立場は、ミルトン・フリードマンの思想も丸ごと否定しているに等しい。フリードマンは、経済の安定化には政府支出の変化ではなく、ＦＲＢの政策を使うべきだと信じていた。でも政府支出の増加が絶対に雇用を増やせないなんて主張したことない。それどころか、一九七〇年にフリードマン自身が自分の理論を説明したまとめ「金融分析の理論的枠組み」を読むと、それが実にケインズ的なので驚かされる。

そしてフリードマンはもちろん、大量失業が労働活動の自発的削減の結果だとか、不景気が実は経済にとってよいのだとかいった考えを支持したりはしなかった。それなのに、淡水派経済学者のいまの世代は、この両方の主張をしている。だからシカゴ大学のケイシー・マリガンは、失業がこんなに高いのは、多くの労働者がわざと働かないことにしたからなのだ、と示唆する。「従業員たちは、働かないよう奨励する金銭的インセンティブに直面している（中略）雇用の減少は、労働供給（人々の勤労意欲）で説明するほうが、労働需要（雇用者が雇わねばならない労働者数）よりも説明力が高い」。マリガンは特に、労働者が失業を選んでいるのは、住宅ローン減免措置を受けられる可能性が高まるからだ、と示唆した。そしてコクランは、高い失業が実はよいのだと主張する。「不景気はあったほうがいい。ネヴァダ州で一生釘の頭を叩いている連中には、何か気晴らしが必要だ」

個人的に言うと、私はこれをとんでもない説だと思う。大工たちがネヴァダ州を出ていくのに、どうして全国津々浦々で大量失業が必要なんだ？　働きたがるアメリカ人が減ったから六七〇万人も失業したなんて、よくまあ本気で口にできるもんだ。でも淡水派経済学者がこの行き詰まりにはまるのは必然だった。人々が完全に合理的で、市場が完全に効率的だという想定から出発したら、失業は自発的で、不景気は望ましいと結論するしかない。

でもこの危機は、淡水派経済学者たちを荒唐無稽に追いやった一方で、汽水派経済学者たちの間でもいろいろ反省が行われていた。彼らの枠組みは、シカゴ学派のものとはちがい、非自発的な失業の可能性を認めるし、それが悪いものだとも考えている。でも教育と研究で支配的になったニューケインズ派のモデルは、人々が完全に合理的で、金融市場は完全に効率的だと想定する。そのモデルで現在の停滞のようなものを得ようとしたら、ニューケインズ派は特に理由もなく一時的に民間支出を抑えるような、ごまかし要因を導入するしかない（私の研究の一部でもまさにそれをやった）。そして現状の分析がそのごまかし要因次第なら、将来の方向性についてのモデルの予測はどこまで信用できるのか？

つまりマクロの現状は、あまりよろしくない。では、経済学業界はここからどこへ向かおうか？

Ⅶ．欠陥や摩擦

学問分野としての経済学派、経済学者たちが、完全で摩擦のない市場システムのビジョンに誘惑されてしまったために、トラブルにはまった。もしこの学問が信用を回復したいなら、それほど魅力のないビジョン——いろいろ美徳はあっても、同時に欠陥や摩擦だらけでもあるような市場経済——と再び折り合いをつけねばならない。よい報せとしては、ゼロから始める必要はない。完全市場経済学の全盛期ですら、現実の経済が理論的な理想像からどういうふうに逸脱しているかについて、いろいろ研究は行われていた。たぶんこれから起こるのは——実はすでに起きている——欠陥や摩擦の経済学が、経済学分析の周縁から中心に移行するということだ。

私が念頭に置いているような経済学のかなり発展した実例はすでにある。行動ファイナンスと呼ばれる学派だ。このアプローチの実践者は二つの点を強調する。まず、多くの現実世界の投資家は、効率性市場仮説に出てくる計算ずくのクールな存在とは似ても似つかないということだ。みんなあまりに群集行動に流されがちだし、不合理な熱狂の噴出やまったく根拠なしのパニックに弱い。第二に、冷徹な計算で意思決定をしようとする人々ですら、しばしばそれを貫徹できず、信用、信頼性、限られた担保のおかげで群集行動に追随するしかなくなる、ということだ。

最初の点について。効率的市場仮説の全盛期ですら、現実世界の投資家の多くが、主流モデルの想定ほど合理的ではないのは明らかなように見えた。ラリー・サマーズはかつて金融に関する論文の冒頭でこう宣言した。「この世にはバカがいる。まわりを見てほしい」。でもここで言っているのは、どの手のバカ（学術論文で好まれる表現は、実際には「ノイズトレーダー」だ）の話だろうか？　行動ファイナンスは、もっと広い行動経済学という運動を援用しつつ、この質問に対して投資家たちの目に見える不合理性を、人間の認知における既知のバイアスと結びつけようとする。たとえば、小さな利得よりも小さな損失のほうを気にしがちだとか、小さな標本をもとにあまりに話を広げて一般化しがちだとかいったバイアスだ（たとえば、住宅価格が過去数年は上がり続けたから、今後も上がり続けるはずだ、といった具合）。

危機が起こるまで、ユージン・ファマのような効率的市場仮説の支持者は行動ファイナンスで生み出された証拠について、大して重要性のない「目先の変わったネタ」の寄せ集めだと一蹴していた。巨大なバブル崩壊――イェール大学のロバート・シラーのような行動経済学者が、「不合理な熱狂」の過去の事例と関連づけて正しく診断したバブル――が世界を潰したいま、その立場を維持するのはずっとむずかしくなった。

第二の点について：仮に、そういうバカが本当にいるとしよう。それはどの程度問題になるのか？　ミルトン・フリードマンは、影響力ある一九五三年論文で「大した問題にはならない」と論じた。賢い投資家たちは、バカが売るときには買い、バカが買うときに売るので、その中で市場は安定化する、というわけだ。でも行動ファイナンスの第二の流れは、フリードマンがまちがっていたという。金融市場はときにきわめて不安定だ。そしていまはその見方を否定するのはむずかしい。

たぶんこの流れで最も影響力の高い論文は、ハーバード大学のアンドレイ・シュライファーとシカゴ大学のロバート・ヴィシュニーが一九九七年に発表したもので、「市場はあなたの債務返済能力が尽きるより長く不合理なままでいられる」という昔ながらの格言を定式化したものと言っていい。彼らが指摘したように、さや抜き業者――安く買って高値で売るはずの人々――はその仕事のために資本が必要だ。そして資産価格が暴落したら、それがファンダメンタルズから見てまったく筋の通らないものだった場合でも、その資本が底をつくように仕向けてしまう。結果として、賢いお金は市場から追い出され、価格は転落スパイラルへと陥る。

現在の金融危機拡大は、ほとんど金融不安定性の危険性に関する実地講義のようにすら思える。そして金融不安定性のモデルの基盤となる全般的な考えは、経済政策にきわめて関係が深いことが示されている。金融機関の資本枯渇に注目したことで、リーマンショック以後の政策行動についての指針が得られたし、どうやら（まだ確実ではないけれど）そうした行動のおかげで、さらに大きな金融崩壊はうまく回避できたらしい。

一方、マクロ経済学はどうなった？　最近の出来事は、不景気が技術進歩速度の変動に対する最適な反応だという発想を、ほぼ決定的に潰した。おおむねケインズ派的な見方が、考えられる唯一の主張となっている。それでも標準的なニューケインズ派モデルは、いま起こっているような危機の余地がまったくない。そうしたモデルは通常、金融部門の効率的市場仮説的な見方を受け容れていたからだ。

例外はいくつかあった。他ならぬベン・バーナンキが、ニューヨーク大学のマーク・ガートラーと共同で先鞭をつけた研究の方向性は、十分な担保がないことで、事業が資金調達して投資機会を追求する能力が削がれる点を強調する。関連した方向性の研究は、我がプリンストン大学の同僚清滝信宏とロンドン・スクール・オブ・エコノミクスのジョン・ムーアが主に確立したもので、不動産のような資産価格は自己強化型の暴落に陥り、それが経済全体を停滞させることもあるのだと論じている。でも今のところ、機能不全ファイナンスの影響は、ケインズ派経済学の核心にすらなっていない。明らかに、それを変える必要がある。

Ⅷ．改めてケインズを受け容れる

私としては、経済学者がやるべきだと思うのは次のようなことだ。まず、金融市場が完璧にはほど遠い存在だという不都合な現実に向き合い、それがとんでもない妄想と群集の狂気に左右されかねないことを認めねばならない。第二に、不景気や不況を理解するにあたり、ケインズ派経済学が相変わらず最高の枠組なのだということを認めねばならない――これはケインズについてひそひそクスクスやっていた人にはとてもむずかしいことだろう。第三に、ファイナンスの現実をマクロ経済学に組み込むよう、できる限りの努力をしなければならない。

多くの経済学者たちは、こうした変化に心底から困惑するだろう。ファイナンスとマクロ経済学において、新しくもっと現実的なアプローチが、完全な新古典派アプローチほどの明晰さ、完全性、徹底した美しさを提供できるようになるまでには、ずいぶん長いことかかるはずだ。いや、可能かどうかもわからない。一部の経済学者にとっては、それこそ新古典主義にしがみつく理由となる。それが三世代にわたる最大の経済危機をまるで説明できなくても構わないのだ。でもこれは、H・L・メンケンの台詞を思い出す好機に思える。「あらゆる人間問題には、常に簡単な解決策がある――きれいで、もっともらしく、そしてまちがっている解決策だ」

不景気と不況というあまりに人間的な問題となると、経済学者たちは万人が合理的で、市場が完全に機能すると想定するという、きれいながらまちがった解決策を捨てる必要がある。この分野が自分の根底を考え直す中で登場するビジョンは、あまり明晰なものではないかもしれない。まちがいなくきれいなものにはならないだろう。でも、それが少なくとも部分的には正しいという美徳を持つだろうとは期待できるのだ。

第33章 悪意、悲哀、共和党経済学

二〇一八年一二月二七日

二〇一八年も暮れようとしている現在、経済情勢に関する論説がいろいろ出てきた。でもここでやりたいのは、別の話——経済学の状態についての話だ。少なくともそれが政治状況に関わる範囲で述べてみよう。そしてその状態は、よいものではない。あらゆる水準で保守派政治を支配する悪意は、右がかった経済学者にも感染している。

これは悲しいことながら、無様でもある。というのも、かつては尊敬されていた経済学者たちですら、トランプ主義に直面してひれ伏しているのに、共和党はそんな経済学者の活躍など求めてはおらず、インチキ学者だけに声をかけるというのをますますはっきりさせているからだ。

経済学と政治について話すときに知っておくべきなのは、現代アメリカには三種類の経済学者がいるということだ。リベラル派の専門経済学者、保守派の専門経済学者、専門の保守派経済学者だ。「リベラル派の専門経済学者」というのは、なるべく経済を理解しようとしつつも、人間なので政治的選好もあるから、そのためにアメリカの政治序列の中で左派に位置づけられる人々、ということだ。とはいえ通常は、左派といっても穏健な中道左派だ。保守派の専門経済学者は、これに対する中道右派となる。

専門の保守派経済学者は、まったくちがった存在だ。この人々は、中道右派の専門家たちにすら詐欺師やペテン師だと思われている連中となる。彼らは、本当の経済学を――しばしば不完全な形で――やるふりをすることで生計をたてているけれど、実際は単なるプロパガンダ屋だ。そして、それに対応するカテゴリーは左派には存在しない。理由の一部は、そうしたプロパガンダに出資する億万長者は、左派より右派にいるほうがずっと多いからだ。

でもこういう純粋ペテン師どもは一時脇に置いておこう。そして少なくとも昔はまともな経済学をやろうとしていたように見えた人々の話をしよう。

経済学者の政治的選好は研究に影響するだろうか？　まちがいなくテーマ選択には影響する。リベラル派のほうが、保守派よりは格差増大や気候変動の経済学に興味を示しやすい。そして人間の天性というものの性質上、彼ら――はいはい、私たちと言うべきですね――の一部はときどき、魂胆のある主張をして、自分の政治傾向に奉仕する結論を引き出す。

でも私は、そうした逸脱は例外であって主流ではないと信じていた。私の知るリベラル経済学者たちは、その罠にはまるのを頑張って回避し、はまってしまったら謝るものだと思っていた。

でも保守派経済学者もそうだろうか？　答はどうも、ますますノーに思えてきた。少なくとも公的な議論で大きな役割を果たす人々の場合には、それは例外ではなさそうだ。

オバマ時代ですら、有名な共和党系経済学者が経済政策では党の方針に次々と従ったのには驚かされた。そうした党の方針が、政治とは無縁の専門的コンセンサスとは相容れないものだった場合にすらそうなのだ。

だから民主党がホワイトハウスにいたとき、共和党政治家たちは二〇〇八年金融危機とその後の費用を軽減しそうなもののすべてに反対してみせた。そして多くの経済学者もそうした。最も有名なのは、二〇一〇年に共和党経済学者の筆頭格が、ＦＲＢの失業対策を糾弾し、それが「通貨の毀損とインフレ」のリスクを持つと警告したことだ。

こうした経済学者は誠意を持ってこの主張をしていたのだろうか？　当時ですら、それを疑問視すべきまともな理由はあった。一つには、そうしたひどい、無責任なＦＲＢの施策は、まさにミルトン・フリードマンが不況経済の処方箋として出したものだったということがある。別の理由として、そうしたＦＲＢ批判者たちはドナルド・トランプじみた陰謀理論に走り、ＦＲＢがお金を刷っているのは経済を助けるためではなく、「財政政策を救う」、つまりバラク・オバマを助けるためなのだと糾弾していたこともある。

また迫り来るインフレを警告してまちがえた経済学者の誰一人として、事後にそのまちがいを認めようとしなかったのも、示唆的ではある。

でも本当のテストは二〇一六年以降にやってきた。どうしようもなく嫌味な人物であれば、民主党の下で財政赤字と緩い金融政策を糾弾してきた経済学者たちは、共和党の大統領になったらいきなり立場を逆転させるはずだと予想しただろう。

そしてそのどうしようもなく嫌味な人物は、まさに大正解だった。負債の邪悪さについて長年にわたりヒステリックにあげつらってきた、主流共和党経済学者たちは、財政を破綻させる減税を熱烈に支持した。失業率が空前のときには緩い金融政策を糾弾していたくせに、一部は失業率が四％以下なのに低金利を求めるトランプの要求をオウム返しした――そしてそれ以外の学者は、怪しいまでに沈黙を保った。

この悪意の伝染病は何が原因だろうか？　その一部は明らかに、いまだに要職への指名を期待する保守派経済学者の野心だ。一部は、強力な人々の内輪にとどまりたいというだけの願望ではないかと私は勘ぐっている。

でも、この専門家の追従ぶりはなにか哀れっぽいものすらある。というのも中道右派の経済学者たちは、求めるごほうびをこれまでもらえなかったし、今後ももらえないからだ。

それはトランプの集めた政権が、最悪の最も頭の悪い連中ばかりだというせいだけではない。本当のことをいうと、現代の共和党は真面目な経済学者の言うことなんか、その人の政治志向がどうあれ耳を貸したくないのだ。むしろインチキ屋やペテン師といった自分の同類たちがお好みなのだ。

だから過去二年で経済学について学んだことは、多くの保守派経済学者が、実は自分の専門的倫理を政治目的のために踏みにじる、ということだった——そしてその誠意を売り渡したのに、何ももらえないのだ。

第34章 機能性ファイナンスのどこがいけないか(専門的)

二〇一九年二月一二日

おやおや、どうも今後数年の政策論争は、少なくとも部分的に現代貨幣理論（ＭＭＴ）のドクトリンに影響を受けそうだ。

一部の進歩派たちはこの理論が、自分の政策の財源をどうするかについて心配する必要はないという意味なのだと信じているらしい。これは、ＭＭＴの分析についての懸念を考慮しなくても実際にまちがっている。でもまず、ＭＭＴのどこが正しくて、どこがまちがっているかについてはっきりさせておく必要がありそうだ。

残念ながら、この議論はなかなかむずかしい――現代ＭＭＴ一派は、伝統的なケインズ主義のまちがいを指摘したという救世主じみた主張をするけれど、自分たちと伝統的な見方とのちがいがズバリどこにあるのかについては曖昧だし、彼らの言おうとしていることをなんとか理解しようという試みすべてを、一顧だにせず一蹴するという強い傾向を持っている。ありがたいことに、ＭＭＴはどうやらアバ・ラーナーの一九四三年ドクトリン「機能性ファイナンス」とほぼ同じものらしい。そしてラーナーは拝みたいほど明晰で、自分の議論の重要な美徳と、それが抱える問題もわかりやすくしてくれた。

だからこの論説では、なぜ私がラーナーの機能性ファイナンスを全面的には信じないか説明したい。

たぶんこの批判はＭＭＴにも当てはまるはずだ。とはいえ、これまでの論争を見る限りでは、たぶんおまえはＭＭＴがわかってない、寡頭独裁の腐敗した手先め、とかなんとか即座に言われるだろうけれど。

オッケー、ラーナーの話だ。彼の議論は、（ａ）自分で左右できる不換紙幣に頼り、（ｂ）外貨建ての借金をしない国は、債務制約にまったく直面しない、というものだった。というのも債務の返済にいつでもお金を刷ればいいからだ。むしろ彼らが直面するのはインフレ制約だ。あまりに財政出動が大きいと、経済が過熱してしまう。だからこの国の財政政策は、とにかく総需要水準を正しく見極めるのに注力しなくてはならない。財政赤字は完全雇用を生み出すくらいの大きさであるべきだけれど、インフレ性の過熱を引き起こすほど大きくてはいけない。

これは賢い理論だし、その執筆当時――一九三〇年代が終わったばかりで、戦争が終わったら経済は慢性的な弱さへと逆戻りしかねないという期待がかなりもっともらしかった――には伝統的な財政理論よりも、政策指針としてずっと優れていた。そしてゼロ金利なのに需要停滞が長続きして、いまだにかなり脆弱に思える今日の世界でも、かなり筋が通っている。実際、二〇一〇年代の大半を通じて政策議論を支配していた「きゃーっ、みんなギリシャになっちゃう！」というパニックよりはるかにマシだ。

では何が問題なのか？　まずラーナーは、金融政策と財政政策のトレードオフを完全に無視した。次に、債務の雪だるま式増大という潜在的な問題に言及はしたけれど、その解答は増税や支出削減が持つ、技術的および政治的な制約を十分に考慮していなかった。こうした制約を導入すると、債務はラーナーが認めるよりも大きな問題になりかねない。

現代の観点からすると「機能性ファイナンス」は金融政策の議論が実にいい加減だ。ラーナーは、金利は「最も望ましい投資水準」を生み出す水準に設定すべきだと言う。そしてそのあとで財政政策を、その金利の下で完全雇用を実現するように選ぶべきだ、と。最適な金利水準はどう選ぶ？　彼はそれを言わない——三〇年代はずっと金利がゼロ下限だったから、そんな論点はどうでもよかったせいかもしれない。

とにかく、ほとんどの場合に実際に起こることは——とはいえ、金利がゼロ下限にあるときはその限りではないけれど——おおむねその真逆だ。政治的トレードオフが税金と歳出を決め、金融政策は金利を調整してインフレなしで完全雇用を実現しようとする。こうした条件下では、財政赤字は確かに民間支出をクラウディングアウトする。なぜかといえば、減税や歳出増は金利を押し上げてしまうからだ。そしてこれはつまり、赤字支出について一意的に決まる正しい水準はないということだ。これは、トレードオフをどう評価するかに左右される選択なのだ。

債務はどうなる？　これは金利が、経済の持続可能な成長率より高いか低いかに大きく左右される。もし$r < g$なら（現状はこうだし、過去もおおむねそうだった）、債務の水準はあまり問題ではない。でも$r > g$なら債務が雪だるま式にふくれあがる可能性が確かに生じる。債務のGDP比が高ければ、他の条件が変わらない場合、その比率は増え続ける。そして債務は無限大にはなれない——総国富を上回ることはできないし、負債がますます増えれば人々はそれを保有するためにますます要求収益率を引き上げる。だからどこかの時点で、政府は負債増大を抑えるべく、プライマリー財政黒字（利子を除いたもの）を続ける必要が出てくる。

さてラーナーは基本的にこの点を認識していた。でも政府は常にこうした財政黒字を出せるはずだと想定していた。高税率のインセンティブ効果についてはまったく無視した。確かにとってもお真面目な方々はこの危険をあまりに誇張するけれど、でもそれがまったくの妄想というわけでもない。そして必要な黒字実現の政治的困難についても一切触れないが、そうした困難は債務がきわめて高水準になったら、中心的な問題になりそうだ。

この論点を示すには、数値例が役立つかもしれない。なんだかんだで債務がＧＤＰの三〇〇％にまで上がりｒ－ｇ＝0.015――つまり金利が成長率より一・五ポイント高いとしよう。すると債務ＧＤＰ比率を安定化させるために必要なプライマリー黒字は、ＧＤＰの四・五％に等しくなる。

これは不可能ではない。イギリスはこのくらいの財政黒字を、ワーテルローの戦いから数十年にわたり維持した。でも現代の政体にそれを求めるのは酷だ。メディケアと社会保障を潰すか？　新規のプログラムの財源としてではなく、単に債務返済のためだけに付加価値税を課すか？　不可能ではない。でも何らかの金融抑圧／債務リストラ／インフレをやりたいという誘惑が勝つのでは、と思ってしまうのは人情だろう。そしてもっと重要な点として、投資家も同じことを考えるから、それでｒ－ｇはさらに上がる。

結局のところ、機能性ファイナンスはいろいろよい点もあるけれど、ラーナー――そしておそらくは現代ＭＭＴ屋の多く――が想像しているような、文句なしに真実のドクトリンではないということだ。財政赤字や債務は重要になることもあるし、それは総需要に赤字支出が与える影響だけのせいではない。

そうは言ったものの、こうした反論が目先で進歩派たちの直面する予算問題の中心になるとはあまり思わない。本当にでかい進歩的なプログラムが、大規模な新財源を必要とするのではと思うからといって、別に財政赤字全面否定論者や、債務懸念屋である必要はないのだ。

第7部

緊縮

とてもお真面目な方々

「とてもお真面目な方々」という表現は、アトリオスという変名でブログを書いているダンカン・ブラックから拝借した。確か彼は、他の影響力ある人々がみんなそう言っているからというだけでイラク侵略がよい考えだと確信していた、影響力の高い人々を指すのにこの用語を使ったんだと思う。そういう人はまた、イラク侵略を支持するというのがタフな心構えの立場のように思え、そしてそれが、えー、お真面目に思えるからというだけで支持していた。でもそうした現象が見られるのは、イラクに限った話ではまるでない。

私がこの用語を多用するようになったのは、リーマン・ブラザーズ破綻の一年ほど後くらいのことだ。世界金融危機の最初の一年だと、主要経済の経済政策はおおむね正しい方向に、不十分とはいえ動いていた。でも二〇〇九年末、ますます多くの有名人が大量失業の問題を強調しなくなり、むしろ財政赤字の危険性についてあれこれこだわり始めたのを見て、私は驚愕するとともに震え上がった。

世界が経済危機に陥るにつれて、赤字が激増したのは事実だ。これはごく自然なことでしかない。経済が崩壊したら歳入が激減するし、失業手当など一部の支出は自動的に増える。赤字増大は、いいことでもある。世界のほとんどの人が、稼ぎよりも少ない金額しか使わないようにすると、その結果は邪悪な収縮だ。私の支出はあなたの収入で、あなたの支出は私の収入だからだ。被害を抑えるためには、誰かが自分の収入よりもたくさん使いたがらねばならない。そして政府がその重要な役割を果たしていたのだ。

実際、政府が一九三〇年代よりも経済で占める役割がずっと大きく、したがって、その赤字が世界停滞のときにずっと増えたという事実は、大不況が大恐慌の再演にならなかった最大の理由だろう。さらに、財政赤字は目に見えるような経済問題を何も引き起こしてはいなかった。金利は低いままで、投資家たちも負債のことなんか心配していないし、政府の借り入れが民間投資を「クラウディングアウト」していないことを示唆していた。

でも財政赤字を懸念し、それを減らすために自己犠牲を呼びかける――もちろん他の人の自己犠牲だ――のは、真面目そうだし強い意志を持つ人物に見える。さらに二〇〇九年末にギリシャは本当の財政危機に陥り、赤字で脅そうとする人々に便利な事例を提供した。でも実はギリシャの状況は、アメリカやイギリスなどの先進国が直面している状況とはまるでちがっていたのだけれど。

だからとてもお真面目な方々は集合的に、そろそろ失業対策から財政緊縮に方向転換する頃合いだと判断した。つまり歳出削減だ。この緊縮への展開は、実にひどい結果をもたらした。アメリカとイギリスの回復はこのせいで遅れたし、ヨーロッパの大半は不景気に逆戻りして、おまけに歳出カットにより直接的な苦労がやたらに生じた。そしてそうした経済的影響は、ブレクジットとトランプというのちの政治的大惨事の道を整えることになってしまった。

ではこのときに経済学者たちは何をしていたんだろうか？　残念ながら、とてもお真面目な方々にお望み通りのことを言ってあげるような経済学者が、ほぼ必ずどこかにはいる。それも過去にはしっかりした研究をしていた経済学者だったりするのだ。そして、こうした経済学者の発言は、その主張の裏付けや発言者の専門能力をまったく無視して拡大解釈されてしまうのだ。

緊縮の場合、経済学者アルベルト・アレシナとシルヴィア・アルダグナのある論文は、政府支出を減らすと民間部門の安心感が大いに高まり、総支出はかえって増えたと主張していた。第35章「緊縮という神話」で私はこれを「信頼／安心感の妖精」と呼んでバカにしている。実際、その論文の証拠をもっとよく見て、実際の緊縮の経験に照らせば、「拡張的緊縮」ドクトリンは大まちがいだということがわかる。でも主要な政策担当者はこのドクトリンにしがみついた。

一方、カーメン・ラインハートとケネス・ロゴフ——かつてはしっかりした研究をしていた——は、債務がGDPの九〇%という魔法のしきい値を超えると経済がひどいことになると主張する、なんというかいい加減な論文を発表した。この論文もまたよく見るとまちがっていることがわかったのだけれど、そのときにはすでに、ヨーロッパの大半における破壊的な政策の口実として使われてしまっていた。

最後に二〇一三年かそこらになると、とてもお真面目な方々は別のことを心配し始めた。高失業の持続が支出不足——それはおおむね、みんなが責任ある行動だと合意した緊縮政策のせいなのだが——の問題だと考えるのではなく、アメリカ人が仕事を見つけられないのは必要な技能がないからだということにしたのだった。しばらくは、いっぱしの人間ならみんな「技能ギャップ」のせいで失業が危機以前の水準に戻ることはなくなったと確信しきっていた。

不思議なことに、本稿執筆時点で失業率は四%を切り、技能ギャップなんてものはどこにも見あたらない。

第35章
緊縮という神話

二〇一〇年七月一日

若くてまだ無邪気だった頃は、えらい人々は各種の選択肢を慎重に検討して様々な立場を採用するもんだと信じていた。いまはもっと知恵がついた。お真面目な方々が信じていることの大半は、分析ではなく偏見に基づくものだ。

ということで、今日のコラムの主題に話は移る。過去数ヶ月にわたり、私などは驚愕と恐怖をもって、即座の財政緊縮を支持するコンセンサスが政策方面で登場するのを見守ってきた。世界の主要経済がいまだに深く停滞したままだというのに、財政支出を今こそ削減するべきだというのが、なぜか今や通念になってしまったのだ。

この通念は証拠に基づくものでもないし、慎重な分析から出たものでもない。むしろそれは、ひいき目に言っても単なる憶測でしかないものに基づいているし、ひいきしなければ、政策エリートの単なる妄想の産物によるものだ——その産物とは具体的には、私が目に見えない債券正義団と信頼／安心感の妖精と呼ぶものだ。

債券正義団というのは、負債を返済できない、またはしようとしないと思った国を見捨てる投資家だ。もちろん、国が信頼性／安心感の危機に苦しむことがあるのは確かだ（ギリシャの負債を参照）。でも緊縮支持者が主張するのは（a）債券正義団がアメリカを攻撃しようとしている、（b）景気刺激策にこれ以上費やしたら、連中が動く、ということだ。

このどちらであれ、正しいと信じるべき理由はあるのか？　はいはい、アメリカは長期的な予算問題を抱えてはいる。でも今後数年で景気刺激策として何をやろうとも、こうした長期問題への対処能力にはほぼまるで関係がない。議会予算局長官のダグラス・エルメンドーフが最近述べたように、「失業率が高く、多くの工場やオフィスが遊休している現在に追加の財政刺激を提供するのと、数年後に産出と雇用がおそらくは潜在能力近くに戻ってから財政抑制を行うことの間に、本質的な矛盾はまったくない」。

それでも、数ヶ月ごとに債券正義団がやってきたからそいつらのご機嫌うかがいに今すぐ緊縮政策を、という話が出てくる。三ヶ月前には、長期金利がちょっと上がっただけで、ヒステリーもどきが生じた。『ウォールストリート・ジャーナル』は見出しに「負債の恐怖で金利上昇」と掲げたけれど、そんな恐怖の証拠は実際には存在しなかった。そしてアラン・グリーンスパンはその金利上昇を「炭坑のカナリア」（危険の先触れのこと）と呼んだ。

その後、長期金利は激減した。投資家たちはアメリカ国債から逃げるどころか、むしろ経済がつまずく中で最も有望な投資先だと見ているらしい。それなのに、緊縮支持者たちは、支出を即座にカットしない限り、債券正義団がいつ襲うかもしれないぞと断言し続ける。

が、ご心配なく。支出削減は痛みを伴うけれど、信頼／安心感の妖精がその痛みを消してくれるのです。「緊縮策が停滞の引き金になるという発想はまちがっています」とヨーロッパ中央銀行総裁ジャン＝クロード・トリシェは最近のインタビューで宣言した。なぜか？　それは「信頼／安心感をもたらす政策は、経済回復を阻害するどころか促進するからです」。

財政収縮が信頼／安心感を改善するので実は拡張的なのだという信念に、何か証拠はあるんだろうか？（ちなみにこれはまさに、一九三二年にハーバート・フーヴァーが持ち出したドクトリンだった)。えーと、支出削減と増税に続いて経済成長が起きた事例はいくつかあった。でも私の知る限り、そうした事例は一つ残らず、よく見れば緊縮のマイナス効果が他の要因で相殺されたという事例で、そうした要因は今日ではあまり関係なさそうなものばかり。たとえばアイルランドは一九八〇年代に、緊縮と成長が同時に起きたけれど、これは財政赤字から財政黒字への大幅な移行に基づくもので、これは万人が同時に実践できる戦略ではない。

そして現在の緊縮の実例は、まったくもって勇気づけられるようなものではない。アイルランドはこの危機で従順な兵士を演じ、残酷な支出削減を陰気に実施し続けた。その結果として得られたのは、大恐慌並の経済停滞だ――そして金融市場は相変わらず同国を深刻なデフォルトリスク扱いし続けている。他のよき兵士、たとえばラトヴィアやエストニアはもっとひどい目にあった――そしてこの三国とも、信じられないかもしれないけれど、アイスランドよりも産出と雇用面でひどい落ち込みを見せた。アイスランドは、その金融危機の規模があまりに大きかったために、もっと非正統的な政策を採らざるを得なくなっていたからだ。

だから、こんどお真面目そうな口ぶりの人々が、財政緊縮の必要性を説明しているのを耳にしたら、その議論をきちんと分析してみよう。ほぼ確実に、何やら厳しいリアリズムのように聞こえるものが、実は妄想の基盤の上に成り立っているだけで、私たちが悪い子だったら目に見えない正義団に罰をくらうし、いい子にしていたら信頼／安心感の妖精がごほうびをくれるんですよ、という信念だけに基づいていることがわかるだろう。そして現実世界の政策――何百万もの勤労世帯の生活を暗黒にたたき込む政策――が、そんな基盤の上に構築されている。

第36章
Excel不況

二〇一三年四月一八日

この情報時代には、数学のまちがいが大惨事につながりかねない。NASAの火星オービターが墜落したのは、エンジニアたちがメートル法に換算するのを忘れたからだ。J・P・モルガン・チェースの「ロンドンホエール」がダメになったのは、モデル作成者が平均ではなく合計値で割り算をしたのも原因の一部だ。では、エクセルのコーディングまちがいが、西側世界の経済を破壊しただろうか？

これまでの物語。二〇一〇年初頭、ハーバード大学の経済学者二人、カーメン・ラインハートとケネス・ロゴフは「負債の時代における成長」という論文を流通させた。これは政府債務水準の決定的なしきい値、あるいはティッピングポイントを見つけたと主張するものだった。債務がGDPの九〇%を超えたら、経済成長が激減するという。

ラインハートとロゴフは、金融危機の歴史に関するそれ以前の広く賞賛された著書のおかげで信用があり、タイミングも完璧だった。この論文はギリシャが危機に陥った直後に登場し、多くの高官が景気刺激策から財政緊縮に「転向」したいという願望に見事に応えるものだった。結果として、この論文はすぐ有名になった。それは当時も今も、近年で最も影響力の高い経済分析だったのはまちがいない。

それどころか、ラインハート＝ロゴフの論文は財政規律の守護者を自称する人々の間ではほとんど聖典のような扱いを受けた。そのティッピングポイントの主張は、論争中の仮説としてではなく、疑問の余地なき事実として扱われた。たとえば今年のある『ワシントン・ポスト』論説は、財政赤字方面で手綱を緩めてはいけないと警告した。というのも「経済学者たちが持続的な経済成長への脅威と見なす、九〇％の水準に危険なほど近づいているから」とのこと。「経済学者たち」であって「一部の経済学者」ではなく、まして「一部の経済学者はそう言っているが、同じくらいよい実績を持つ他の経済学者から激しく反論されている」わけでもないことに注意しよう。

というのも事実を言えば、ラインハート＝ロゴフは当初からかなりの批判に直面し、その論争は次第に激しさを増した。論文発表直後から、多くの経済学者たちは債務と経済パフォーマンスとの負の相関があっても、高い債務が低成長を引き起こすということにはならないと主張した。話は反対である可能性も高い。経済パフォーマンスが低いからこそ、高い債務を持つようになるのかもしれない。実際、これはまさに日本の場合で、債務が激増したのは一九九〇年初頭に成長が激減してからのことだ。

やがて別の問題も浮上した。他の研究者たちは、一見同じような債務と成長のデータを使っても、ラインハート＝ロゴフの結果を再現できなかったのだ。高い債務と低成長の間には多少の相関があるのはおおむね示せた。でも九〇％でのティッピングポイントらしきものはなく、どんな水準の債務でもそんなしきい値は見られなかったのだった。

ついにラインハートとロゴフは、マサチューセッツ大学の研究者たちにもとの表計算シートを検分させた――そして再現不能の結果の謎は解決された。まず、いくつかのデータが無視されていた。第二に、異様でかなり怪しげな統計手法を使っていた。そして最後に、ご想像の通りエクセルのコーディングをまちがえていた。こうしたおかしな部分やまちがいを修正したら、他の研究者と同じ結果にしかならなかった。高い債務と低成長との間に多少の相関はあるけれど、どっちがどっちを引き起こすかについては何も示唆がなく、九〇％の「しきい値」にもまるで特別な点がない。

これに対してラインハートとロゴフは、コーディングのまちがいを認め、他の選択については問題ないと主張し、そして債務が必ず低成長を引き起こすなんて主張したことはないと述べた。これはちょっとずるい。二人はそれをはっきりとは言わないまでも、何度も匂わせていたのだから。でもいずれにしても、本当に重要なのは二人が実際に言おうとしたことではなく、その研究がどう解釈されたかということだ。緊縮支持者たちは、九〇％のティッピングポイントなるものが、証明済みの事実であり、大量失業に直面しても政府支出に大なたをふるう根拠になると考えたのだった。

だからラインハート＝ロゴフ騒動は、緊縮マニアというもっと広い文脈で解釈する必要がある。西側世界全土の政策担当者、政治家、評論家が、失業者に背を向けて経済危機を社会福祉政策カットの口実に使いたいという明らかに強烈な願望を念頭に置くべきだ。

ラインハート＝ロゴフ騒動が示すのは、緊縮がどれほどまちがった想定に基づいて押し売りされてきたか、ということだ。三年にわたり、緊縮への転換は選択ではなく、必要なのだと述べられてきた。緊縮支持者によれば、経済学研究で債務がＧＤＰの九〇％を超えるとひどいことが起きると示されたのだという。でも「経済学研究」はそんなものはまったく示していない。経済学者二人がそんな主張をしたけれど、他の多くの経済学者は反対した。政策担当者が失業者を見捨てて緊縮に向かったのは、自分たちがそうしたかったからで、別に他にどうしようもなかったからではない。

ではラインハート＝ロゴフ論文がその玉座から転落したことで、何かが変わっただろうか？　そう願いたいところだ。でもいつもの連中は、すぐにまた怪しげな経済分析を見つけてそれをまつりあげ、そして不景気はどんどん続くばかりだろうと予言しておこう。

第37章　仕事、技能、ゾンビ

二〇一四年三月三〇日

数ヶ月前に、J・P・モルガン・チェースの社長ジェイミー・ダイモンとジョブス・フォア・ザ・フューチャーの社長マルレーネ・セルツァーが『ポリティコ』に「技能ギャップを埋めるには」という論説を発表した。書き出しはおごそかだ。「今日、一一〇〇万人近いアメリカ人が失業している。だが同時に、四〇〇万の雇い口が埋まっていない」――これは「求職者が現在持っている技能と、雇用者が必要とする技能との溝」を実証しているのだという。

実は経済が絶えず変化しているから、失業者がいる一方で、埋まらない求人があるのはいつものことだ。そして現在の求人と失業者の比率は、通常時をはるかに下回る。一方、いくつもの慎重な研究は、不適切な労働者の技能で高い失業を説明できるという主張をまったく支持していない。

でもアメリカが激しい「技能ギャップ」に苦しんでいるという信念は、あらゆる重要人物がまちがいなく真実だと確信している話の一つだ。なぜ確信できるかといえば、知り合いのみんながそうなのだと言っているからだ。これはゾンビ思想の代表例だ――証拠を見ればとっくに死に絶えているべきなのに、なぜか死なない思想だ。

そして、これはいろいろ被害を及ぼす。でもその話に入る前に、技能と仕事について本当にわかっているのはどういうことだろうか?

本当に技能不足があるなら、それがどこに現れるはずかを考えてみよう。何よりも、正しい技能を持った労働者たちは大成功して、そういう技能がない人だけが苦労しているはずだ。でもそんなことにはなっていない。

はいはい、正規の教育をたくさん受けている労働者の失業率は、教育水準の低い労働者よりは低い。でもこれは、好況時だろうと不景気時だろうといつも言えることだ。決定的な点は、失業があらゆる教育水準について、金融危機以前を上回っているということだ。同じことがあらゆる職業について言える。あらゆる主要な産業分類で、労働者たちは二〇〇七年よりひどい状況にある。

確かに一部の雇用者は、必要技能を持った労働者がなかなか見つからないとこぼす。でも、そう言うならお金を出そう。雇用者が本当にある技能を求めているなら、そうした技能を持つ労働者をひきつけるため、賃金を上げるはずだ。でも実際には、大幅な賃上げのあった労働者集団はなかなか見つからないし、実際にそういうのが見つかった場合には、世間の通念とはまったくちがう職業だ。たとえば、ミシンの操作を知っている労働者の賃金が大きく上がっているのはよいことだ。でも技能ギャップとか言って騒いでいる人々は、ミシン操作の技能が念頭にあるとはあまり思えないのだ。

そして技能ギャップ物語を否定するのは失業と賃金の証拠だけではない。慎重な雇用者の調査――現在MITやボストンコンサルティンググループの研究者が行っているような調査――も似たような結果となっていて、コンサルティンググループのほうは「技能ギャップ危機の懸念は誇張されている」と宣言した。

技能ギャップ談義を支持する証拠として挙げられそうなたった一つの証拠は、長期失業の激増だ。これは多くの労働者が雇用者の求める技能を持っていない証拠なのかもしれない。でも実はちがう。現在すでに、長期失業者についてはいろいろ調べがついていて、すぐに新しい職を見つけるレイオフされた労働者とは技能がまったく同じだ。では彼らの問題とは？　まさに失業しているという事実のおかげで、雇用者はその資格や技能を見ようともしなくなるのだ。

では技能不足という幻想は、なぜ消えないどころか「常識」の一部になってしまっているのか？　うん、そのプロセスを見事に占めるものが昨年秋に見られた。一部のマスコミによると、トップ重役九二%は、確かに技能ギャップは存在すると述べているそうだ。この主張の根拠は？　そうした重役たちへの電話アンケートで、質問はこうだ。「アメリカ労働力の技能ギャップにおける『ギャップ』を最もよく表していると思えるのは以下のどれでしょうか？」そしていくつかの選択肢が続く。こんな誘導尋問では、回答者の八%がギャップなんかないとはっきり宣言できたほうが驚きだ。

要するに、影響力ある人々は、技能ギャップの物語を繰り返す――あるいは『ポリティコ』のようなメディアに技能ギャップについて書くとなおさらいい――のがお真面目ぶりを示し、部族アイデンティティの証拠となるような集団の中をうろついているということだ。だからゾンビがヨタヨタ生き延びる。

残念ながら技能の幻想は――迫り来る債務危機という幻想と同じく――現実世界の政策にひどい影響をもたらしている。悲惨なほどまちがった財政政策や、ＦＲＢの不十分な行動が経済をどのように歪めたかに注目し、行動を求めるかわりに、重要な人々はアメリカの労働者たちの欠点について、敬虔そうに非難してみせるわけだ。

さらに労働者の苦境は労働者自身のせいだと述べることで、技能幻想は雇用と賃金が停滞している中でも継続する利潤やボーナスの高騰というすごい光景から目をそらせておける。もちろん、これまた企業重役がこの幻想を気に入っている理由の一つかもしれない。

だからできればこのゾンビを殺して、労働者をつらいめにあわせる経済について言い逃れをやめるべきなのだ。

第38章
構造的ごたく

『ニューヨーク・タイムズ』ブログ
二〇一三年八月三日

いやはやなんとも落ち込む話だ。「PBSニュースアワー」は最高の分析を得るには必ずしもよい番組ではないけれど、ワシントンでの通念がどんなものかを知るにはすばらしい番組だ——そしてディーン・ベーカーが述べるように、その通念は明らかに、いまの高失業が「構造的」なもので、需要を増やすだけで解決するようなものではないという見方へと鞍替えしたらしい。

そしてここで尋ねたいのは、どっからそんな話が出てきたのか、ということだ。

これまたディーンが言っているように、専門家のコンセンサスはまったく反対方向に動いている。データを実際に見ている経済学者からは、数年前に比べて構造要因についての話は全然聞かれなくなった。これは党派的な分裂すらない。エディ・ラゼアのような筋金入りの共和党員ですらこんなことを言っている。

二〇〇七－二〇〇九年の不景気は、高い失業率をもたらし、それがなかなか下がらない。おかげで多くの人々は、労働市場に構造変化が起きて、経済は最近見られたような低失業率に戻ることはないのだ、と結論づけている。これは本当だろうか？　この質問は重要だ。というのも中央

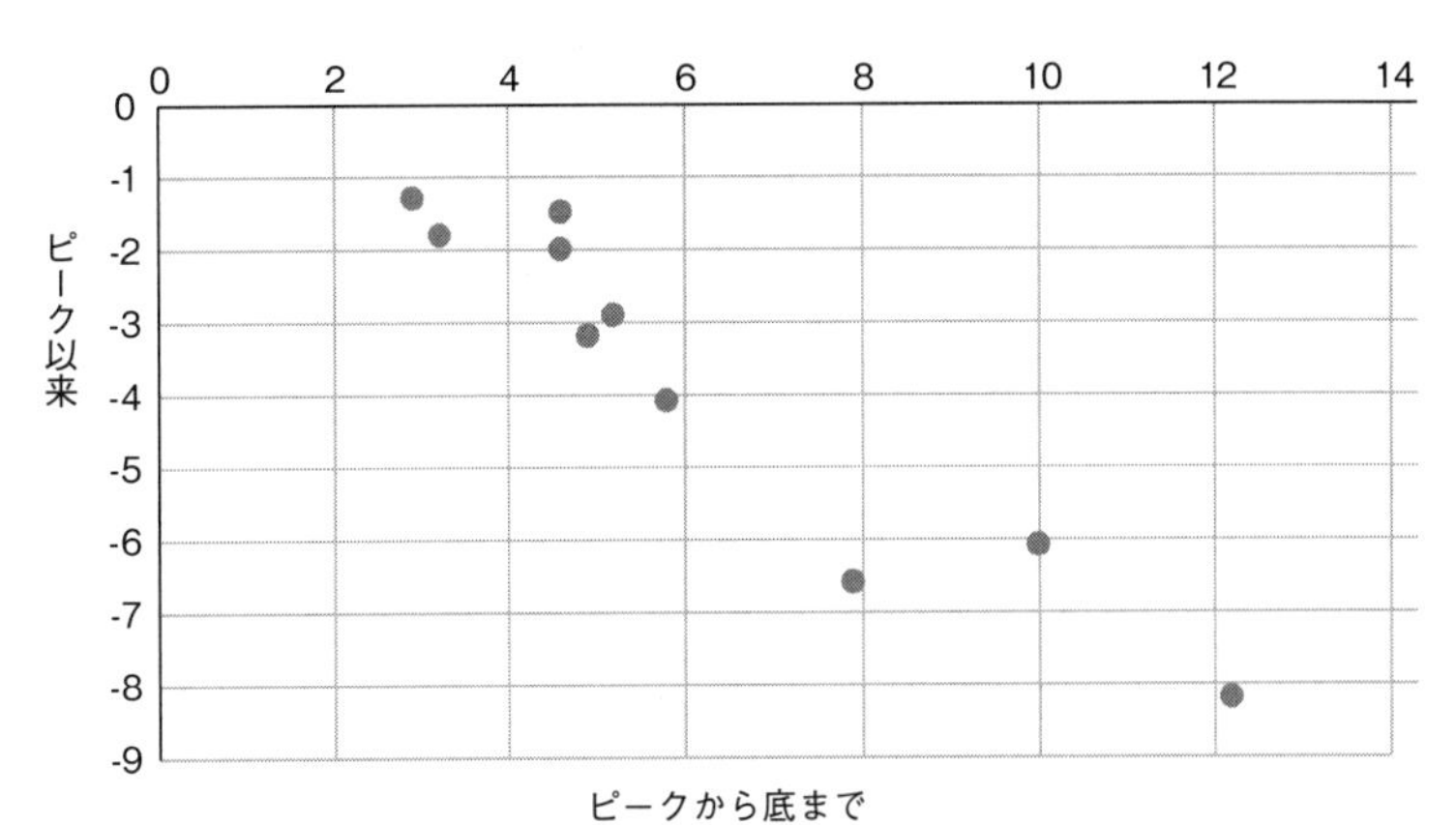

図 38.1　職業別の失業率変化

出所：アメリカ労働統計局

銀行は循環的な性質の失業なら減らせるかもしれないが、構造的なものは減らせないからだ。労働市場データの分析を見ると、近年の失業率変化を説明できるような構造変化はない。産業のシフトも人口動態のシフトも、技能と求人とのミスマッチも、失業率上昇の背後にはない。ミスマッチは不景気の間に増えはしたが、同じ速度で再び減少した。実際に見られるパターンは、現在の不景気で以前の不景気よりも大きく出ている、循環的な現象により引き起こされた失業だという見方と整合したものとなっている。

おっしゃる通り。この問題が構造的ではないという強い指標の一つは、経済が（部分的に）回復したとき、その回復が最も早かったのは、当初最も不景気で打撃を受けたまさにその地域や職業だったということだ。ゴールドマン・サックスは全国平均と比べて最大の住宅バブルを経験した「砂の州」の失業を見ている。すると、他の州よりも失業率増加はずっと激しかったけれど、二〇一〇年以来の回復もずっと急速だ。

つまり最大の打撃を受けた州は、国の他地域よりも急速に回復したわけだ。これはすべてが循環的なもので、構造的な変化ではない場合に予想されることだ。

職業別の失業率について、大ざっぱな分析を手っ取り早くやってみて、二〇〇七年の景気循環ピークから二〇〇九－二〇一〇年失業率ピークまでの失業率変化と、その後の失業率低下を見た。すると図38・1のような具合だ。

地理的な話とまったく同じだ。最大の打撃を受けた職業が最大の回復を見せている。

要するに、データは構造的なお話ではなく、循環的な話を強く示している――そして珍しいことに、この点では経済学者の間でおおむね合意が見られる。でもなぜか、明らかに、首都圏の集団思考は正反対の結論にたどり着いてしまった――それがあまりに強すぎて、この問題についての本当の経済学のコンセンサスは、『ニュースアワー』で触れられさえもしなかった。

すでに述べたように、これはなんとも落ち込む話だ――心の面でも、景気の面でも。

第８部

ユーロ

遠すぎた橋

第二次世界大戦後のヨーロッパ復興は、人類史上で最も喜ばしく、最も勇気づけられる物語の一つだ。西欧諸国が、文字通り悲惨な戦争の瓦礫の中から築き上げたものは、単なる繁栄と平和だけでなく、人類史上で最もまっとうな社会だった。そして、はい、この比較はアメリカを含めてのものだ。私はアメリカを愛しているし、比肩するもののない個人の可能性の感覚を提供していると思うけれど、恵まれない人々の面倒を見るという点では、地中海の北と古い鉄のカーテンの西にあるどの国にも見劣りする。

ヨーロッパの成功の相当部分は、その根底に人々が「ヨーロッパプロジェクト」と呼んだりするものを持っている。このプロジェクトの根底にある思想は、何か派手な政治連合という形ではなく、ますます密接な経済的つながりと、そのつながりを管理する共通の制度により国々をまとめあげることで、ヨーロッパ大陸の壮絶な戦争史を終結させようというものだ。

まず一九五二年に、石炭鉄鋼共同体がやってきた。これはフランスとドイツの重工業を統合し、それにより将来の戦争をほぼ不可能にするものと期待された。それから一九五九年には統一市場ができて、加盟国の中で関税をすべて撤廃した——そして他国との貿易政策においても協調するよう義務づけた。というのも、フランスとドイツが、たとえばカナダの小麦に対してちがう関税をかけても意味がないからだ。それから、規制の統一、人々の自由な移動、遅れた地域への共同開発援助、そしてその途中で名前を欧州連合（EU）に変更、といったことが行われた。

このプロセスのすべてがすばらしかったわけじゃない。汎ヨーロッパの出来事を管理する、ブリュッセル拠点の官僚組織は、ほとんどの各国公共サービスよりさらに一般市民の生活から切り離されていて、見通しも一般市民とかけ離れている。ユーロ官僚たちと話すときには、それが流暢な英語で語られていても、その真意を理解するための字幕が必要だ、という冗談をかつて飛ばしたことがある。長々しい、もってまわった「拡大か深化か」といった言説は、実は要するに「ギリシャなんか加盟させるんじゃなかった」と翻訳できる、という具合だ。

また国同士の敵対も消えはしなかった。一九九〇年頃に流通していたジョークのメモがある。なにやら欧州委員会（EC）からのメモだと称する代物で、ヨーロッパ共通言語を採用するのだ、という。このメモによると、実務的に考えてその言語は英語にならざるを得ないが、少し改良を加えましょうという。たとえば、「C」の音は、「カナダ」のようなカ行の音になるのか、「サイダー」みたいなサ行の音になるのかはっきりしない。だからカ行のCはあっさりKで置きかえ、正しい発音を確保しましょう。そしてさらに理解度を向上させるべく、すべての動詞は文末に置くことにしましょう（ドイツ語は、動詞が文末にくる）。等々。やがてメモの最後まできたら、それは完全なドイツ語になっておりました、というのがオチだ。

それでもヨーロッパプロジェクトは、全体としては大成功で、何百万人もの生活を改善しただけでなく、過去のひどい遺産が善意の人々により克服できることを示した。

そこへユーロがやってきた。

政治的シンボルとして、ヨーロッパ共通通貨はヨーロッパプロジェクトにおける次の一歩として自然なものに思えた。ヨーロッパは、平和で国境も開かれ、人々も自由に移動し、交通信号の設計から消費者安全規定まですべて共通の基準になっている。だったら事業をもっとやりやすくし、共通アイデンティティの感覚をさらに深めるには、共通通貨を採用してはいかが？

残念ながら、お金の経済学は政治的シンボリズムだけで片付く話ではない。ご近所国と同じ通貨を使うと、確かに大きなメリットもある――ハドソン川を越すたびにニューヨークドルをニュージャージードルに交換させられるのはいやだ。でも、通貨統一には深刻な欠点もある。

経済学者は昔から、ある国が近隣国と共通の通貨にロックインしてしまうと、「非対称性ショック」に対処する能力が下がることに気がついていた。非対称性ショックというのは、醜悪ながら便利な専門用語だ。フィンランドになったと思ってほしい。経済を支えるのは二つの大きな輸出品、エリクソン製の携帯電話と、製紙に使う木材パルプだ。そこへ技術変化がやってきて、エリクソンの市場シェアは大打撃、オフィスの紙利用も減った。どうしましょう?

うん、新しい輸出品が必要だね。でもそれを実現するには、企業に新しいことをやるインセンティブを与える必要がある。そのために通常は、他国との比較で賃金と物価を引き下げる。自国通貨があれば、これは普通は簡単だ。賃金は通常、その通貨で設定されているから、通貨を世界市場で下落させたら、競争力はすぐに改善する。実際、一九九〇年代のフィンランドではまさにそれが起こった。当時のフィンランドはソ連崩壊と地元の銀行危機が組み合わさって、ひどい経済停滞に陥っていたのだ。

でも二〇〇八年以降にフィンランド経済が困ったことになったら、もはや自国通貨がない。それはこの章で最初の論説に出てくるスペインも同様だ。だから苦境を脱する唯一の方法は、高い失業を続けて、長く痛々しいやり方で賃金を引き下げることだった。

共通通貨の便利さと、問題が起きたときの欠点との間に悩ましい経済トレードオフがあるという思想は、これまた醜悪ながら便利な名前を持つ。「最適通貨圏」というものだ。ユーロを作ろうという提案が最初に出回ったとき、多くのアメリカ経済学者たちはこの理論を持ち出して、実際の各国の現実を見ればユーロはまずいよ、と論じた。でもヨーロッパ人たちは、自分たちのビジョンに魅了されすぎて——ロマンチックすぎた、と私なら評する——聞く耳を持たなかった。

ヨーロッパがユーロへの道を踏み出した協定は一九九二年に、オランダのマーストリヒトという町で調印された。選ぶ町をまちがえたな、という冗談を飛ばしたのを覚えている。同じオランダの町でも『遠すぎた橋』で描かれた有名な軍事的惨劇の地、アーネムを選ぶべきだったよ、と。残念ながら、ユーロの苦闘はこの懸念を裏付け、さらに新しい問題を引き起こした——たとえば統一通貨を持ちながら、銀行に共通のセーフティネットを用意しなかったという問題などだ。

本書で採り上げた政治的、経済的なトラブルの物語は、ほとんどが基本的には悪者による悪行の話だ。ユーロはちょっとちがう。この場合、地獄への道は確かに善意で舗装されていた。残念ながら、それでも行き先は相変わらず地獄だったのだけれど。

第39章
スペインの囚人

二〇一〇年一一月二八日

アイルランド人について、いま言える褒め言葉は、せいぜいが人数が少ないということくらいしかない。アイルランドだけでは、ヨーロッパの見通しをあまり悪化させることはない。同じことが、ドミノで次に倒れると広く思われているギリシャとポルトガルについても言える。

でもスペインが控えている。他の国はタパスで、スペインこそがメインコースだ。

スペインについて驚かされるのは、アメリカの観点からすると、その経済的な物語がアメリカのものと実に似ているということだ。アメリカと同様に、スペインは巨大な不動産バブルを経験し、それに伴い民間債務が激増した。アメリカと同様に、そのバブルが破裂してスペインは不景気に陥り、失業が激増した。そしてアメリカと同様に、スペインも歳入激減と不景気関連費用のために財政赤字がふくれあがった。

でもアメリカとちがい、スペインは債務危機寸前だ。アメリカ政府は債務履行に何の問題も抱えておらず、長期国債の金利は三パーセント以下だ。スペインはこれに対し、ここ数週間で借り入れコストが跳ね上がった。将来のデフォルトの可能性についての不安が増大したせいだ。

なぜスペインはこんなに困ったことになっているのか？　一言で、ユーロのせいだ。

一九九九年のユーロ導入時に、スペインは最もその採用に熱心だった国の一つだ。そしてしばらく事態はスムーズに動いているようだった。ヨーロッパの資金がスペインに流れ込み、民間部門支出を後押ししたので、スペイン経済は急成長した。

ちなみにこの好況期、スペイン政府は財政面でも金融面でもお手本のような存在だった。ギリシャとはちがって、財政黒字を維持し、アイルランドとはちがって銀行を頑張って規制しようとした（部分的にしか成功しなかったけれど）。二〇〇七年末、スペインの公的債務は対GDP比でドイツに比べて〇・五ポイントほど多いだけで、現在でも銀行はアイルランドに比べるとまったく問題ない。でも水面下で問題が生じつつあった。好況期には、スペインの物価と賃金は他のヨーロッパ諸国よりも急上昇し、それが巨額の貿易赤字をつくり出した。そしてバブルが破裂したら、スペイン産業は他の国々との競争力がないような費用構造になっていた。

さあどうする？　スペインがアメリカのように――あるいは一部似たところもあるイギリスのように――自前の通貨を持っていれば、それを下落させることで産業の競争力を取り戻せる。でもスペインはユーロなので、その選択肢はない。だからスペインは「内的減価」を実現するしかない。つまり賃金と物価をカットして、費用が近隣諸国と張り合えるようにしなくてはならない。

そして内的減価というのは凄惨な代物だ。まず、緩慢だ。賃金を押し下げるには、高い失業率が何年も続くのが通例だ。さらに賃金下落は所得の減少だけれど、債務はそのままだ。だから内的減価は民間債務の問題を悪化させる。

これがスペインにとってどういう意味かといえば、今後数年にわたり、かなり悲惨な経済見通しになるということだ。アメリカの回復は、特に雇用面ではがっかりするものだった――それでも多少は成長もあるし、実質GDPはおおむね危機前の水準に戻った。将来の成長で財政赤字もなんとかなるものと普通に期待できそうだ。これに対するスペインは、まるで回復していない。そして回復がないと、スペインの財政的な将来についてのおそれが高まる。

この罠を逃れるため、スペインはユーロを離脱して独自通貨を復活させようとすべきだろうか？そして、実際にそれをやろうとするだろうか？　この両方への答は、まあやめたほうがよさそうだ、というものだ。そもそもユーロを導入していなければ、現在のスペインはもっとよい状態だったのは確かだ——でも今から離脱しようとしたらすさまじい銀行危機が生じる。預金者たちはお金を慌ててよそに移そうとするからだ。どのみちすさまじい銀行危機があるというのでもない限り——これはギリシャではありそうだし、アイルランドでも可能性がますます高まっているけれど、スペインでは不可能ではないが考えにくい——どんなスペインの政権も「脱ユーロ」リスクを引き受けるとはなかなか思えない。

だからスペインは、実質的にユーロの囚人で、よい選択肢がない。

アメリカにとってのいい報せは、アメリカはそんな罠にはまっていないということだ。まだ独自通貨もあり、それがもたらすあらゆる柔軟性もある。ちなみにイギリスもそうだ。イギリスの財政赤字や政府債務はスペインと似たようなものだけれど、投資家たちはそれをデフォルトリスクとは考えない。

アメリカについての悪い報せは、強力な政治的派閥がFRBに鎖をかけ、私たちが苦しむスペイン人に比べて持っている、唯一の大きな優位性を実質的に奪おうとしている、ということだ。共和党によるFRBへの攻撃——経済回復を促進するのをやめて、ドルを強く保ち、妄想でしかないインフレリスクと戦うのに専念しろと要求——は、アメリカが自発的にスペインの監獄に入れと言っているに等しい。

FRBがそんな話に耳を貸さないことを祈ろう。アメリカの状況は悪いけれど、もっとひどい事態になっている可能性だってあったのだ。そしてハードな通貨派閥が力を得たら、その可能性が現実になりかねない。

第40章
マルハナバチの墜落

二〇一二年七月二九日

欧州中央銀行（ECB）の総裁マリオ・ドラギが先週、ECBは「ユーロ維持のために必要なことは何でもやるつもり」だと宣言した――そして市場はそれを歓迎した。具体的には、スペイン国債の金利は急落し、いたるところで株式市場が高騰した。

でもユーロは本当に救えるのか？　これは相変わらず大きな疑問符がつく。

まず、ヨーロッパの単一通貨は深い欠陥を抱えた構築物だ。そしてドラギは、本人の名誉のために言うと、それを実際に認めた。「ユーロはマルハナバチのようなものです。マルハナバチは自然の謎で、実際には飛べないはずなのに、飛べてしまうのです。だからユーロは、数年にわたり実に見事に飛び続けたマルハナバチなのです」と彼は宣言した。でもいまや、それが飛ぶのをやめた。どうしようか？　彼の示唆した答は「卒業して本物のハチになること」だ。

生物学的に怪しげな話なのは見すごすとしよう。言いたいことはわかる。長期的には、ユーロがきちんと機能するためには、EUが統合国家にずっと近いものになる必要がある。

たとえば、スペインとフロリダ州を比べてみよう。どちらも巨大な住宅バブルと、その派手な崩壊を経験した。でもスペインの危機は、フロリダとはレベルがちがう。なぜか？　不景気がきたら、フロリダはワシントンが社会保障やメディケアの支払いを続け、銀行の支払い能力を保証し、失業者には緊急補助を出したりしてくれるものとあてにできるからだ。スペインにはそんなセーフティネットはないから、長期的にはそれをなんとかする必要がある。

でもヨーロッパ合州国の創設は当分なさそうだし、起こるかどうかも怪しい。ユーロ危機はいまここにある。ではユーロを救うためには何ができる?

うん、そもそもなぜこのマルハナバチは、しばらく飛び続けられたんだろうか? どうしてユーロは、最初の八年かそこらはうまくいっているように見えたのか? それは、その構造的な欠陥が南欧の好況のせいで覆い隠されてしまったからだ。ユーロ創設のおかげで投資家は、それまでリスクが高いと思われていたギリシャやスペインのような国に融資しても安全だと思い込んでしまった。だからお金がこうした国に流れ込んだ――ちなみにそれは、ギリシャを除けば、通常は公的な借り入れではなく、民間の借り入れを相手にしたものだった。

そしてしばらくは、みんなハッピーだった。南欧では、製造業はますます競争力が下がっていても、巨大な住宅バブルで建設雇用が激増した。一方ドイツ経済は、それまで停滞していたのが、南のバブル経済向け輸出が増えたせいで上向いた。ユーロは成功しているように見えた。

そこへバブルが破裂した。建設雇用は消えうせ、南欧の失業率は急上昇した。スペインでもギリシャでも二〇%超だ。同時に、歳入は激減した。ほとんどの場合、巨大な財政赤字は危機の結果であり、原因ではない。それでも投資家たちは逃げ出し、借り入れ費用を押し上げた。金融市場のご機嫌うかがいで、打撃を受けた国々は酷薄な財政緊縮策を採り、それが停滞をさらに悪化させた。そしてユーロ全体が、いまや危険なまでに危うそうだ。

この危険な状況を底打ちさせるにはどうすればいいだろう? 答はかなりはっきりしている。政策担当者たちは、(a)南欧の借り入れ費用を抑えるような手を打ち、(b)ヨーロッパの債務国に、ドイツが好況時に受けたのと同じような、輸出で苦境を脱出する機会を与える――つまり、一九九九

－二〇〇七年の南欧好況に匹敵するような好景気をドイツにつくり出すことだ（はいその通り、これはつまりドイツのインフレが一時的に高まるということだ）。困ったことに、ヨーロッパの政策担当者は（a）はやりたくないようで、（b）なんか絶対にいやだという。

ドラギ氏は――たぶんこういうことが全部わかっているはず――その発言の中で、中央銀行が南欧の国債を大量に買って、借り入れコストを引き下げたらどうかと提案した。でもその後の二日間で、ドイツの役人はその考えに冷や水を浴びせているように見えた。原理的には、ドラギ氏はドイツの反対を無視することもできるけれど、本当にそこまでやるつもりがあるだろうか？

そして国債購入は簡単な部分だ。ユーロを救うには、ドイツが同時に今後数年にわたりずっと高いインフレを容認しなくてはならない――そしていまのところ、ドイツの役人はこの問題を議論の俎上にすら載せたがっていないようで、まして必要なことを受け容れる気配もない。むしろいまだに、度重なる失敗にもかかわらず――アイルランドが急激な回復途上にあるはずだったのをご記憶だろうか？――債務国が緊縮プログラムを堅持すれば万事オッケーだと固執している。

ならばユーロは救えるのか？　うん、おそらくは。救うべきか？　うん、作ったのはいまや大きなまちがいだったようだけれど、救ったほうがいい。というのもユーロが破綻したら経済的な混乱が生じるにとどまらない。もっと大きなヨーロッパプロジェクトへの大打撃となるからだ。このプロジェクトは悲劇的な歴史を持つヨーロッパ大陸に平和と民主主義をもたらしたのだ。

でも実際に救済されるだろうか？　ドラギ氏は決意を見せたけれど、それはすでに述べた通り、かなり怪しい。

第41章
ヨーロッパのあり得ない夢

二〇一五年七月二〇日

ヨーロッパからのニュースは少し落ち着いているけれど、でも根底にある状況は相変わらずひどい。ギリシャは大恐慌よりひどい経済停滞になっていて、いま起こっていることで回復の希望をもたらすものは皆無だ。スペインが成功物語として賞賛されているのは、経済がやっと成長し始めたからだ——でもいまだに失業率は二二%。そして大陸のてっぺんの国々で停滞の円弧が見られる。フィンランドは南欧に比肩する不景気に陥り、デンマークとオランダもきわめて調子が悪い。

そうして物事はこんなにおかしくなったんだろうか？　答は、自己満足な政治家たちが算数と歴史の教訓を無視するとそうなるんだ、というものだ。そして、これはギリシャとかの左派の話じゃない。ベルリン、パリ、ブリュッセルを拠点として、四半世紀にわたりヨーロッパを妄想経済学に基づいて運営しようとしてきた、スーパーご立派な方々の話だ。

経済学をあまり知らない人や、都合の悪い質問を避けることにした人々にとって、ヨーロッパ統一通貨の創設は名案に思えた。国境を越えた事業がやりやすくなり、統合の強力なシンボルにもなる。ユーロがやがてこんな巨大な問題を引き起こすなんて、誰が予想できただろうか？

実は、予想した人はたくさんいた。二〇一〇年一月に、ヨーロッパの経済学者二人が「起こり得ない、ひどい発想だ、長続きしない」という論説を発表した。これはユーロが大問題を引き起こすと警告したアメリカの経済学者をバカにした論説だった。でもふたを開けてみると、この論説はうっかり古典となってしまった。執筆とまさに並行して、そうした深刻な警告は本当に現実化しつつあった。そしてこの論説が恥をかかせようとした人々――見当外れの悲観論者としてこの論文がやり玉にあげた経済学者の長い一覧――はむしろ、おおむね正しく言い当てた人々の殿堂と化したのだった。

ユーロ懐疑派の唯一の大まちがいは、この単一通貨がどれほどの被害をもたらすかについて甘く見ていたことだった。

要するに、当初から政治統合なしの通貨統合はかなり怪しげなプロジェクトだというのは、その気になればすぐわかったということだ。じゃあなぜヨーロッパはそれを進めたんだろうか？

思うに、ユーロという発想が実にすてきに思えたからだと思う。つまり、先進的で、ヨーロッパらしく、ダヴォスの世界経済会議なんかで演説したがる人々にとって魅力的な代物だ。そういう人たちは、おたくめいた経済学者どもに、その華やかなビジョンはやめたほうがいいなんて言われたくなかった。

実際、ヨーロッパエリート層の中では通貨プロジェクトに反対するのがとてもむずかしくなった。一九九〇年代初頭の雰囲気は忘れられない。ユーロが望ましいものか疑問視した人は、誰でも実質的に議論から閉め出された。さらに、疑問を述べるのがアメリカ人だと、まちがいなく腹に一物あると見なされた――ヨーロッパ嫌いとか、ドルの「とんでもない特権」を温存したがっているとか。

そしてユーロは実現した。導入から一〇年間は、巨大な金融バブルのおかげで根底にある問題は隠れていた。でもいまや、すでに述べた通り、懐疑派の懸念はすべて裏付けられた。

さらに、話はそこでは終わらない。予想され、事前にわかって然るべきだったユーロの苦境が始まると、ヨーロッパの政策対応は、債務国に壮絶な緊縮を課すことだった――そうした政策はひどい経済的被害をもたらし、約束された債務削減は実現できないという、単純な論理と歴史的な証拠を無視したものだった。

ヨーロッパのトップ高官たちが、政府支出を削減して増税したら深刻な不景気が起こるという警告を平然と無視し、財政規律が信頼／安心感をもたらすから（実際にはもたらさなかった）万事問題なしと固執したのは、いまから振り返っても驚愕する出来事だった。真実を言うなら、巨額債務に緊縮だけで対処するのは——特に同時に金融引き締め政策もしているときには——うまくいった試しがない。第一次大戦後のイギリスでも、すさまじい犠牲のあげくに失敗した。それがギリシャだとうまくいくはずもない。

いまのヨーロッパはどうすべきか？　あまりいい答えはない——でもいい答がない理由は、ユーロがゴキブリホイホイと化してしまったためだ。つまり、逃げ出せない罠だ。ギリシャがまだ独自通貨を持っていたら、その通貨を切り下げて、ギリシャの競争力を高めてデフレを終えるべきだという主張が圧倒的な説得力を持ったはずだ。

ギリシャがもはや通貨を持たず、まったく新しいのを作らねばならないという事実は、ハードルをすさまじく高くしてしまう。それでも結局は、ユーロ離脱が必要だということになると思う。そしてどのみち、ギリシャの債務はほとんど全部あきらめるしかないだろう。

でもこうした選択肢について、みんなはっきりした議論をしていない。というのも、ヨーロッパでの言説はいまだに、大陸のエリートとしては本当であってほしいのに実はデタラメという思想に支配されているからだ。そしてヨーロッパはこのすさまじい自己満足のためにひどい代償を支払わされている。

第42章 ヨーロッパの抱える問題

二〇一八年五月二一日

人道性の夢——あらゆる成員にまっとうな生活を提供する社会というビジョン——が実現に近づいた場所と時代を挙げろと言われたら、それはまちがいなく、第二次世界大戦後の六〇年間におけるヨーロッパになるだろう。それは歴史の奇跡の一つだった。専制主義、ジェノサイド、戦争が猛威をふるった大陸が、民主主義と、広く共有された繁栄のお手本になったのだから。

実際、二一世紀初頭に、ヨーロッパ人たちは多くの面でアメリカ人よりよい暮らしを送っていた。アメリカとちがって医療は保証され、それにより平均寿命も長く、貧困率もずっと低い。壮年時代を通じてしっかり雇用されている可能性は、本当にアメリカより高かった。

でもいまやヨーロッパは大苦境に陥った。もちろん、アメリカもだ。特に、民主主義は大西洋の両岸で追い詰められているけれど、自由の崩壊はたぶんアメリカで先に起こりそうだ。でも自前のトランプという悪夢は脇に置いて、ヨーロッパの苦悩を先に見よう。すべてではないがその一部は、アメリカの苦悩と同じだ。

ヨーロッパの問題の多くは、一世代前の共通通貨を採用しようという悲惨な決断からきている。ユーロ創設で一時的に多幸感が漂い、大金がスペインやギリシャのような国に流れ込んだ。するとバブルが破裂した。そして自国通貨を維持したアイスランドのような国は、通貨切り下げですぐに競争力を回復できたけれど、ユーロ圏諸国は競争力を回復しようと苦闘する中で果てしない不景気を余儀なくされ、失業率はきわめて高いままとなった。

この不景気は、証拠をまったく無視したエリートのコンセンサスにより拍車がかかった。彼らは、ヨーロッパの問題の根幹にあるのが、費用の不整合ではなく放漫財政だと考えており、それを解決するには壮絶な緊縮しかないと考えたのだった。おかげで不景気はさらに悪化した。

スペインのようなユーロ危機被害国の一部は、やっと這いずって競争力を回復した。でもそれができていない国もある。ギリシャは相変わらず一大災害地だ——そしてEUに残っている三大経済の一つイタリアは、いまや失われた二〇年を終えたところだ。一人あたりGDPは二〇〇〇年の水準にまだ達していない。

だから三月にイタリアで選挙があったとき、大勝利を収めたのは反EU政党だったのも当然だろう——ポピュリスト政党の五つ星運動と極右同盟だ。むしろそれがもっと早く起きなかったことのほうが不思議なくらいだ。

これらの政党がいまや連合政権を組もうとしている。その政府の政策は完全に明らかではないけれど、まちがいなく様々な面で、ヨーロッパの他の諸国とは決別するだろう。財政緊縮を廃止して、果てはユーロ離脱、さらに移民と難民の取締だ。

これがどう終わるのかは誰も知らないけれど、ヨーロッパの他の部分に見られる動きは、いろいろおっかない先例となっている。ハンガリーは実質的に一党独裁となり、民族国粋主義に支配されている。ポーランドも着実にその方向に向かっているらしい。

では、ますます緊密な政治経済統合を通じた、平和、民主主義、繁栄への長い行進、つまり「ヨーロッパプロジェクト」はどこがおかしくなったのか？　すでに述べた通り、ユーロという巨大なまちがいも大きな役割を果たした。でもユーロに加入したことのないポーランドは、経済危機をほとんど無傷で切り抜けた。それなのに、同国の民主主義はやはり崩壊している。

ここにはもっと根深い話があると言いたい。ヨーロッパには常に闇の勢力があった（アメリカも同様だ）。ベルリンの壁が崩壊したとき、知り合いの政治学者はこうジョークを飛ばした。「いまや東欧は、共産主義という異質なイデオロギーから解放されたから、真の道に復帰できる。ファシズムという道へね」。私も含め、このジョークに一理あるのはみんなわかっていた。

こうした闇の勢力を抑えていたのは、民主主義的価値に献身するヨーロッパエリートの矜持だ。でもその矜持は、経営ミスで消えてしまった――そして実際に起きていることへの直面を避けたことで、被害はなおさら悪化した。ハンガリーの政府は、ヨーロッパの依って立つものすべてに背を向けた――それなのにブリュッセルから大規模な援助を受け続けている。

そしてここで、アメリカでの展開との相似が見られると思うわけだ。

確かに、アメリカはユーロ式の大惨事にはあっていない（はいはい、アメリカも全大陸に及ぶ通貨を持っているけれど、そうした通貨が機能するための、連邦化した財政制度と銀行システムを持っている）。でも「中道」エリートの判断ミスは、ヨーロッパのエリートに比肩するひどいものだった。二〇一〇‐二〇一一年に、アメリカは大量失業にまだ苦しんでいたのに、ワシントンのとってもお真面目な方々がこだわっていたのは……給付金改革だったでしょう。

一方、アメリカの中道勢力は、マスコミの大半と同様に、共和党の過激化を長年見て見ぬふりをして、ほとんど病的なまでに、民主党とどっちもどっちだというまちがった両論併記にこだわり続けた。そしていまやアメリカは、ハンガリーのフィデス市民同盟と同じくらい、民主的規範や法治を無視する政党に支配されている。

ここで言いたいのは、ヨーロッパでの問題は、深い意味でアメリカでの問題と同じだということだ。そしてどちらの場合も、救済への道は、とてもとてもむずかしいものとなる。

第９部

インチキ財政

財政赤字イケマセン派のおめでたさ

「テレビ俳優にはエミー賞、運動選手はESPY賞、いまや財政おたくも、独自の賞を手に入れた」。これは責任ある連邦予算センター（CRFB）が二〇一一年一月に刊行した大仰な記事の冒頭だ。ここで述べられているのは、政治関係者数人に与えられる「フィスキー賞」なるものの授与式の話だ。

CRFBというのは、二〇一〇年あたりにワシントンで幅をきかせていた大量の「税制規律」組織の一つだ。そういう組織の蔓延は、部分的には一種の幻想だった。というのもその多くは同じ人々、特に億万長者ピート・ピーターソンが出資していたものだったからだ。でもその影響力は本物だ。CRFBはその授与式を「スター勢揃い」と評したが、それはまちがってはいない。少なくともその政治的なスターという意味では。

でもフィスキー賞授与式にはいくつか変なところがあった。一つは、それがアメリカの失業率がまだ九％超だったときに行われたということだ――アメリカ人一四〇〇万人が無職で、そのうち六〇〇万人は六ヶ月も職を見つけられずにいた。一方、財政赤字の減り方が早すぎるという主張には十分な根拠があった。アメリカ復興再投資法――「オバマ景気刺激策」――の規定のほとんどは二〇一〇年末に期限切れとなり、景気刺激策が急激になくなったこともあって、二〇一一年の間ずっと失業は高止まりしていた。

なのになぜ、財政赤字を減らそうと頑張ったとされる人々を讃える式典があるのに、雇用を創出しようとする人を讃える式典はなかったのだろう？

でもそんなのはすべて無視しても、第一回フィスキー賞受賞者三人の一人は、ポール・ライアン下院議員で、彼はのちに下院議長となる。そして赤字反対派になるというのが二〇一一年一月にはよいことだったという考えを認めたとしても、ライアンは実は赤字反対派なんかじゃない。単なるインチキ野郎だ。彼の財政赤字削減策と称するもの――受賞につながった計画――は露骨なインチキだった。それはなかでも、政府が何やら抜け穴をふさぐことで、歳入を一兆ドル増やせると想定することで成り立つものだった――でもライアンは、その抜け穴というのがどれなのかを決して言わなかった。

そして予想通り、二〇一七年に好機をつかんだライアンは減税を強行し、国の債務を二兆ドルほど増やしたけれど、抜け穴なんか何一つとしてふさがなかった。

その賞をライアンに授与する人々に、ライアンはインチキだよと言ってあげてもよかった。実際、第9部の最初の記事「デタラメ男」で、私は授与式の何ヶ月も前に言ってあげておいた。それでもライアンは計画、というか「計画」なるものを次々にでっちあげ、そのデタラメぶりはますます露骨になっていった――それなのにワシントンの相当部分は、彼に大いなる敬意を表し続けた。

でもライアンのまつりあげにつながるダマされやすさは、それ自体がもっと大きな現象の一部だった。財政赤字について騒いだ連中――「財政赤字イケマセン派」というのは誰かから拝借したのはまちがいないんだが、誰か覚えていない――は何度も何度も、本当の関心が財政赤字とはまったく関係なく、右派の政治アジェンダ促進にだけ興味がある連中を繰り返し鵜呑みにし続けた。第44章「ハイジャックされた委員会」で書いたように「本当の問題に対処するはずのプロセスが、イデオロギー的な狙いのためにハイジャックされてしまった」。このうちどれくらいがそうした人々のおめでたさによるもので、どれくらいがその財政赤字イケマセン派の真の動機だったのかは、興味深い問題ではある。

そしてそもそも、なぜそんな話が出てきたのか？　二〇一九年に、現代で最も影響力の高い（そして比較的政治色のない）経済学者の一人オリヴィエ・ブランシャールは、大量の証拠を使って財政赤字問題はすべて騒がれすぎだと主張した論文で、大きな話題を呼んだ。私も長年、似たようなことを言い続けてきた。でもブランシャールは見事にこの論点を訴えた。そしてその論点は、二〇一八年に中間選挙で大勝利をおさめ、二〇二〇年にホワイトハウスを奪還したら採用するアジェンダの費用をどうやって捻出しようかと民主党が考え始めてから、とても意義深いものとなった。とはいえ、本当に重要な論点は、どうやって捻出するかを考えた、というよりは、そもそも彼らがその費用を負担する気があるのか、という点ではあったのだけれど。

第43章 デタラメ男

二〇一〇年八月五日

アメリカ政治でがっかりさせられる側面の一つは、政治とメディアの主流派が詐欺師にすぐだまされるということだ。過去の経験からして、首都の内輪の人々は壮大な計画をぶちあげる保守派を警戒するだろうと思うかもしれない。が、残念でした。右派の誰かが、大胆な新提案があると主張するだけで、革新的なアイデアマンだと賞賛される。そして誰もその計画を検算しないということで、話は今日の革新的なアイデアマンに移ろう。ポール・ライアン下院議員だ。

ライアン氏はその「アメリカの未来に向けたロードマップ」のおかげで、共和党の新アイデアの代表選手となった。この計画は、連邦支出と税制の大改革を訴えている。マスコミ報道は圧倒的に好意的だ。月曜の『ワシントン・ポスト』は、一面でライアン絶賛の紹介を行い、共和党の財政の良心だと述べた。しばしば「知的に大胆」といった表現をされる人物だ。

でも大胆が聞いて呆れる。ライアン氏は思索の新しい材料なんか提供していない。一九九〇年代の残飯にデタラメソースを山ほどかけて持ち出してきただけだ。

ライアン氏の計画は、支出も税金も大きく減らせという。その両者の組み合わせで、財政赤字はずっと減ると思い込ませようとしている。『ワシントン・ポスト』の報道によると、彼は財政赤字について「破滅的な表現で」語るという。『ポスト』はまた、その計画が実際、財政赤字を激減させるだろうと述べる。「議会予算局の推計では、ポール・ライアン下院議員の計画は二〇二〇年までに財政赤字を半減させる」

でも予算局はそんな推計はしていない。ライアン氏の求めに応えて、支出削減提案が予算に与える影響を推計しただけだ。減税による歳入減は含まれていない。

無党派の税制政策センターが、その穴を埋めている。その数字を見ると、ライアン計画は歳入を今後一〇年で四兆ドル減らす。この歳入減を『ポスト』記事の挙げる数字に加えると、二〇二〇年の財政赤字はずっと大きくなり、ざっと一・三兆ドルにのぼる。

そしてこれは、オバマ政権の計画に基づいて二〇二〇年に生じるはずの財政赤字とほぼ同額だ。つまり、ライアン氏は財政赤字について破滅的な表現で語るかもしれないけれど、彼が提案する支出削減が可能だと思った場合ですら——可能なんかじゃないのだけれど——このロードマップで財政赤字は減らないのだ。中産階級への補助を削減し、金持ちには減税するだけだ。

そしてその減税は生半可なものじゃない。税制政策センターによると、ライアン計画は人口のトップ一%の富裕層に対する税金を半分にする。この計画の総減税額の一一七%はこのトップ一%のものになる。これは印刷ミスではない。トップ層には減税するのに、残り九五%は増税になるのだ。

最後に、支出削減の話をしよう。最初の一〇年で、ライアン計画による節約と称するものは、国内向けの裁量支出が一切増えないと想定している。これはエネルギー政策や教育、法廷制度まで実に様々なものを含む。これはインフレと人口増について補正したら、二五%削減に相当する。どうやってそんな熾烈な削減を実現するのか？　具体的にどの費目を削るのか？　ライアン氏は明言しない。

二〇二〇年以降、その節約と称するものの相当部分はメディケアへの大なたから生じる。現状のメディケアを解体し、高齢者にはバウチャーを渡して、それで自前の健康保険を買いなさいと告げるのだ。どこかで聞いた話だって？　そりゃそうだ。これは一九九五年にニュート・ギングリッチが売り込もうとしたのと同じ計画なのだもの。

そしてメディケア・アドバンテージ計画での経験から、バウチャー方式だと費用は現状の方式より下がるどころか、かえって上がるのがわかっている。ライアン計画がお金を節約できるとしたら、そのバウチャーをまともな保険が買えないほど少額にするしかない。金持ちの高齢アメリカ人は、そのバウチャーを自分の資金で補い、必要な医療を得られるだろう。その他のみんなは見捨てられる。

実際には、たぶんこれは実現しないだろう。高齢アメリカ人は激怒するだろう——そして彼らは選挙に行く。でもこれはつまり、ライアン計画による予算節減と称するものはインチキだということだ。ならばなぜワシントンの実に多くの人々、特にマスコミはこんなデタラメにのせられているんだろうか？　単に計算ができないというだけではない——それも問題の一部ではあるけれど。それは自称中道派たちが、現代の共和党の現実に直面したがらないせいなのだ。共和党にまだ筋の通った主張をする人がいるというふりを、圧倒的な反証にもかかわらず続けたいのだ。そしてもう一つ、権力へのへつらいがある——共和党は復活した政治勢力だから、その知的ヒーローが裸だなんて指摘しちゃいけません、というわけだ。

でも実際に裸なのだもの。ライアン計画はインチキで、アメリカの財政的な将来をめぐる論争に有益な貢献は一切しない。

第44章 ハイジャックされた委員会

二〇一〇年一一月一一日

オバマ大統領が、財政規律改革全米委員会を創設したのは大まちがいだと最初から思っていた一人が私だ。これはアメリカの長期的な財政問題への解決策を考案するはずの、超党派パネルだとされていた。この委員会の顔ぶれが発表されてすぐ、その「超党派」というのがワシントンのいつもの話のがはっきりした。中道右派と強硬右派との妥協、という意味だ。

この委員会の共同議長の見解がもっとはっきりするにつれて、私の疑念は深まった。民主党共同議長アースキン・ボウルズが、実に共和党めいた小さな政府をアジェンダとして掲げているのはすぐに明らかになった。一方、共和党の共同議長アラン・シンプソンは、全米高齢女性連盟の長官あてに罵倒メールを送りつけ、その中で社会保障制度を「おっぱいが三・一億個ついた乳牛」と呼んでみせ、実に正直なブローカーぶりをあらわにしてくれた。

つまりこの委員会からまともなものは何も出てこないということは、とっくの昔にわかっていた。でも水曜日に、この共同議長たちが提案の概要を示すパワーポイントを発表してみると、それは皮肉屋たちが予想したよりもさらにひどい代物だった。

まず「我々を導く原則と価値観」の宣言から始めよう。その中に「歳入の上限をＧＤＰの二一％に抑える」というのがある。これが導く原則なの？　そしてなぜ財政収支均衡へのあらゆる道を見つけるという使命を与えられた委員会が、歳入に上限を設けたりするの？（そしてなぜ下限はないの？）

税制改革の部分にやってくると、事態ははっきりする。ボウルズ&シンプソン両氏の改革目標は、七項目の箇条書きになっている。最初の項目は「税率引き下げ」、最後のものが「赤字削減」だ。財政赤字を減らすはずの委員会が、どうやったらまっ先に税率引き下げを掲げ、赤字削減は一覧の文字通り最後に追いやられるような委員会になってしまったのか？

でも実は、この共同議長たちが提案しているのは、減税と増税の混合だ――金持ちは減税、中産階級は増税。あなたがどう思うにせよ、中産階級のアメリカ人にとっては重要な免税措置――健康補助金や住宅ローン金利の税制控除――をなくし、そこで生じた歳入を、財政赤字削減ではなく、所得税の最高部分の税率と法人税の大幅引き下げに使えという。

数字の分析には時間がかかるけれど、この提案は明らかに所得を、中産階級からごく少数の金持ちアメリカ人に移転させるという所得移転になっている。そしてそれが財政赤字削減に何の関係があるんだろうか？

今度は社会保障を見よう。以前から、この委員会は引退年齢の引き上げを提言すると噂されていて、ボウルズ&シンプソン両氏はまさにその通りのことをやった。年金支給年齢を、平均寿命の延びにあわせて引き上げろという。これはまともな提案だろうか？

答はノーだ。理由はいろいろある――一つには、六九歳まで働くというのは、ホワイトカラー職なら可能かもしれないけれど、まだ肉体労働をしている多くのアメリカ人にとってはずっとむずかしいからだ。

でもそれ以上に、この提案はどうも決定的なポイントを見逃しているようだ。平均寿命は確かに上がっているけれど、寿命が延びているのは主に高所得者で、まさに社会保障を最も必要としない人々だということだ。所得分布の下半分の人々の期待寿命は、過去三〇年にわたりほとんど延びていない。

だからボウルズ＝シンプソン提案は基本的に、企業弁護士たちは最近ずいぶん長生きするから、下働きの連中をもっと長く働かせろと言っているわけだ。

それでも、いろいろ欠点はあれ、ボウルズ＝シンプソン提案はアメリカの長期的な税制問題に取り組もうとする真面目な試みだとは言えないの？　言えませんな。

確かにパワポには赤字が減って債務水準が安定化するすてきなグラフが出てくる。でも何が起きているか調べるだけの時間を少しかければ、そのすてきなグラフを動かしている原動力は、医療費の伸び率が激減するという想定だというのがわかる。そしてどうやってそれを実現する？　「定期的に費用増大を評価するプロセスの確立」と「必要に応じて追加措置を講じる」こと。どういう意味？　見当もつきませんや。

財政赤字委員会に何が起きたのかは、不思議でもなんでもない。現代のワシントンで実にありがちなことととして、本当の問題に対処するはずのプロセスが、イデオロギー的な狙いのためにハイジャックされてしまったわけだ。財政問題に取り組むというポーズの下で、ボウルズ＆シンプソン両氏はまたもや同じものを蒸し返そうとしている——金持ち減税と社会セーフティネットの解体だ。

この残骸から何か救えるものはあるだろうか？　私は怪しいと思う。赤字委員会には、さっさと店を畳んで失せろと言ってやろう。

第45章 ライアン計画の中身とは

『ニューヨーク・タイムズ』ブログ
二〇一二年八月一六日

コメントで何人かが、ライアン計画の実際の中身は何なのかまとめてくれと求めている。だからこれは、そうした便宜のためのものだ。

まず理解すべき点は、この計画にはいくつか変種があるということだ。細かい点ではちがっているけれど、全般的な方向性は同じだ。実は、最も党派性のない分析は、私に言わせると最初のバージョンに対するCBO（議会予算局）報告だ。いま言ったように、細部は変わるけれど、全般的な考え方は同じだ。

じゃあ計画の中身とは？　まず、最初の一〇年（これは現状のメディケア解体が始まる前だ）とその後とを区別して考える必要がある。

最初の一〇年

最初の一〇年だと、大きなポイントは（1）メディケイドを一括補助金プログラムに変換し、支給額を現在の法制での予想よりずっと減らすこと、（2）トップ税率と法人税の大幅削減だ。

これは財政赤字削減策だろうか？　表向きはちがう。基本的には、貧困者への補助削減と、金持ち向けの減税のトレードオフで、この提案全体の純影響は赤字を減らすどころか増やす。それなのにライアンは、財政赤字が大幅に減るという。それを可能にしているのが二つの巨大な「魔法のカッコ」だ。まず、減税が歳入を引き下げない、なぜなら中身不明の「税収基盤拡大」で相殺されるから、と主張する。CBOはこう説明する。「歳入のGDP比はライアン議長のスタッフが提供したものである。経路は二〇一〇年にGDPの一五％だったものが、二〇二八年には一九％となり、その後その水準でとどまる。この経路を生み出すような具体的な歳入についての説明は何もなかった」

税制政策センターのハワード・グレックマンはこの説明なしの歳入減を「謎の肉」と呼び、そんなものは絶対に実現しないと強く示唆している。

第二に、現行の政策に比べて裁量的経費に大きな削減が想定されている——またもやCBO報告はこう述べる。「他の義務的経費と裁量的経費の組み合わせは、二〇一〇年にGDPの一二％から、二〇二一年には六％に減ると指定されており、その後二〇二二年からはGDP価格デフレータにあわせて変動し、おかげでGDPに比べてさらに低下がもたらされる。この経路を生み出すのがどのような削減かについての提案は指定されていない」

だからライアンの赤字削減策について誰かが話しているのを耳にしたら、最初の一〇年の赤字削減と称するものはすべて、どこからともなく現れた歳入や支出の数字だけに基づくものでしかなく、「計画」で実際に記述された政策の結果から生じているものは一切ないという点には留意しよう。

最初の一〇年が過ぎたら

最初の一〇年が過ぎたら、メディケアはじょじょにバウチャー方式に切り替えられ、そのバウチャーの価値は予想された医療費をはるかに下回るものとなる。それでも、赤字削減とされるものの大半はメディケアからではなく、変動歳出を対GDP比でさらに削減して、GDPの三・五％にすることからきている。ここでもまた、それを具体的にどう実現するかについては何も説明がない。ちなみにこの数字は、現状ではGDPの四％を占める国防費を含んでいることはお忘れなく。

これがまともな計画と言えるのか？

ライアンは基本的に、大きなものを三つ約束している。メディケイドへの大なた、法人と高所得者への減税、メディケアを大幅に資金不足のバウチャー制度で置き換え。こうした具体的な提案をまとめると、実は最初の一〇年もその先も財政赤字はかえって増える。

だから大規模な赤字削減という主張は、魔法のカッコにかかっている。その意味でこれは計画とすら言えず、単なる無内容な主張でしかない。

第46章
溶ける雪だるまと政府債務の冬

二〇一九年一月九日

政府債務の冬をご記憶だろうか?

二〇一〇年末と二〇一一年初頭、アメリカ経済は二〇〇八年金融危機からろくに回復し始めてもいない状態だった。労働力の九%ほどがまだ失業していた。長期失業はことさらひどく、六〇〇万人以上のアメリカ人が六ヶ月以上も職を見つけられずにいた。だからほとんどの経済政策議論の焦点は、継続中の雇用危機になるはず、と思うだろう。

が、残念でした。ワシントンは政府債務にばかりこだわっていた。シンプソン゠ボウルズ報告が世間の話題をさらっていた。ポール・ライアンの熱心な(そしてもちろん偽善的な)連邦債務糾弾はメディアの絶賛と各種の賞を受けた。そして首都の連中が抱く債務へのこだわりと、共和党による下院支配と、州政府が大きく右旋回したことで、アメリカは高失業下では空前の政府支出削減期に突入しようとしていた。

この政策変更について、厳しく抗議した人もいた。大量失業のときに財政緊縮なんかすべきじゃないという主張だ。そしてそう述べた私たちはおおむね正しかった。なぜ「おおむね」でしかないのか? それは財政緊縮をやるべき時期などというのがそもそも存在するのかも、ますます怪しくなりつつあるからだ。債務へのこだわりは完全雇用でもばかばかしく思えつつある。

これがアメリカ経済学会でオリヴィエ・ブランシャールの行った会長演説から私が理解したメッセージだ。公平を期すべく言っておくと、ブランシャール——世界最先端のマクロ経済学者で、前職はIMFのきわめて有力な主任エコノミスト——は主張面では慎重を期し、債務なんかまったく気にしなくていいなんていうMMTまがいのことは言わなかった。でもその分析はそれでも、債務を何とかしろというこだわり（そう、まだそういうことを言う連中がいる）がいかにバカげているかをますますはっきりさせている。

ブランシャールはまず、国債の金利がかなり低いというありがちな指摘から始めた。これだけでも、公的債務についての懸念が誇張されすぎだということはわかる。でも、彼はもっと具体的な指摘をする。公的債務の平均金利は、経済の成長率より低いのだ（r＜g）。さらに、これは一時的な逸脱なんかじゃない。金利が成長率より低いのは、実は普通のことで、そうなっていないのは一九八〇年代のかなり短い一時期だけなのだ。

それがどうしたって？　実は低金利については、二つのちがった、でも関連しあった意味合いがある。まず、公的債務が暴走して拡大スパイラルに陥るという恐怖は思い込みに基づくものでしかない。次に、民間投資を増やすのは、あまり優先度の高い話ではない。

最初の点について。公的債務への非難には通常、債務が雪だるま式にふくれあがるというおっかない警告がついてくる。つまり、債務が増えると利払いが増え、それが赤字を押し上げ、債務がさらに増え、それがさらに利払いを増やし、というわけだ。

でも政府の返済能力にとって重要なのは、債務の絶対水準ではなく、課税基盤と比べたときの水準だ。課税基盤は基本的には経済の規模に対応する。そしてGDPの金額は通常、成長とインフレの両方のせいで次第に増える。他の条件が同じなら、これは次第に雪だるまを溶かす。債務の絶対額が増えていても、財政赤字がほどほどなら、GDP比は下がる。

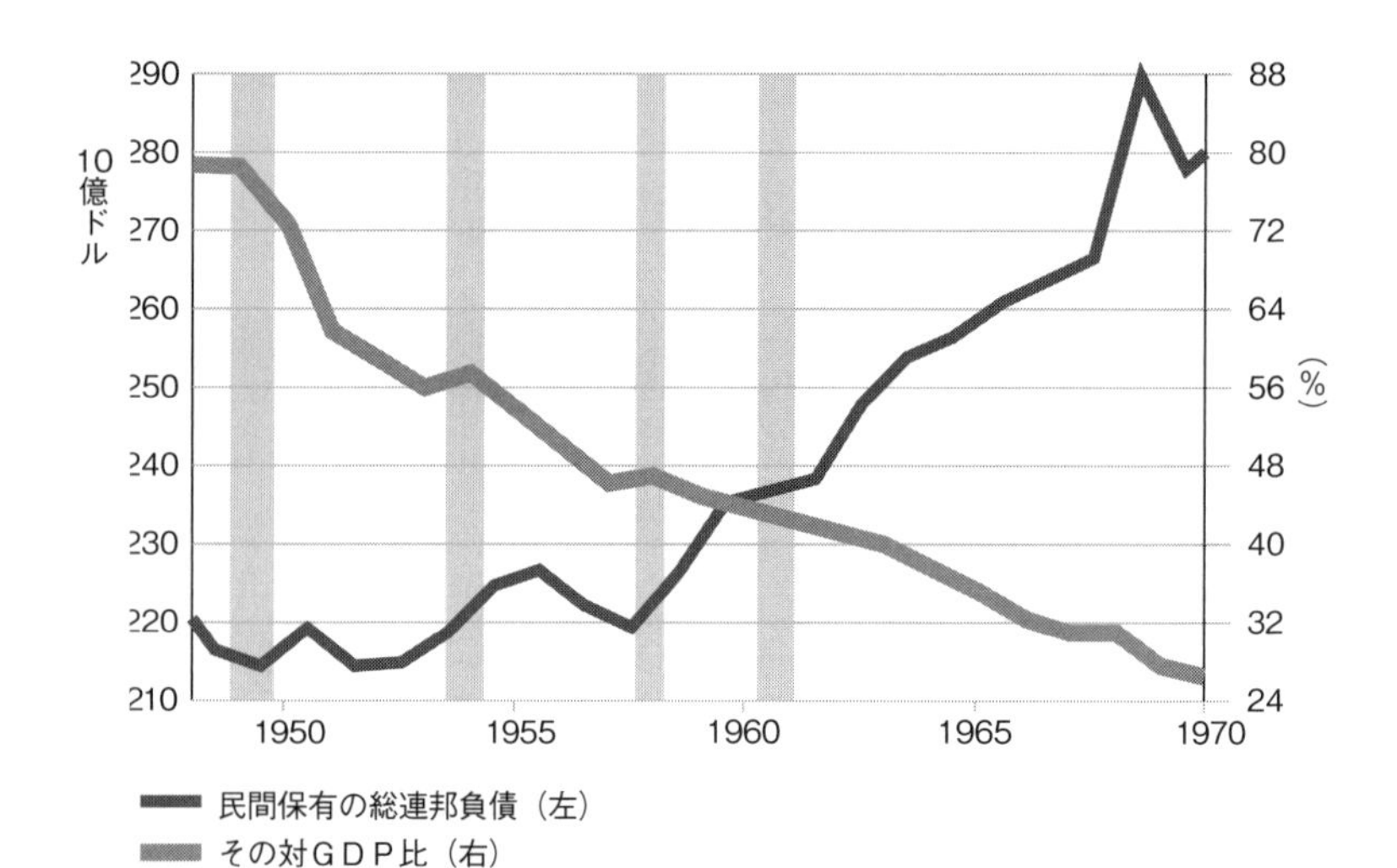

図 46.1 アメリカ公的債務の総額と対 GDP 比　出所：アメリカ経済分析局、経済諮問評議会

古典的な例が、第二次世界大戦でのアメリカの負債がどうなったか、というものだ。いつ、どうやって返済されたのだろうか？　答は、返済なんかしていない、というものだ。でも図46・1が示すように、ドル債務が増えても、一九七〇年までに成長とインフレのおかげで、債務はGDP比で見ると十分に扱いきれるものとなっている。

そして金利がGDP成長より低いなら、この効果はつまり債務は一般にひとりでに溶けて消えるということだ。高い債務水準だと利払いは増えるけれど、でも溶解も加速するし、そちらの影響のほうが強く効いてくる。自己強化的な債務スパイラルはそもそも起きないのだ。

ブランシャールの第二の論点は、もっと細かいながらも重要だ。一般に、債務イケマセン派は政府の返済能力への脅威だけでなく、成長についても警告する。その主張としては、高い公的債務は現在の消費を増やし、そのぶん将来への投資が減る、ということになる。

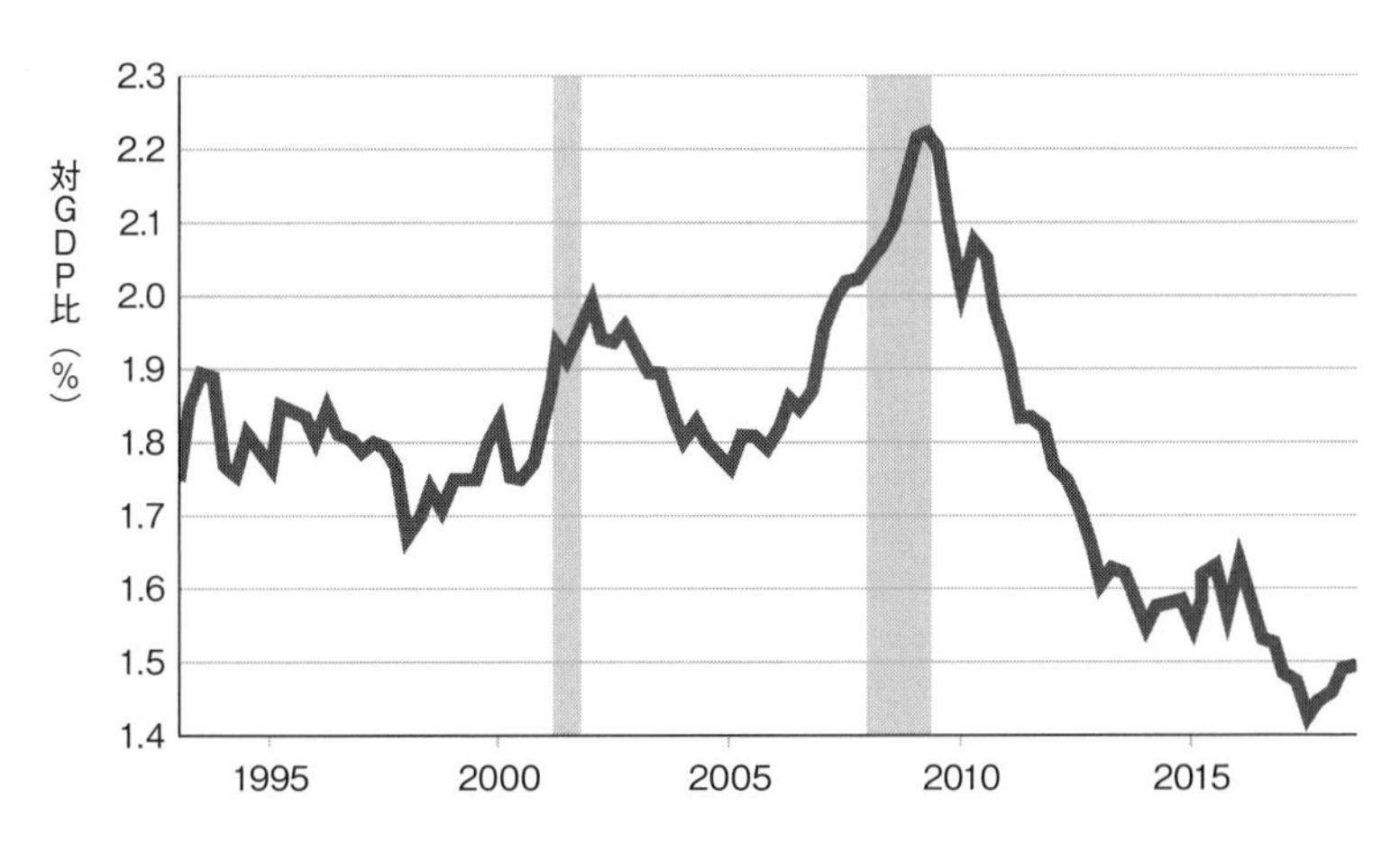

図 46.2 アメリカの公共建設費　出所：アメリカ経済局、アメリカ国税局

確かに高い債務は、おそらく経済が完全雇用に近ければそういう効果を持つだろう（とはいえ二〇一〇‐二〇一一年のアメリカでは、赤字支出が増えれば民間投資は減るどころか増えたはずだろうが）。

　でも消費を抑えて投資のリソースを増やすのがどれほど重要なのだろうか？　ブランシャールが指摘するのは、低金利は民間部門が投資収益率を低く見ているという証拠だということだ。だから民間投資へのリソースを増やしても、成長は大して変わらないはずだ。確かに、投資収益率はアメリカ国債のような安全資産の金利よりは高い。でもブランシャールは、それが多くの人の思っているほどは高くないということを指摘する。

　これはつまり、みんな飲めや喰えやで騒ぎ、将来のことなんか考えるな、ということだろうか？　ちがう——が、問題は民間投資ではない。というのも、あまり高い収益率がないからだ。ブランシャールはそうは言わないが、たぶんむしろ懸念すべきなのは、無視されてきて明らかな欠陥に苦しんでいる、インフラへの公共投資だ。

でも債務へのこだわりは公共投資を増やすどころか減らす。図46・2は公共建設を対GDP比で示している。オバマ景気刺激策の間はちょっと増えたが（これはGDPが下がっていたせいもある）、その後空前の低水準に落ち込んで、そのままだ。債務イケマセン派は、将来世代の面倒を見るとあれだけ言うくせに、将来の見通しを改善するどころか、まちがいなく悪化させている。

ちなみに、債務について心配するなという理由として、景気循環がらみの話には触れてもいないことに注目。慢性的な低金利環境は長期停滞の懸念を生み出す――FRBに十分な対抗手段がないので、手のほどこしようがない景気停滞が繰り返されるという傾向だ。そしてこうした停滞は長期的な経済成長も減らしかねない。二〇〇八年以来の経験は高いヒステリシスを示唆している。つまり一見すると短期の景気停滞が、長期の経済ポテンシャルを引き下げる結果になりかねないということだ。

でもそうした懸念なしでも債務はあまりに問題として誇張されているようで、二〇一〇－二〇一一年に公的な議論の核心にあるのが失業ではなく債務だったというのは、ますます残念に思えてくる。

第47章　民主党、債務、日和見主義

二〇一九年二月一一日

ドナルド・トランプの一般教書演説の相当部分は、アメリカが直面しているという災厄の話に割かれていた――主におっかない褐色の人々による災厄だけれど、社会主義という災厄もあった。そして、こうした話題についてトランプが何を語ったかについては、メディアでいろいろ喧伝された。でも、教書演説で最も示唆的だった側面の一つについては、ほとんど報道がなかった。それは、トランプがアメリカの空前にでかい政府債務がもたらす災厄について述べたことだ。

おいちょっと待った、トランプは債務についてなんか何も言わなかったぞ、と反対する人もいるだろう。その通り――一言も言わなかった。でも、まさにそれが示唆的なのだ。

結局のところ、共和党はオバマ政権の間中ずっと、債務の危険性についてあげつらい、財政赤字を激減させないと危機が目先に迫っていると警告していた。でも政権を握ったいま――そして企業と金持ち向けの大減税で赤字がふくれあがっている状況で――彼らはこの話題を完全に放棄した。

ＡＢＣニュースによると、トランプの首席補佐官代行ミック・マルヴァニーは共和党議員たちに、なぜ債務が教書演説で一言も触れられるべきでないかについて説明したという。「誰も気にしていないから」だそうな。

そして確かに、その通りではある。債務について気にするのをやめたのは、共和党だけじゃない。

長年にわたり、債務イケマセン派は首都圏の議論の主流だった。マスコミのほとんどは、財政緊縮が喫緊の課題だというのを疑問の余地のない事実として扱い、報道の中立性という通常のルールを放棄して、露骨な党派支持に陥った。なのにトランプ当選以来、そうした声が奇妙なほど聞こえなくなった。

つまり、いま裏付けが確認された事実は、当初から私たちの一部が言い続けてきたことそのものだ。債務についてのあんな大騒ぎは偽善でしかなかったということだ。

共和党は、債務のことなんか本気で気にしたりはしていなかった。バラク・オバマ大統領の足を引っ張る手段として、財政赤字タカ派のふりをしていただけだ。そして多くの中道派も実は日和見主義者でしかなく、債務について激しく懸念するのは民主党政権のときだけ、というのが露呈した。

でもこの債務に関する日和見は、すでに述べたようにきわめて示唆的ながら、まだ二つ大きな問題がある。そもそも、債務についてはどのくらい心配すべきなのか？　第二に、こんな日和見主義は今後も続くだろうか？　つまり債務イケマセン派は民主党が政権を取ったら、またいきなり声高になるのだろうか？

最初の問題について。二〇一一年頃に頂点を迎えた債務へのこだわりについて驚かされるのは、経済分析の裏付けがほとんどなかったということだ。それどころか、財政政策について知っていることのすべては、失業が高く金利が低いときには財政赤字削減にこだわるのがまちがいだと告げている。でも債務イケマセン派が最も声高だったのは、まさにそういう状況だった。

いまや失業が下がったので、債務を懸念する理由は少し高まった。でもいまだに金利は歴史的に見てとても低い――インフレ調整後で一％に満たない。これは低すぎて、利払いがふくれあがり財政赤字を引き起こすような、雪だるま式の債務拡大を恐れる必要なんかない。また民間投資需要の慢性的な弱さが大きな問題だということも示唆している（ちなみに、二〇一七年の減税でも民間投資はまるで回復しないようだ）。

だから過去数ヶ月で、多くの有力な経済学者——国際通貨基金（ＩＭＦ）の元主任エコノミストと、オバマ政権のトップ経済学者たちを含む——は、これだけ失業が減っても、債務はいままで思われていたような懸念材料では全然ないと述べる分析を発表している。

ダメな理由で債務を増やすのは、いまだによくないことではある——たとえば企業に減税して、その企業が余ったお金で自社株の買い戻しをするだけ、といったようなことだ。共和党はまさにこれをやった。でも超低金利で借り入れて、将来のための投資——もちろんインフラもあるけれど、明日の労働者となる若者の栄養状態や医療といったものもある——をまかなうのは十分に理に適っている。

ということで、話は日和見の問題に移る。

「グリーン・ニューディール」の提案のすべてに同意しなくても、それが単なるバラマキではなく投資プログラムなのだということはわかるはずだ。だからこうした提案についてのコメントの多くが、どうやって民主党がその財源を確保するのかについての詳細な説明をすぐに出せというものだったり、そのすべてを非現実的として一蹴するものだったりしたのには、とてもがっかりさせられた。共和党の減税について同じような反発があっただろうか？　ない。

結局、これはもういやと言うほど繰り返されたパターンだ——一九八〇年以来、もう三回だ。共和党は、野党になると財政赤字大反対を展開し、自分が減税できる立場になったらそうした懸念をかなぐり捨てて、赤字を好きなだけ増やす。そして民主党政権は、自分の政策を進めるよりも共和党の尻拭いをしろと言われる。もううんざりだ。

別に民主党が自分たちの行動の財政的な影響を完全に無視しろと言うんじゃない。本当に大規模な支出は、特にそれが明らかに投資ではない場合——たとえば連邦医療支出の大幅拡大など——新しい税金でまかなうしかない。でも民主党が政策を立てる側になったら、野心的になるべきだ。そして債務イケマセン派に縮小に追い込まれてはいけない。

第48章　進歩的な政策の財政負担について

二〇一九年二月一九日

民主党の大統領候補指名を受けるのが誰にせよ、その人物は一部は政府支出を増やすという提案を掲げて出馬することになる。そしてそれがどういう意味かはわかるだろう。財源はどうするか説明しろ、とその候補は言われることになる。こうした要求の多くは悪意に基づくもので、減税についてはそんな質問をしたことのない連中から出てくる。でも進歩的な政策の財政的な側面について、本当にまともな質問もある。

うん、それについては少し考えがある。それは税制と支出の両方についての、エリザベス・ウォーレンの提案を見たことで思いついたものだ。ちなみに、ウォーレンが指名を受けるかどうか、受けるべきかどうかについてはわからない。でも大きな知的存在だし、彼女個人がどんな道を歩むにせよ大きな影響力を持つ形で、民主党を真面目な政策議論へと向かわせている人物ではある。

特にウォーレンの児童に関する最新の提案——およびそれに対するいつもの連中からの即座の反発——を見ると、歳出提案について、その財源に基づいていくつか大まかな分類ができそうだ。具体的には、進歩的な支出には三つの大分類があると言えそうだ。投資、給付金の拡大、大規模な制度改革。このそれぞれについて、財政的にはちがった観点から考える必要が出てくる。

まずは投資だ——具体的にはインフラ支出や研究投資だけれど、幼児発育支援といった支出をここに含める余地もあるかもしれない。この分類を決定づける特徴は、それが社会の将来の生産性を高めるものだということだ。そうした支出の財源はどうする？

答は、必要ないというものだ。政府を企業のように経営しろという人々がたくさんいる。実はそんなことはすべきではないのだけれど、でもこの二つの組織には共通点もある。安く資金調達してそれを高収益プロジェクトにまわせるなら、借金はしたほうがいい、ということだ。そしていまの政府の借り入れ費用はとても低い――インフレ調整後で一％に満たない――一方で、公共投資は足りなくて困っている。つまり公共投資には高い社会的収益率があるということだ。だから、財源なんか心配せずにやるべきだ。

グリーン・ニューディール[*1]に含まれるらしいものの大半はこの分類に入る。それが公共投資計画である以上、支持者に財源を示せと要求するのは非難者たちが経済学をわかっていないだけで、グリーン・ニューディールの論理の問題じゃない。

第二の分類は少し定義しづらいけれど、念頭にあるのは既存の公共事業を拡大したり、社会的に望ましい民間活動を拡大するためのインセンティブづくりに補助金を使うようなものだ。いずれの場合も、必要となる金額は大きいけれど、巨額ではない。ＧＤＰの一％に満たない金額だ。

アフォーダブル医療法（オバマケア）はここに含まれる。それはメディケイドを拡大し、規制と補助金の組み合わせを使って新しいメディケアの受給基準を超えてしまう世帯に対し、民間医療保険を手の届きやすいものにした。ウォーレンの児童ケア提案は、報道によればＧＤＰの三分の一％ほどの費用らしいので、やはりここに含まれる。また人々に無料の政府医療保険をつけるのではなく、それを人々が購入できるようにするという「メディケア・フォア・オール」提案もこの分類だ。

この種の政策について借り入れを正当化するのは、投資での借り入れ正当化よりもむずかしい。確かに、金利が低くて需要が弱いなら、財政赤字を持続させても問題はない。でもそんな余力があるなら、投資のほうでもっと使い道があるはずだ。だから何らかの財源は欲しい。でも金額はかなり小さいから、必要な歳入はかなり狭い税金でまかなえる——特にアメリカの高所得者層にだけ適用される税金で何とかなる。

実際、オバマケアの財源はそういうものだった。歳入部分は、高所得者への課税がほとんどだった（日焼けパーラーへの課税といった小銭もあったが）。そしてウォーレンは実際、金持ちへの増税を提案している——五〇〇〇万ドル以上の資産への課税は、児童ケア政策の資金の四倍くらい捻出できる。

だから給付金拡大は、高所得者と高額資産課税でまかなえるはずだ。中産階級の負担にはならなくてすむ。

最後に、第三の分類は大規模な制度改革だ。その代表例は、雇用者ベースの民間健康保険を、税金を財源とする公的プログラムに置きかえるというものだ——メディケア・フォア・オールの最も純粋なバージョンとなる。社会保障（年金制度）の本当に大規模な拡大もこの分類に入るかもしれないが、ちょっとした拡大はここに含まれない。

この分類に入る提案は、給付金拡大に比べて文字通り桁ちがいに大きい。民間健康保険は現在、GDPの六％だ。こうした提案を実現するには、ずっと歳入を増やさなくてはならない。そのためには給与所得税や、付加価値税が必要で、これは中産階級に影響する。

ほとんどの中産階級はこうした改革のおかげで得をするとは言える。追加の便益は増税分を補って余りあるはずだ、と。そしてたぶんその通りだ。でもこれは政治的にずっと実現しにくい。多くの進歩派は大規模な制度改革を望んではいるけれど、現状でそれを民主党の大統領選の提案に含めないほうがいいかも、というのはネオリベラル派でなくてもわかる。

でも私の大きな論点は、人々が進歩的な政策をバカげた実現不可能なものとあざ笑うとき、それは基本的にはその当人の偏見と無知をあらわにしているだけだということだ。投資は借り入れでまかなえるし、そうすべきだ。給付金拡大は、高所得者の増税でおおむねまかなえる。ハワード・シュルツにはお気に召さないかもしれないけれど、それはシュルツが自分でどうにかしてくれ。

＊1訳者注：グリーン・ニューディールは、アレクサンドリア・オカシオ＝コルテズ下院議員らが提案した民主党進歩派の政策パッケージで、莫大な再生可能エネルギー投資による温暖化対策と、新産業および国内雇用の創出を主軸としている。

第10部

減税

究極のゾンビ

一九八一年八月にロナルド・レーガンは大減税を可決させた。たまたま、アメリカ経済は不況に突入しつつあった――一九七九－一九八二年の、多くの人が「二重底不景気」と考えたものの第二フェーズだ。これは失業を大恐慌以来最高の水準に押し上げた。でも一九八二年末になると、経済は回復を見せ、二年にわたり急成長してから、通常運行に戻った。

お気づきかもしれないが、一九八一年というとずいぶん昔だ。IBMが初のデスクトップパソコンを発表した年だが、すべてのコマンドをキーボードで打ち込まねばならないものだった。スマートフォンの登場は何十年も先だ。社会問題への人々の態度は現代の基準からすると、天地ほどの開きがある。たとえば当時、アメリカの白人で異人種間の結婚が容認できると考えていたのはたった三分の一だ。

でも今日に到るまで、保守派たちはその二年間の成長を、金持ち向け減税の魔力の証明だとして掲げ続けている。

実は、彼らは一九八二－一九八四年に起きたことさえまちがって理解している。一九八〇年代初頭の不景気は、おおむねFRBが意図的につくり出したもので、高いインフレ率を押し下げるために金利を大幅に引き上げたせいで生じた。一九八二年にはFRBも折れて、金利を大幅に引き下げた。一九八二－一九八四年の好況をおおむね説明してくれるのは、レーガンの減税ではなく、この金融緩和だ。

でもこの誤解を度外視しても、どうして右派はお気に入りの政策を正当化するのに、こんな昔の出来事をしつこく蒸し返すんだろうか？　どうしてもっと最近の成功例について何か言わないんだろうか？

それは、そんな成功例が一つもないからだ。

金持ちの税金を下げるのが繁栄の秘密だというドクトリンは、一九八〇年代以来何度も試されてきた。一九九三年にビル・クリントンが増税し、保守派が大惨事を予言したときも検証された。実際に起きたのは莫大な景気拡大だった。ジョージ・W・ブッシュ政権がまた減税したときにも検証された。このとき支持者たちは好況を約束した。実際に生じたのは、みすぼらしい成長に続いて金融崩壊だ。二〇一三年にバラク・オバマがブッシュ減税の一部の期限切れを放置し、他の増税も行ってオバマケアの費用を捻出したときにも検証された。経済は何事もなく動き続けた。

最後に、二〇一七年に大減税を可決させ、さらなる経済の奇跡を約束したドナルド・トランプもこれを検証した。二〇一九年一月というかなり余裕を持たせた後ですら、トランプ減税はかなり期待はずれに見えていた。

また州のレベルでも検証は行われた。二〇一一年にカリフォルニア州とカンザス州は正反対の方向に動いた。カリフォルニアは右派からの「経済的自殺行為だ」という声の中で増税し、カンザス州は経済活性化を約束して減税した。ところがカリフォルニア州では何も問題が起こらず、カンザス州は財政危機に陥り、共和党議員たちは多くの減税を取り消す羽目になった。

要するに、これほど徹底して検証され、徹底して否定された経済ドクトリンは他にない。金持ちの低税率が万人にとってすばらしい結果をもたらすという主張も同様だ。それなのに、このドクトリンは消える気配がない。それどころか、共和党への掌握力を一層高め、いまや共和党でこれに疑念を表明する勇気のある人はほとんど誰もいない。

もともと「ゾンビ思想」という表現を見たのは、とんでもない話だがカナダの医療に関する記事の中だった。その記事は、大量のカナダ人たちが絶えずアメリカに流れ込んで医療を求めているといった主張のような、まちがった主張を指すものとしてこの用語を使っていた。その記事が指摘するように、この主張は何度も否定され、カナダの医療システムへの非難としてはすでに死に絶えて然るべきだ。それなのに、ひたすらうろつき続けるばかりで、人々の脳を食い荒らし続けている。

でも金持ち減税の魔法に対する信仰は、究極のゾンビだ。そして正直言えば、なぜそれが殺せないかを理解するのはそんなにむずかしいことじゃない。結局、金持ちへの低い税率がすばらしいという信仰が続いて、得をするのは誰だろうか？　億万長者が何人か、その資産のほんのごく一部を使い、減税ウィルスを喜んで広めようとする政治家、シンクタンク——「シンク」（考える）かどうかは怪しいが——や党派的なメディアを雇えばすむ話だ。それだけでゾンビはヨタヨタと蠢き続ける。

第10部の一部論説は、そうしたゾンビの頭を再び撃ち抜こうとする努力の結晶だ。なんといっても、続けるしかないからだ。

でも重要な点がある。世間はこの減税のメッセージにだまされたことは一度もない。世論調査を見れば、有権者は常に金持ちにもっと税金を支払わせるべきだと考え、負担を減らしてあげようなどとは思っていない。そして特に二〇一八年中間選挙以来、一部の民主党員は大胆になり、再び高所得者や極端な資産保有への課税を提案し、それを財源に社会的な優先事項を実現しようと提案し始めている。第10部の最後の部分では、そうしたアイデアの一部について話した。

第49章 トゥインキー宣言

二〇一二年一一月一八日

アメリカを代表するお菓子の一つトゥインキーが発表されたのは、はるか昔一九三〇年のことだった。でもアメリカ人の記憶の中だと、このアイコン的なお菓子は永遠に一九五〇年代の想い出となっている。製造元のホステス社は、『ハウディー・ドゥーディーショー』のスポンサーとなることで、このブランドの知名度を一躍高めたのだった。そしてホステス社の倒産は、一見するともっと純粋だった時代に対するベビーブーム世代の大きなノスタルジーの波を引き起こした。

言うまでもなく、一九五〇年代は純粋なんかじゃなかった。でも五〇年代——トゥインキー時代——は確かに、二一世紀でも相変わらず意義深い重要な教訓を教えてくれる。何よりも、戦後アメリカ経済の成功は、今日の保守派正統教義とは裏腹に、労働者を見下して金持ちにへつらったりしなくても繁栄は実現できるのだということを示している。

金持ちへの税率という問題を考えてほしい。現代アメリカ右派および自称中道派の大半は、トップ層の税率を引き下げるのが成長には不可欠だという発想に取り憑かれている。財政赤字を減らす案を考案しろと言われたアースキン・ボウルズとアラン・シンプソンが、なぜか「主導原理」として「税率引き下げ」を掲げたのを思い出そう。

でも一九五〇年代の最高所得層への限界税率は九一％だった。そう、九一だ。そして企業利潤からの税収は、国民所得比で見れば近年の二倍だった。最高の推計によれば、一九六〇年頃にアメリカ人のトップ〇・〇一％の高所得者は、実効連邦税率が七〇％以上、現在の二倍だった。

また金持ちビジネスマンが耐えねばならなかった負担は、高い税率だけではなかった。今日では想像もつかないほどの交渉力を持った労働組合にも対処する必要があった。一九五五年には、アメリカ労働者のざっと三分の一が労働組合に入っていた。最大級の企業では、経営陣と労働者は対等に交渉したので、企業は単に株主に奉仕するのではなく、多数の「ステークホルダー」に奉仕するのだというのがごく当たり前だった。

高い税率と強い労働者の板挟みとなった重役は、それ以前やその後の世代の基準からすると、相対的に困窮していた。一九五五年『フォーチュン』誌は、「トップ重役の暮らしぶり」という論説を掲載し、彼らのライフスタイルが以前に比べるといかに慎ましいものとなったかを強調した。一九二〇年代の広大な邸宅、大量の召使い、巨大ヨットはもう存在しなかった。一九五五年の一般的な重役は『フォーブス』によると、小規模な郊外住宅に暮らし、パートのお手伝いさんしか雇わず、自分でかなり小さな舟を操った。

データを見ると『フォーチュン』の印象は裏付けられる。一九二〇年代から一九五〇年代にかけて、最も豊かなアメリカ人の実質所得は、中所得層との比較にとどまらず、絶対額でも激減した。経済学者トマ・ピケティとエマニュエル・サエズの推計によると、一九五五年にアメリカ人トップ〇・〇一％の実質所得は、一九二〇年代末に比べると半分に満たず、総所得に占める彼らのシェアは四分の三も減っていた。

もちろん今日、大邸宅や召使いの群れやヨットは復活し、その規模は空前だ——そしてその富豪たちのスタイルを少しでも傷つけそうな政策を匂わせでもしたら、「社会主義」と糾弾される。実際、ロムニーの選挙戦はすべて、オバマ大統領によるトップ所得層の税率を少し上げるという脅しと、一部の銀行家たちがよからぬ振る舞いをしたと示唆するだけの厚顔さが経済を潰しかけている、という想定に基づくものだった。それが事実なら、大富豪にはるかに厳しい一九五〇年代の環境は、経済的な大惨事だったはず、なんですよね？

確かに当時、一部の人はそう思った。ポール・ライアンなど多くの現代保守派は、アイン・ランド信奉者だ。そして、一九五七年に刊行されたランドの『肩をすくめるアトラス』（脇坂あゆみ訳、アトランティスなど）で描かれている、寄生虫まみれで崩壊しかけた国家は、基本的にはドワイト・アイゼンハワー時代のアメリカだ[*1]。

でも不思議なことに、一九五五年に『フォーチュン』誌で描かれた、弾圧された重役たちは、『肩をすくめるアトラス』のジョン・ゴールトのように社会を見捨て、その能力を国家に使わせないようにしたりはしなかった。それどころか『フォーチュン』誌を信じるなら、それまでにないほど頑張って働いていたようだ。そして第二次世界大戦後の数十年の、高税率・強力労組の時代は、むしろ驚異的で広く共有された経済成長を特徴としていた。一九四七年から一九七三年にかけてのメジアン世帯所得倍増に比肩するものは、空前絶後だった。

ということで話はノスタルジーに戻ってくる。

はっきり言っておこう。政界の一部の連中は、少数民族や女性が分をわきまえ、ゲイたちがしっかりと家にこもり、議員たちが「あんたは現在またはかつて共産主義者だったかね？」と尋問する時代（マッカーシー上院議員による赤狩り裁判の尋問での常套句）を渇望している。でもその他の私たちは、そういう時代が終わって実にありがたいと思っている。私たちは道徳的に、かつてよりずっと優れた立場にいる。ああそうそう、食べ物も当時よりはずっとマシになった。

でもその途中で、私たちは重要なことを忘れてしまった――つまり経済的な正義と経済成長は、相容れないものではないということだ。一九五〇年代のアメリカは、金持ちに相応の負担をさせた。そして労働者に、まともな賃金や福利厚生を求める交渉力も与えた。それなのに、当時や今の右派プロパガンダとは裏腹に、繁栄したのだ。それは再現できるはずだ。

＊1訳者注：アイン・ランドは亡命ロシア系作家。反共の完全自由放任リバータリアン的社会思想を訴える政治演説小説を多数執筆、大きな支持を得る。主著『肩をすくめるアトラス』は、社会福祉と平等の名の下に、イノベーションによる価値創造を行う実業家たちの成果を政府が接収し、規制するアメリカで、有能な実業家たちが次々に姿を消し、社会全体が貧困に陥るという小説。それは、英雄ジョン・ゴールトが実業家たちのえらさを思い知らせるため、彼らを説得して秘密のユートピアに集結させていたのだ、ということが明らかとなる。カルト的な人気を誇り、元ＦＲＢ議長アラン・グリーンスパンも心酔者だったことで有名。

第50章 史上最悪の税金詐欺

二〇一七年一一月二七日

ドナルド・トランプは、自分の任期中に起こるすべてのよいこと——雇用増加、株価上昇、なんでも——が最大、最高、史上最高と宣言したがる。でもファクトチェッカーたちがやってきて、そんな主張がウソだとすぐに指摘する。

でも上院でいま起こっていることは、本当にトランプ的な大風呂敷に値するものだ。何の公聴会もなく、その考えられる経済的な影響についての基本的な分析の時間すらなしに、今週共和党の指導者たちがゴリ押ししようとしている法案は、史上最悪の税金詐欺だ。あまりにでかい詐欺なので、誰がだまされているのかさえはっきりしない——中産階級の納税者か、財政赤字を気にする人か、その両方か?

でも一つだけはっきりしていることがある。この法案は様々な形で、ほとんどのアメリカ人に損害をもたらす。唯一大きく得をするのは金持ちだ——特に働いて稼ぐ人ではなく、資産からの収入を集めている人だ——さらに、税理士や税制弁護士たちは、この法案がつくり出す多くの抜け穴を活用するので大忙しとなるだろう。

この法案の中心は、低中所得世帯から企業や事業主への巨大な所得再分配だ。法人税は激減する一方で、一般世帯は一連の税制変更のおかげで、あちこちで小銭をむしり取られる。そのどれ一つとして、それ自体としては大した金額じゃない。でも積み重なると、中産階級の納税者の三分の二近くにとってかなりの増税となる。

一方、この法案は部分的にはオバマケアを後退させ、低所得世帯への援助を大幅に減らし、中産階級の多くの人々の保険料を引き上げる。

どうしてこんなものが上院を通るのかと不思議に思うかもしれない。でもそこで詐欺が効いてくる。法案の根本的な構造は中産階級の増税だけれど、法案にはいくつもの一時的な免税措置があって、それがこの増税分を相殺する。結果として、最初の数年だとほとんどの中産階級世帯はわずかに減税となる。

でもここでの小細工用語は「一時的」というものだ。こうした免税は、時間とともに縮小されるか、どこかで廃止になる。二〇二七年には、この法案は中産階級の増税により、主に金持ちが得をする減税を行うというものになる。

どうしてだんだん消え去るような条項だらけの法案を書いたりするのか？　そこには経済的な論理も政治的な理屈もない。むしろ、八方美人のふりをして、政治的二枚舌を安全に使える余裕を作ろうという魂胆でしかない。

こんな仕掛けだ。もしこの法案が、金持ちばかりに得をさせて一般世帯を犠牲にしていると指摘したら、共和党は今後数年を見ろと言う。計画の階級闘争的な性質が、一時的な免税で隠されている時期だ。そして、法案の条文にどう書いてあるにせよ、そうした免税がのちの議会で恒久化されるのだ、と主張するだろう。

でもこの法案が税務的に無責任だと言われたら？　彼らは、この法案は今後一〇年で債務を「たった」一・五兆ドル増やすだけで、その後は債務は増えないと言う――というのも、各種免税措置が二〇二七年には失効して、増税により歳入が大きく増えるから、と言う。ちなみに、中産階級の増税はこの法案可決に不可欠だ。一〇年後以降に債務を増やさない法案だけが、下院の民主党による否決を迂回して、単純に上院の多数決だけで施行できるからだ。

重要なのは、この論点がどっちも正しいはずはないということだ。中産階級に大増税が起こるか、あるいは巨大な赤字積み増しになるか。どっちなんだろう？　誰も本当のところはわからない。たぶんこの化け物を起草した連中ですらわかっていないはずだ。でも誰かがごまかされている。しかも壮大に。

ああそうそう、法人減税が経済に大きな刺激となって、元が取れるのだという主張は無視しよう。シカゴ大学が、共和党の税制計画の影響について、イデオロギー的に多様な経済学者四二人の意見を聞いたところ、それが大幅な経済成長につながると同意したのはたった一人、それがアメリカの債務を大幅に増やすという主張に反対した人は一人もいなかった。

だからこれは、巨大な詐欺だ。そしてその詐欺の厳密な中身は不明瞭でも、一般アメリカ世帯がどのみちその被害者になる。

というのも、そうした一時的な免税が本当に恒久化され、財政赤字が長期的に激増したとしよう。するとどうなる？　答はご存じの通り。共和党はいきなり、自分たちは財政赤字タカ派なのだというポーズを復活させ、「補助金改革」――つまりメディケア、メディケイド、社会保障制度（公的年金）の削減を要求するだろう。これは一般世帯が頼りにしている制度だ。実は共和党はすでにこうした削減の話を始めている――カモがエサに食いつく前から、そのエサをすり替え始めているわけだ。

で、この巨大なペテンを押し通せるだろうか？　これを公聴会を一度も開かず上院にかけて、議会自身の公式スコアキーパーたちからの十分な評価も待たずに採決しようとしているのは、みんなが彼らの魂胆に気がつく前に可決してしまおうとしているからだ。

そして問題は、こんなゴリ押しを止めるだけの矜持を持った共和党の上院議員がどれだけいるかということだ。政策はウソで売り込んだりしてはいけないと考える議員はどれだけいるだろうか?

第51章　トランプ税金詐欺、第二部

二〇一八年一〇月一八日

トランプ減税施行前夜、私はそれを「史上最悪の税金詐欺」と呼び、予想を出した。財政赤字は大きく増え、そうなったら共和党は再び債務を大いに気にしているふりをして、メディケア、メディケイド、社会保障制度（公的年金）の削減を要求するだろう、と。

そして言わないこっちゃない、赤字は急上昇している。さらに今週になって、上院多数派総務ミッチ・マコネルは、赤字増大を「とても不安だ」と宣言し、そして主張したのはご想像通り、「メディケア、社会保障、メディケイド」の削減だ。また共和党が中間選挙で議席を確保できたら、アフォーダブル医療法を廃止するかもしれないと示唆している。

これが予想できなかった政治アナリストは、転職したほうがいい。というのも「獣を飢えさせろ」——金持ちの税金を下げて、その結果生じる赤字を、セーフティネット削減の口実にする——というのは何十年にもわたり共和党の戦略だったからだ。

ああそうそう、共和党がなぜ減税は元が取れるという主張を信じたのか、と尋ねるような人は、おめでたいとしか言いようがない。彼らは口で何を言おうとも、減税が赤字中立的だなんてことは本気で信じていない。減税を進めたのは、金持ち献金者たちが求めたからで、また財政赤字タカ派のポーズは昔からずっとインチキだったからだ。本当にそんな経済的ナンセンスを真に受けたわけじゃない。

経済的ナンセンスが彼らを買収したというほうが正確かもしれない。

とはいえ、共和党の予算議論のすり替えについては、いくつかの点で驚かされた。一つはタイミングだ。マコネルは、中間選挙が終わるまで下手なことは言わないだろうと思っていた。もう一つはそのウソだ。ドナルド・トランプとその仲間どもが正直でないのは知っていたけれど、これほど厚顔なウソは予想していなかった。

何についてウソをついているのか？　手始めに、ずっと高い財政赤字の原因は、歳入減のせいではなく支出増のせいだと主張していることだ。トランプの予算長官ミック・マルヴァニーは、赤字が増えたのはハリケーン救済費用のせいだとさえ主張しようとした。

こんな主張の口実に使われているいい加減な根拠というのは、ドル金額で見る限り去年の連邦歳入は少し増え、連邦歳出は三％ほど増えたということだ。

でも、こんな議論はクズだし、それは誰でもわかる。歳入も歳出も、通常はインフレと人口増などのおかげで毎年増える。バラク・オバマ第二期の歳入は、年率七％以上も増えている。赤字増加の原因は、その通常の成長率からどのくらいずれたかで計測されるものであり、答はすべて減税のせいだというものになる。

とはいえ赤字の原因に関する不正直ぶりは、おおむね共和党の標準的な戦術だ。目新しいのは、予算やその他はっきり言ってあらゆる政策問題についての共和党の立場に蔓延する二枚舌ぶりだ。

二枚舌とはどういうことか？　うん、マコネルが赤字は「補助金」（つまりメディケアと社会保障（年金））のせいだと述べ、特にメディケアが「持続不可能だと」（根も葉もない話だ）述べる一方で、ポール・ライアンのスーパーPACは民主党がメディケアを削減しようとしていると糾弾する広告を流している。この厚顔ぶりは息をのむほどだ。

そうはいっても、既存の病状を持つアメリカ人を保護するオバマケア廃止に賛成票を投じたディーン・ヘラー、ジョッシュ・ホーレー、果てはテッド・クルズのような共和党員だって、厚顔ぶりは似たようなものだ。あるいはオバマケアから保護をはぎ取ろうとする訴訟を支持しておきながら、いまや自分たちがやりたいのが……なんと既存の病状を持つ人を守ることだと称して選挙戦に出馬している連中の厚顔ぶりはどうだろう。

ここでのポイントは、いま展開されている政治キャンペーンでは、あらゆる政策について片方が主張する立場というものが、その本当の立場の真逆になっているということだ。共和党は、それぞれの課題に関する議論に勝てないと結論したけれど、その方針を変えるどころか、あれこれごまかしのご託を弄して、有権者が彼らの本当の立場に気がつかないことを祈っている。

どうしてそんなことをやって逃げおおせると思っているのか？　主要な答はもちろん、自分たちの支持者をバカにしているから、というものだ。その多くは、共和党の公式見解に奴隷のように従う、フォックスニュースなどのプロパガンダメディアからニュースを得ているのだから。そして他の情報源を利用する支持者への訴えですら、共和党は自分たちの本当の政策の根深い不人気ぶりを、立場をごまかすことで中和し、人種差別と恐怖をあおることで勝てると思っている。

でもはっきりさせておこう。共和党の厚顔ぶりは、主流マスコミの軽視で成り立っている面も大きい。歴史的に、マスコミはウソをウソと指摘するのを驚くほど嫌っている。ああ言った、こう言ったの報道をめぐってあまり波風たてないようにするという衝動は、共和党に大きく有利に作用してきたというのも現代の共和党は民主党よりはるかにウソをつくというのが現実だからだ。最も露骨なウソですら、見出しでは「民主党が」それをウソだと言っている、という形で報道され、それが本当にウソなのだということは報道されない。

とにかく、現時点で共和党は、戦争は平和で、自由は隷属で、無知は力で、メディケアを何度も潰そうとしてきた政党が、実はその最大の擁護者なのだと主張している。

これほどウソまみれで選挙戦に本当に勝てるものだろうか？　三週間たたずにその答は明らかとなる。

第52章
なぜトランプ減税は尻すぼみになったか

二〇一八年一一月一五日

先週の民主党大勝利のおかげで、ドナルド・トランプは二〇二〇年大統領選を迎えるにあたり、法律的な大成果が一つしかないことになった。企業と金持ち向けの大減税だ。それでも、その減税は大きな結果をもたらすはずだった。共和党は、それが議席の躍進につながり、劇的な経済的便益も予想してみせた。が、実際に得られたのは派手な尻すぼみだった。

政治的な報いも、結局実現しなかった。そして経済的な成果もがっかりするものだった。確かに、半年ほどかなり急速な経済成長はあったが。そうした成長の一時的なスパートはよくあることだ――二〇一四年にもずっと大きなスパートが見られたのに、誰も気がつかなかった。しかも今回の成長はおおむね消費者支出と、あらびっくり、政府支出によるものだった。これは減税支持者たちがした約束とちがう。

一方、同法の支持者たちが約束していた莫大な投資ブームは影も形も見あたらない。企業は減税の儲けを使って、雇用を増やしたり生産能力を拡大したりするかわりに、自社株の買い戻しをした。

でもなぜこの減税の影響がこんなにわずかだったのか？　個別の税金の穴だらけな変更は置いておこう。それのおかげで会計士たちは何年も忙しくしていられるはずではあるけれど。この法案の肝は、法人税の大幅カットだ。どうしてそれで投資がもっと増えないのだろうか？

答は、事業上の判断というのは、保守派たちが主張するよりも金銭的インセンティブ——税率を含む——にはあまり反応しないということだと思う。そしてその現実を受け容れたら、トランプ減税の根拠が潰れるにとどまらない。共和党の経済ドクトリンすべてが崩れてしまう。

事業判断について言っておこう。金融アナリストの言いたがらない秘密として、金利変化が経済に影響するのは、住宅市場と国際的なドルの価値（これは世界市場でのアメリカ製品の競争力を左右する）を通じての部分がほとんどだ、というものがある。事業投資への直接的な影響はあまりに小さすぎて、データでそれを検出するのさえ困難なほどだ。そうした投資を左右するのは、むしろ市場需要についての見通しだ。

どうしてそうなるのか？　理由の一つは、事業投資はかなり寿命が短いからだ。家を買うのに何十年も続く住宅ローンを組むなら、金利はとても重要だ。でも事業用のコンピュータを買うために融資を受けるなら、どうせ数年で壊れるか陳腐化するんだし、その融資の金利なんて購入判断で大した材料にはならない。

そして同じ理屈が税率にも当てはまる。トランプ減税前の税率三五％だと実施する価値がないのに、二一％の税率だとやる価値が出るような潜在的事業投資はそんなにない。

さらに企業利潤の相当分は、実は投資収益ではなく、市場独占力に対する報酬から生じている——だから独占利潤に対する減税は単にそれを増やすだけで、投資や雇用を追加で行う理由は何も生じない。

さて減税支持者たちは、トランプ配下の経済学者たちを含め、いまや世界的な資本市場があって、お金は税引き後利潤が最高の場所にすぐ流れるのだ、と喧伝したがる。そしてアイルランドのように、法人税の低いところが大量の外国投資を惹きつけているように見えるぞと指摘する。

でもここでのキーワードは「見える」だ。企業は確かに自分の帳簿に細工する——じゃなくて社内価格の管理を行う——インセンティブがある。それによって、帳簿上の利潤が低税率の地域に集まるようにするわけだ。おかげで、巨額の外国投資が行われているように数字の上では見える。

でもこうした投資は、数字だけのもので中身ははるかに少ない。たとえば、企業のアイルランドに対する巨額の投資にもかかわらず、当のアイルランドには驚くほど雇用が発生していないし、また所得も生まれていない——というのもアイルランドへの巨額の投資は、ほとんどが単なる会計上のフィクションでしかないからだ。

アメリカ企業が減税後にお金をアメリカに移したと報じられたのに、それが雇用や賃金、投資に反映されていない理由も、これでわかるはずだ。実際には何も動いていないからだ。外国の子会社は資産の一部を親会社に戻したけれど、これは単なる会計上の操作にすぎず、実物に対してはほとんど何の影響もない。

だから法人税の引き下げがもたらす基本的な影響は、企業が払う税金が減るということでしかない——他はまったく影響なし。ということで、話は保守派の経済ドクトリンの何がおかしいのか、という点に戻ってくる。

そのドクトリンは、すでに特権を持った連中に対して、他のみんなのためにいいことをやっていただくためのインセンティブを与える必要があるのだ、という話でしかない。右派によると、金持ちに頑張って働いていただくために金持ち減税をして、法人にアメリカに投資していただくために法人税を下げねば、ということになる。

でもこのドクトリンは、やってみると失敗ばかりだ。ジョージ・W・ブッシュの減税は好況を生まなかった。バラク・オバマ大統領の増税でも不景気にはならなかった。カンザス州の減税は州の経済を活性化させていない。カリフォルニア州の増税でも成長は衰えない。

そしてトランプ減税でも、このドクトリンはまた破綻した。残念ながら政治家が何かを理解するというのは、それを理解しないことで選挙寄付金を得ている以上、ずいぶんむずかしいようだ。

第53章 トランプ減税：聞きしに勝るひどさ

二〇一九年一月一日

二〇一七年減税はかなり評判が悪いし、それはまったく正当なことだ。それを支持した人たちは投資と賃金が激増するという派手な公約をしたうえ、景気がよくなって税収が上がるから十分に元は取れるとみんなに保証した。そのどれ一つとして実現していない。

でも報道は、実はいまだに十分に否定的なものになっていない。一般に目にするニュースはだいたいこんな具合だ。減税で企業はお金を少しアメリカに戻したけれど、それは賃上げではなく自社株の買い戻しに使われたので、成長促進はわずかだった、という話だ。これも決してよくはないけれど、減税でも現実は実ははるかにひどいのだ。実はアメリカに戻ってきたお金なんかまったくないし、減税でおそらく国民所得は減った。実際、アメリカ人の九割はこの減税のおかげで貧しくなる。

一つずつ説明しよう。

まず、アメリカ企業が「お金を自国に戻した」と言うとき、それは外国の子会社が親会社に支払った配当の話をしている。確かにそれは、二〇一八年に一瞬激増した。税法により、そうした子会社の帳簿から親会社に資産の一部を移すほうが有利になったからだ。そうした取引はまた、親会社の子会社に対する持ち株比率が下がったという形でも現れる。つまり、マイナスの直接投資となる。

でもこうした取引は単に、企業の帳簿を税金対策で入れ替えただけだ。実物とは必ずしも対応して

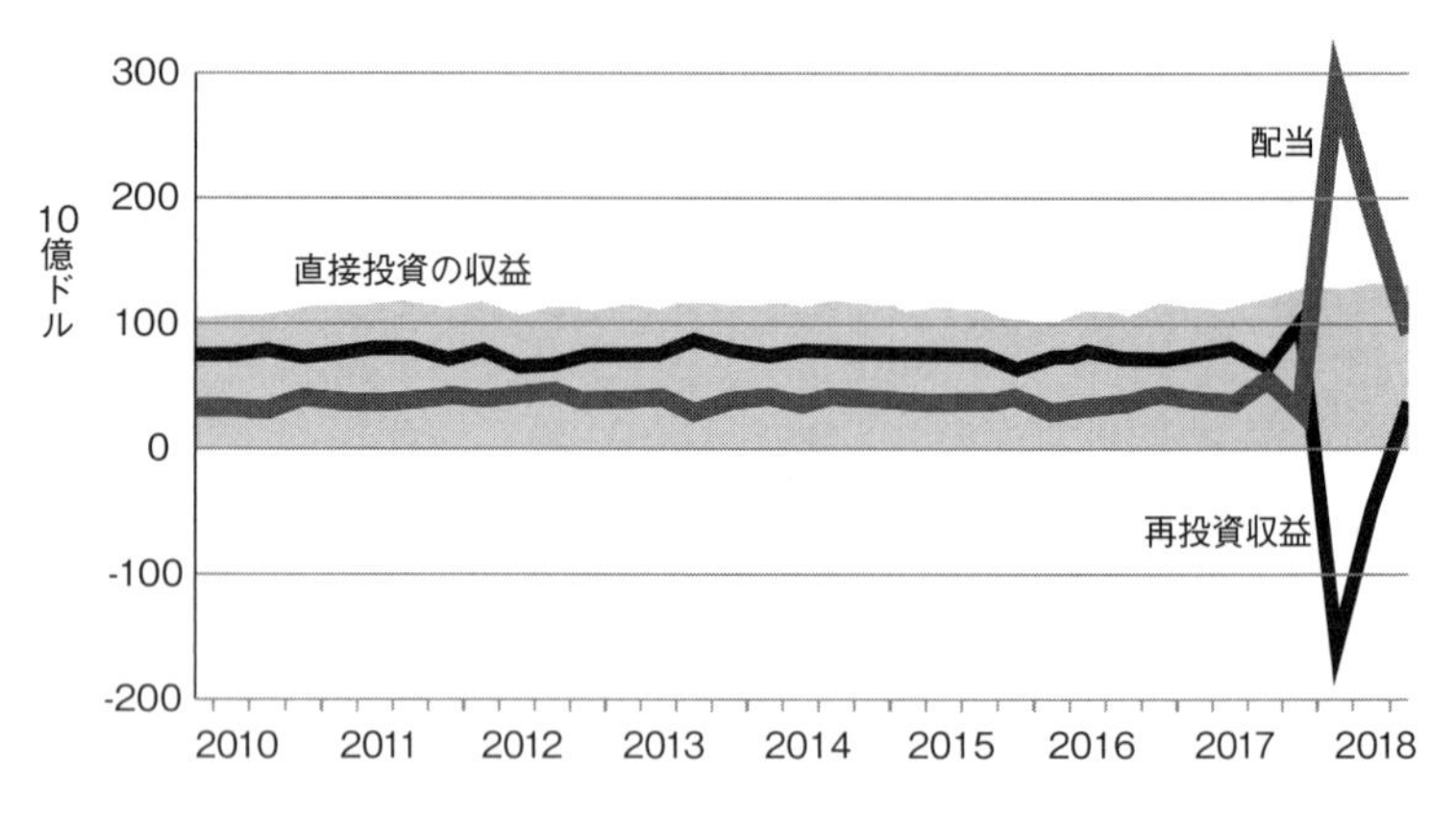

図 53.1 直接投資の収益受け入れ高と構成要素　出所：アメリカ経済分析局

いない。アメリカ多国籍メガ社が、その子会社多国籍メガアイルランド支社に、資産の一部を親会社に移管しろと命じたとしよう。すると、配当と直接投資が図53・1に見られるような逆の動きを示す。でも会社全体の連結バランスシート――これはもともと多国籍メガアイルランド支社の資産を含んでいる――はまったく変わらない。実物リソースは何も移転していない。アメリカ多国籍メガ社は、アメリカに投資する能力が上がったわけでも、下がったわけでもない。

投資可能な資金が本当にアメリカに移転されたか知りたいなら、金融勘定の総収支を見る必要がある――あるいは会計的に同じことで、もっと正確に計測されている、経常収支バランスの逆数を取ってもいい。図53・2はそのバランスをGDP比で示している――そしてご覧の通り、基本的に何も起きていない。

だから減税は多少の会計操作を引き起こしたけれど、アメリカへの資本流入を促進するようなことはなかった。

でも減税は、一つ重要な国際的影響を持っていた。いまや外国人に支払うお金が増えたということだ。

現在の、唯一はっきりした圧倒的な結果は、企業が

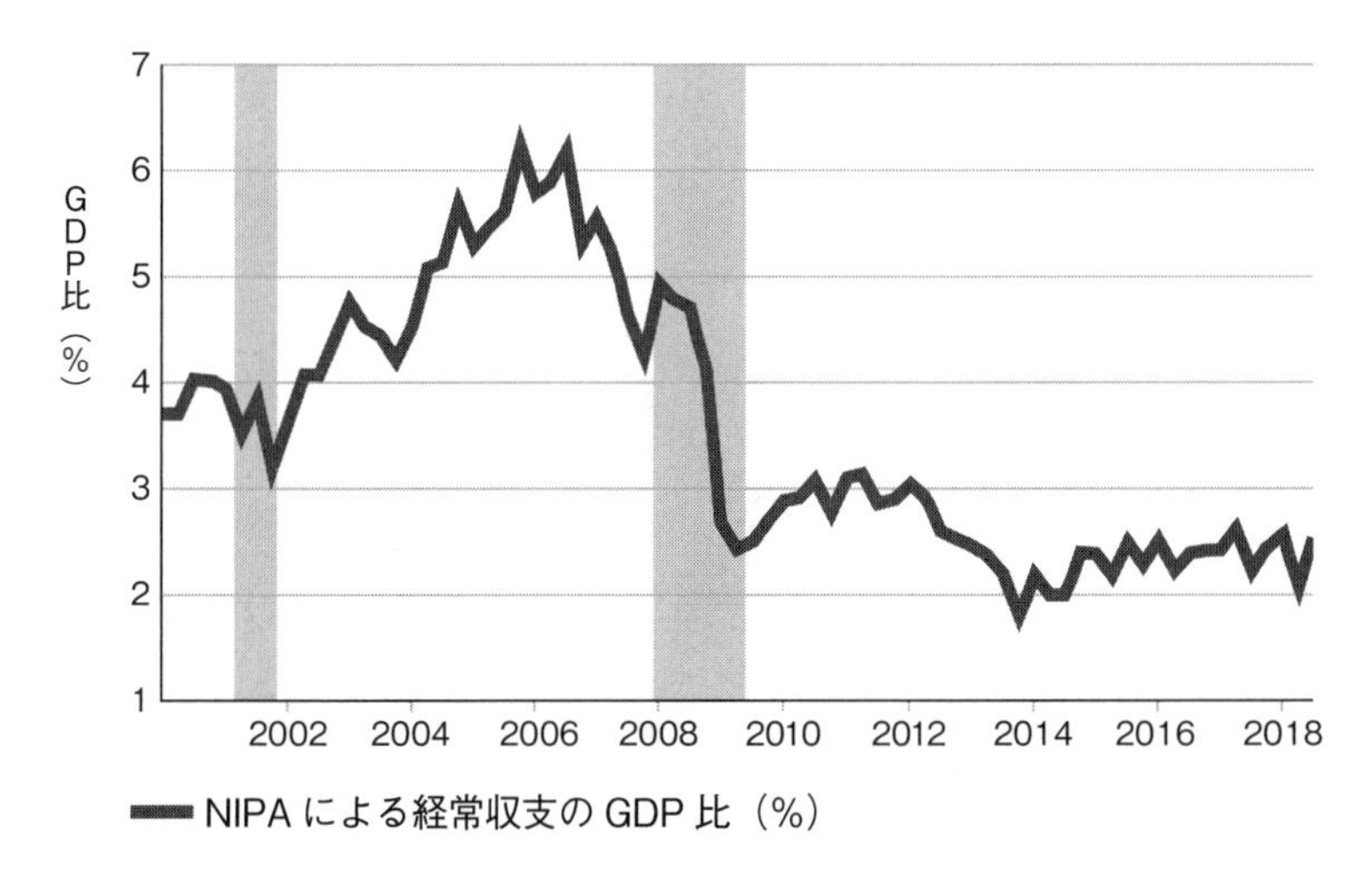

図53.2 アメリカの経常収支　出所：アメリカ経済分析局

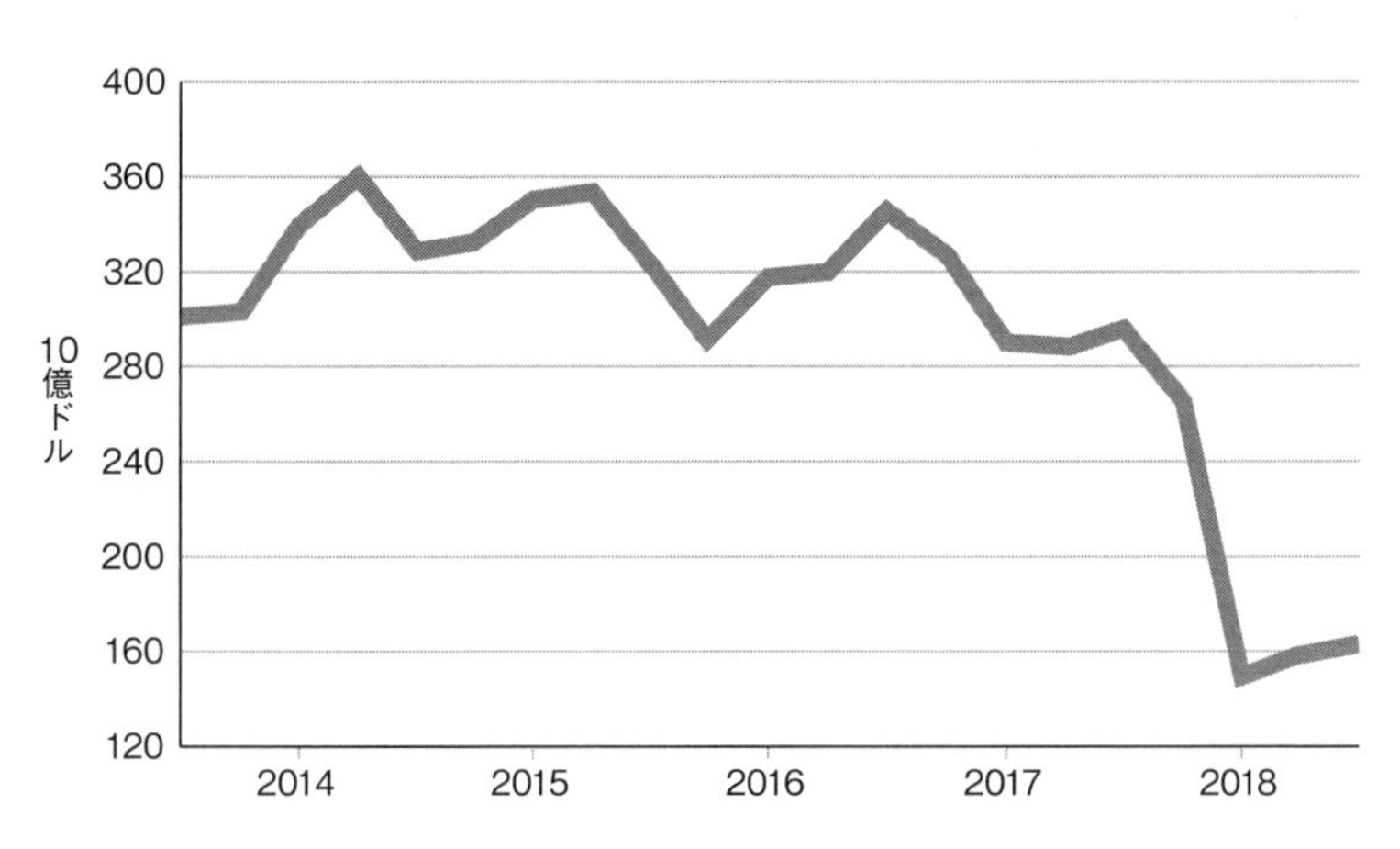

図53.3 法人税からの歳入　出所：アメリカ経済分析局

大幅に節税できるようになったということだ。企業収益からの連邦税収は激減した（図53・2）。

認識すべき重要な点は、今日のグローバル化した企業システムだと、あらゆる国（アメリカも圧倒的に含まれる）の企業部門は相当部分が外国人に所有されているということだ。アメリカにある企業が外国企業の子会社だと、直接的に外国人に支払うことになるし、外国人がアメリカ企業の株式を所有していたら、間接的に支払うことになる。実際、アメリカ企業利潤のざっと三分の一は基本的に外国人に流れる――これはつまり、減税分の三分の一は、アメリカ国内にとどまらず外国に流れたということだ。これはおそらくGDP成長へのプラスの影響すべてを上回るものだろう。だから減税はおそらくアメリカを豊かにするどころか貧しくしたはずだ。

そして、まちがいなくほとんどのアメリカ人は貧しくなった。法人減税の三分の二はアメリカ住民に流れたとはいえ、株式の八四％は最も豊かな一〇％の国民が保有している。他のみんなは、ほとんど何も恩恵を受けない。

さらに減税で元が取れたりはしていない以上、いずれは何か別の形でその埋め合わせが必要になる――増税か、人々が重視するプログラムの予算カットだ。こうした増税や予算カットの費用は、元の減税の恩恵に比べ、トップ一〇％への集中度はずっと低い。だからアメリカの大半は、トランプの唯一の大規模な立法面の成功のおかげで損をすることになる。

すでに述べたように、いまのマスコミ報道は否定的なものだけれど、それですらこの全体像がいかにひどいものになりつつあるかを十分に伝えていないのだ。

第54章 金持ちシバキの経済学

二〇一九年一月五日

アレクサンドリア・オカシオ＝コルテズ（AOC）[*1]が議員としてどのくらい活躍するかは見当もつかない。でも彼女が選出されたというだけで、すでに有益な結果が出ている。つまり、若く、はっきり物の言える、テレビ映えのする非白人が議員になるというだけで、右派の多くは頭に血がのぼってしまう——そして頭に血がのぼったせいで、うっかり馬脚を現してしまうのだ。

一部の馬脚は文化的なものだ。AOCが大学時代に踊っているビデオをめぐるヒステリーは、彼女についてではなく、そのヒステリーを起こしている連中について雄弁に物語っている。だがある意味で、もっと重要な馬脚は知的なものだ。右派がAOCの「イカレた」政策アイデアを糾弾する様子は、本当にイカレているのは誰なのかについて、非常によい示唆を与えてくれる。

目下の大論争は、超高所得に対する税率七〇‐八〇％をAOCが支持しているという点をめぐってのものだ。こんな主張、どう見てもイカレてる、よねえ？　だって誰がそんな暴論に納得する？　これに納得するヤツなんてよほどのバカで、たとえば……えーと、ノーベル経済学賞をもらい、世界で公共財政について最高権威の一人と目されるピーター・ダイヤモンドとか（とはいえ共和党は確かに、十分な実績がないと言って彼を連邦準備制度理事会の理事に任命するのを拒否はした。いやホント）。そして、そんな政策を実施したやつなんかいないよね、ただし例外は……アメリカ、それも第二次世界大戦後三五年という最も経済成長が成功した時期とかだ。

もっと具体的には、ダイヤモンドは、エマニュエル・サエズ――格差に関する最先端の専門家の一人――との共同研究で、最適な最高税率は七三％にすべきだと推計している。もっと高いほうがいいという人もいる。トップ級のマクロ経済学者で、オバマ大統領の経済諮問委員長だったクリスティナ・ローマーは、八〇％超だと推計している。

そんな数字がどこから出てきたのか？　ダイヤモンド＝サエズ分析の根底には二つの主張がある。限界効用の逓減と、競争市場だ。

限界効用の逓減というのは、低所得の人に比べるととても高所得な人々は、追加で一ドルもらったときの満足度がずっと低い、という常識的な発想のことだ。年収二万ドルの世帯に追加で一〇〇〇ドルあげたら、その暮らしは大きく変わる。年収一〇〇万ドルの人に追加で一〇〇〇ドルあげても、気がつきもしないだろう。

これが経済政策にとって何を意味するかといえば、政策が超高所得者の収入にどう影響するかなんて気にしてはいけないということだ。金持ちを少し貧しくする政策には、ごく少数の人しか影響を受けないし、その人生の満足度にほとんど影響しない。そういう人は、どうせ欲しいものは何でも買えるんだから。

じゃあ一〇〇％課税してやったらどうだろう？　答は、そんなことをしたら、それほどのお金を儲けるための活動（なんだか知らないけれど）をやるインセンティブがなくなってしまう、というものだ。言い換えると、金持ち向けの税制は、金持ちの直接的な利益とはまったく関係なく、そのインセンティブ効果が金持ちの行動をどう変えるか、そしてそれがその他の人々にどう影響するかだけを考えるべきだということになる。

でもここで競争市場が登場する。完全に競争的な経済で、独占などの歪曲がない場合――これは保守派が、経済の現状だとみんなに思い込ませたがっているものだ――人はすべて自分の限界生産を支払われる。つまり時給一〇〇〇ドルの人は、追加で一時間働くごとに経済の産出が一〇〇〇ドル増えるということだ。

その場合、金持ちがどれだけ頑張って働くかなんて、気にする必要もないのでは？　金持ちが追加で一時間働き、経済に一〇〇〇ドル追加しても、その見返りに一〇〇〇ドルの支払いを受けるなら、その他全員の所得は変化しないってことでしょう？　惜しい、それが変化するんです――というのも金持ちはその追加一〇〇〇ドルに対する税金を払うから。だから高所得の人々に少し頑張って働いてもらう社会的便益は、その追加の活動から生み出される税収だ――そしてそれを裏返すと、彼らが働くのが減ったら、彼らが支払う税金も減るというコストが生じる。

あるいはもうちょっとはっきり言うと、金持ちに課税するときには、気にするべきなのはそこから得られる税収だけだ。超高所得者への最適税率は、最大限の税収をもたらす税率となる。

そしてこれは、金持ちの税引き前収入が、税率に対してどのくらい敏感に反応するかという証拠に基づいて推計できる。ダイヤモンド＝サエズは最適税率が七三％だとしている。ローマーは八〇％超だという――AOCの言った通りだ。

ちなみに、市場が完全に競争的ではなく、かなりの独占力が存在することを考慮したらどうなるだろう？　答は、ほぼまちがいなく税率をもっと上げるのが正当化されるというものだ。というのも高所得者はおそらく、そうした独占レントを大量にもらっているからだ。

だからAOCは、イカレ具合を示したどころか、真面目な経済学研究と完全に整合しているのだ（なんでも、とても優れた経済学者たちに話を聞いているそうな）。一方でその批判者たちは、確かにイカレた政策アイデアを持っている――そしてそのイカレ具合の核心にあるのが税制だ。

つまり共和党はほぼ全面的に、金持ちへの税率引き下げを支持している。これは、トップの税率を

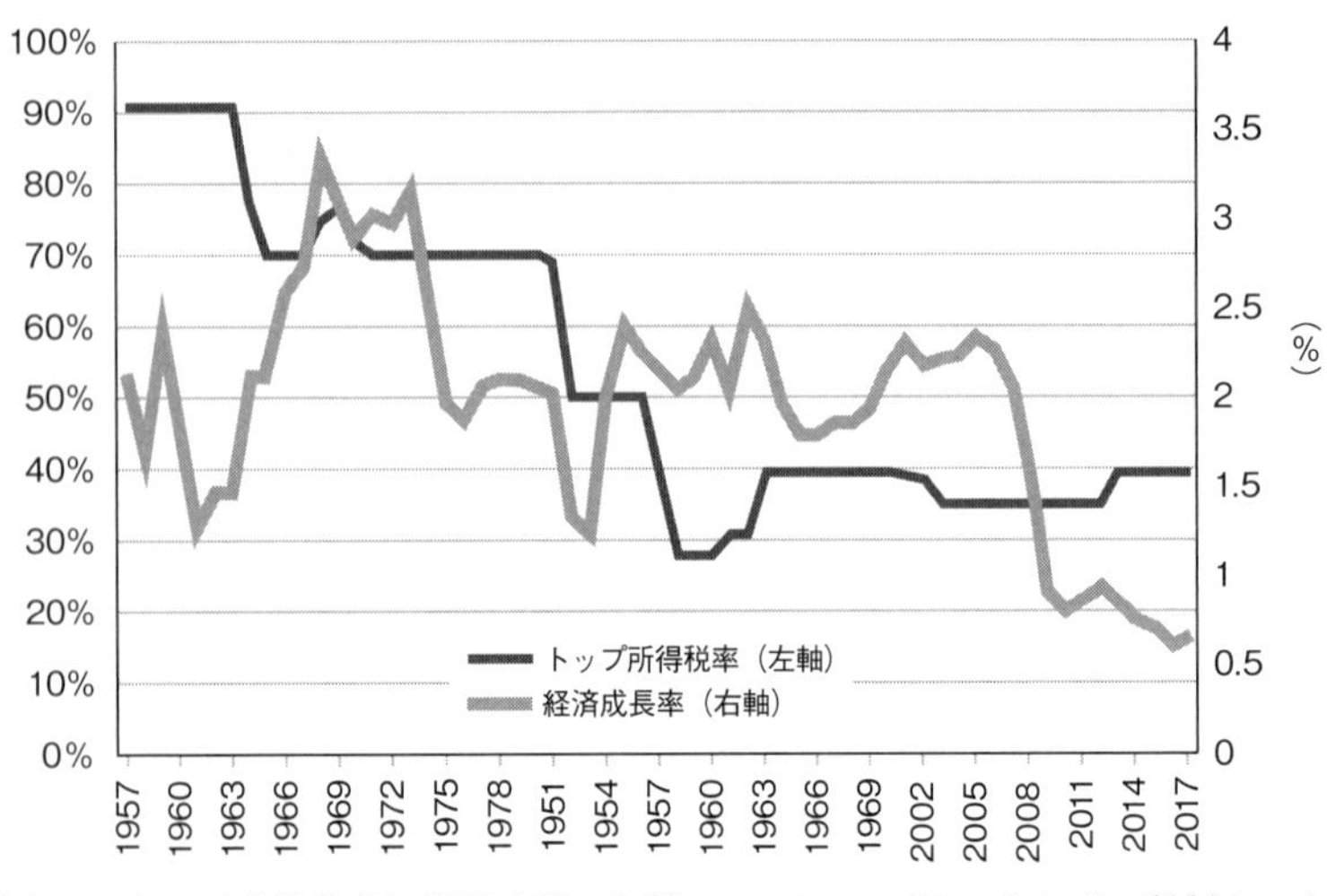

図 54.1 トップ所得税率と経済成長　出所：アーバン＝ブルッキングス税制センター、アメリカ経済分析局

カットすると、経済に有益な影響があるから、という主張に基づいている。その主張の裏付けとなる研究をしているのが……えー、誰もいない。共和党の税制に関する思想を支持するまともな研究はまったくない。というのも証拠を見れば、圧倒的にそうした思想と逆のものが出てくるからだ。

トップの限界所得税率（左軸）と、一人あたり実質GDP成長（右軸、短期の変動を除くため一〇年移動平均）との推移を見てみよう（図54・1）。

ここに見られるのは、アメリカは金持ちにとても高い税率をかけていた――AOCが提案しているものよりも高い――けれど、経済はまったく問題なかったということだ。その後、税率は激減したのに、経済はどちらかというと、あまり調子がよくない。

どうして共和党は、無党派的な経済学者から支持されず、あらゆる手持ちデータで否定されているような税理論にこだわるのか？うん、金持ちの税率が下がって得をするのが誰かを考えれば、言うまでもないはずだ。

そして共和党のお財布は、ナンセンスな経済学に頼らないと維持できないので、この党が好む「経済学者」は明らかなインチキ野郎どもで、数字をまともにごまかすことさえできない。

これで話はAOCと、彼女がまともではなく無知だと言いたがる絶え間ない活動に戻ってくる。少なくとも税問題については、彼女の言っていることはまともな経済学者と同じだ。そして彼女は、共和党で出馬している連中のほとんど誰よりも経済学がわかっている。その大きな理由の一つは、彼女が事実でないことを「確信し」ていたりしないからなのだ。

＊1訳者注：アレクサンドリア・オカシオ＝コルテズは民主党のニューヨーク州選出下院議員。ヒスパニック系で、非エスタブリッシュメント、貧困家庭出身で、非正規職の経験も長い女性候補で、まったくのダークホースとして当選。史上最年少の下院議員となる。グリーン・ニューディールの提唱、民主社会主義への傾倒など、相対的に急進的な政策支持で知られ、若者層への人気が高い。

第55章 エリザベス・ウォーレン[*1]のルーズベルト化

二〇一九年一月二八日

累進課税を発明したのはアメリカだ。そしてかつて主導的なアメリカの政治家たちは、金持ちへの高い税金を誇っていた。それは単に税収のためだけでなく、経済的な力の過剰な集中を制限するためだった。

一九〇六年にセオドア・ルーズベルトはこう語った。「巨額の財産を貯め込むことに関連した問題に取り組むのは重要だ」。そうした財産の一部は「あらゆる健全な限界を超えてふくれあがっている」と彼は宣言した。

今日、私たちは再び、とんでもない富がごく少数の人々の手に集中した時代に暮らしている。最も豊かなアメリカ人〇・一%の純資産価値は、底辺九〇%の資産総計とほとんど同じなのだ。そしてこの富の集中はさらに進行している。トマ・ピケティが『21世紀の資本』(山形浩生・守岡桜・森本正史訳、みすず書房)で主張したことで知られるように、私たちは莫大で、しばしば相続された財産の支配する社会へと向かっているらしい。

なら今日の政治家たちはこの課題に立ち向かえるだろうか? うん、エリザベス・ウォーレンは、超巨額資産に課税する見事な提案を発表している。そして彼女が民主党の大統領候補になるかどうかはわからないけれど、これほど賢くて大胆なものが、議論の一部になっていること自体が、民主党の偉さを物語っている。

ウォーレンの提案は、五〇〇〇万ドル以上の個人世帯資産に二％課税し、一〇億ドルを上回る資産にはさらに一％課税する。この提案は、格差について世界最先端の専門家二人、カリフォルニア大学バークレー校のエマニュエル・サエズとガブリエル・ズックマンの分析とあわせて発表された。サエズ＆ズックマンは、この税金で影響を受けるのがごく少数の超大金持ちだけだと指摘している――全部で七万五〇〇〇世帯ほどだ。でもこうした世帯はすさまじく豊かなので、歳入もすさまじく、今後一〇年で二・七五兆ドルほどになる。

ゆめ疑うなかれ、これはかなり過激な計画だ。

私はサエズに、これが実現したら、経済エリート納税額の所得シェア（資産シェアではない）がどのくらい高まるかを尋ねた。彼の推計だと、トップ〇・一％の平均税率はいまの三六％から四八％に上がり、トップ〇・〇一％の平均税率は五七％になる。これはずいぶん高い数字だ。とはいえ、一九五〇年代の平均税率とだいたい同じ程度ではある。

こんな計画が実現可能か？　金持ちはどうせ迂回方法を見つけるだけでは？　サエズ＆ズックマンは、デンマークとスウェーデンからの証拠（どちらの国もかつて大きな資産課税をしていた）によると、この税金がすべての資産に適用され、適切に施行されれば、大規模な脱税にはつながらないという。

でもインセンティブが歪むのでは？　たぶんあまり歪まない。考えてもみてほしい。起業家は、自分のすごいアイデアがモノになったとしても、最初の五〇〇〇万ドルにはこの税は当てはまらない。二回目の五〇〇〇万ドルでやっと課税される。そんなものを心配して起業を見送ったりするだろうか？

確かにウォーレン計画は、既存の超大金持ちが財産をさらに増やし、それを相続人に遺す能力を制約する。でも寡頭支配的な金持ち一族どもが支配する社会への流れを遅らせたり逆転させたりするのは、別にこの計画の欠点ではなく、まさに意図するところだ。

そして、リリー・バッチェルダーやデヴィッド・カミンのような税制専門家からの反応にも驚かされた。彼らはウォーレン計画を必ずしも支持はしないまでも、それが真面目なもので検討に値するものだと明らかに考えている。カミンによるとそれは「本当の問題に対処するもの」であり、「その大きさも正当なものだ」とのこと。『タイムズ』は、ウォーレンが「税金おたくと化している」と評した。が、おたくどもはその成果に感心している。

でもこれほど大胆なアイデアは、二一世紀のアメリカ政治で多少なりとも見込みがあるのか？　いつもの連中はもちろん、すでにウォーレンをベネズエラの社会主義支配者ニコラス・マドゥーロや、ヨシフ・スターリンになぞらえている。実際に彼女が言っていることは、テディ・ルーズベルト大統領や、それを言うならドワイト・アイゼンハワー大統領に近いのだけれど。もっと重要な点として、私の印象だと多くの世間的な政治常識からすると、金持ちの大幅増税提案はアメリカの有権者にとってあまりに左翼がかっていると思われてしまう。

でも世論調査を見ると、金持ち増税は圧倒的な支持を得ている。最近のある世論調査だと、共和党員を自負する人の四五％が、所得税の最高税率を七〇％にするというアレクサンドリア・オカシオ＝コルテズの提案を支持しているほどだ。

ちなみに、世論調査ではメディケアと社会保障（公的年金）への支出増額（削減ではない）も圧倒的に支持されている。不思議なことに、「給付金改革」を要求する政治家たちが、あまりに右翼がかっていて支持されないと一蹴されるのは見たことがないのだが。

そして、経済格差に対する大なたが、政治的にも可能かもしれないと示唆するのは世論調査だけじゃない。億万長者の行動を研究する政治学者たちは、そうした金持ちの多くが低税率を求めるものの、それをおおむねこっそりやっていることを指摘する。たぶん、そうしたやり方がいかに不人気か自分でもわかっているからだろう。この「隠密政治」は、億万長者たちが実際よりはるかにリベラル寄りに見える理由の一つだ――公然と発言するのは、そうした金持ちの中のごく少数のリベラル派だけだからだ。

要するに、ほとんどの政治評論などで妄想されているよりも、大胆な進歩的政策の入り込む余地ははるかに広いかもしれないということだ。そしてエリザベス・ウォーレンは、その政策面で重要な一歩を踏み出し、民主党全体をもっと大胆になるよう押しやった。彼女のライバルたち――その一部もかなりすごい人たちだ――がその顰(ひそ)みに倣うことを期待しよう。

＊1訳者注：エリザベス・ウォーレンは民主党のマサチューセッツ州選出上院議員。法学者としても名高く、民主党の中でも知的進歩派の筆頭格、骨太な政策提言でも知られ、グリーン・ニューディールへの支持や富裕層への資産課税案などで有名。二〇一九年に大統領選出馬を表明したが、一般的な支持は得られずに撤退。

第11部

貿易戦争

グローバルうんちゃらとその反発

私の専門キャリアの皮切りは、国際貿易についての研究だった。その問題や、関連した経済地理学——生産活動の場所が、国同士だけでなく国の中でどこに立地するかを考える分野——についての私の研究は、グーグルスカラーでの私のトップ引用論文を占めているし、そのおかげであのスウェーデンからの何やらもいただいた。

そういうわけで、私はこのギョーカイの薄汚い秘密を明かすだけの資格がある。国際貿易や国際通商政策は、みんなが思っているほど重要じゃないということだ。

どうでもいいとは言わない。それどころか、多くの国にとっては決定的に重要だ——たとえばバングラデシュが労働集約的な財（ほとんどは衣服）を世界市場で売れなくなったら、同国は言葉の綾ではなく、大量飢餓に襲われかねない。でもアメリカのような大国の場合、貿易について何をしようと、それが正しいかまちがっているかによらず、医療についての私たちの大混乱に比べればちっとも重要ではない。

それなのに、国際貿易は経済や政治の言説において特別な地位を占めている。理由はいくつかある。経済学者は、国際貿易の便益についてあれこれ話すのが大好きだ。それは、経済学が本当にほとんどの人の見逃す洞察を与えてくれる分野の一つだからだ。

多くの人にとっては、貿易黒字を出せば（つまり買うよりたくさん売れば）勝ちだというのは常識に思える。貿易相手よりも生産性が低ければ競争できないのも当然に思える。国が高い生産性ではなく低賃金のおかげで商品を売ると、他の国の生活水準を引きずり下ろしているのだ、というのも自然に感じられる。

経済学者たちは、このどれ一つとして事実ではないことを説明するのが大好きだ。貿易は一般に、黒字を出そうが赤字を出そうが、取引の双方にとって得となる（とはいえ、各国の内部の全員に恩恵をもたらすとは限らないけれど）。低生産性の国ですら、自分たちが最もヘタでない活動に集中することで貿易から恩恵を受けられる（だからバングラデシュの例が意味を持つ）。そうした低生産性諸国は、必然的に労働者に低賃金を出す。でもそれで金持ち国が被害を受けることはない。というのもその低賃金のおかげで、労働集約的な財を買って他のものを生産できるからだ。

だから経済学者は貿易の話をやたらにする——たぶんこの話に不相応なくらい話す——それは自分たちが知的に優越感を感じられる分野だからだ。

国際関係についてやたらに気にする人も、貿易について話したがる。というのも現在の国際貿易システムは、国際外交の勝利の一つだからだ。第二次世界大戦前は、各国は好き勝手に関税や、輸入制限枠を課していた。これは通常、自国の利益のためだと称して行われたけれど、しばしば国内の利益団体のために行われるものだった。でも戦後、ますます多くの国がルールに基づく仕組みに参加した。そこでは各国がお互いに関税率を交渉し、やがてある国がそのルールを破ったと誰かに糾弾されたときのために、準司法的な手順も確立した。

この仕組みは、それが世界を豊かにするという信念に基づいて作られた。でもそれだけじゃない。平和をもたらすという意図もあった。というのも現代国際貿易システムを創り出したアメリカの政治家コーデル・ハルは、ルーズベルト大統領の国務長官を長く務め、商業が繁栄だけでなく平和も確保できるのだと信じていたからだ。だから世界貿易システムは、ＮＡＴＯや国際連合と同じく、各種の戦後制度の一部であり、確かにそれは世界が大規模戦争を回避するのに役立つようだった。

そしてその一方で貿易システムは、完全な自由貿易の世界はつくり出さなかったけれど、ほとんどの工業製品については関税が低い世界はつくり出した。

最後に、国際貿易の議論——というか、「国際」という言葉のつくほとんどあらゆるものの議論——は「グローバルうんちゃら」、つまり大げさな話題に関する大風呂敷にも力を感じる人々を大量に集めてしまうというのもある。

当然ながら、経済学者、国際関係専門家、グローバルうんちゃら屋どもを熱狂させるものはすべて、反発も引き起こす。長年にわたり、この反発は主に左派からやってきた——貿易がブルーカラーの賃金に引き下げ圧力をもたらすと（決して不当ではなく）主張していた人々や、世界貿易が何やら資本主義の横暴のムキムキ版だと思っているもっと過激な集団なども反発してきた。

でも貿易に対するまったくちがう種類の反発がある。これは社会正義についての懸念とはまったく無関係で、自分たちの貿易に関する常識的な直感が全部まちがっていると言われるのが気に食わない、ビジネスマン的な連中からの反発だ。彼らは、貿易の利益に関する主張をすべて拒絶するだけでなく、そうした主張を悪者視することで自分たちの意見を固持する。なかにはロス・ペローのことを覚えている人もいるだろう。メキシコとの自由貿易が、アメリカ産業の南方移動を引き起こすので「巨大な吸い込む音が聞こえるぞ」と警告した人物だ。

そして二〇一六年に、この種の反知性的で、オレの直感のほうが専門家と称する連中よりすげえんだぞ、という感覚の持ち主がアメリカの大統領になってしまった。ときどき、ドナルド・トランプは見かけよりも頭がよく、貿易赤字になっても誰かがアメリカの貴重な体液を盗んでいるとも実は思ってないのだ、と主張したがる人が出てくる。でも実際の証拠を見ると、トランプはまさにそう思っているようだ。

そしてこれがポイントとなる。アメリカは世界経済での一大プレーヤーだというだけでなく、国内通商法は利益団体による議会操作を制約するよう設計されていた——そしてこれを実現するために、大統領に巨大な裁量権を与えてきた。だからトランプは、世界貿易システムに驚くほどの混乱をもたらす立場にいる。第11部の論説は、その混乱発生の一部を説明したものだ。

第56章
嗚呼、なんともトランプめいた貿易戦争よ！

二〇一八年三月八日

経済学者の間でも実業界でも、ドナルド・トランプの鋼鉄アルミ関税がよくないもので、そうした関税が引き起こしかねないもっと大きな貿易戦争はきわめて破壊的になりかねないという点で、ほぼ満場一致に近い同意が見られる。でもこの政治的な大惨事を抑えられる可能性はほとんどない。というのもこれは、トランプの真骨頂のような事例だからだ。

というか、関税はトランプがこれまでやったなかで最もトランプ的と言える行動だ。

というのも、貿易は（人種差別と同じく）トランプが長年にわたり完全に一貫して唱えている問題だからだ。彼は何十年にもわたり、アメリカのかなり開かれた市場を利用することでアメリカに危害を与えてきたと称する国々に対してギャアギャア言ってきた。そしてその見方が、その課題や基本的な事実についてすらまったくの無理解に基づいているとしても、それを言うならトランプ主義というのはあらゆる面で、ケンカ腰の無知そのものでしかない。

が、ちょっと待った、さらにもう一つ！　国際貿易協定なんてものが存在するにはそれなりの理由があるんだし、それはアメリカを他の国々の不公平な慣行から守ることじゃない。むしろ本当の狙いは、アメリカをアメリカ自身から守ることなのだ。かつて貿易政策を牛耳っていた利益団体の政治工作や露骨な汚職を制限するための協定なのだ。

でもトランプ主義者たちは、汚職だの利益団体の支配だのを問題だとは思わない。世界の貿易システムというのは相当部分が、まさにトランプのような連中があまり影響力を持ちすぎないよう設計されていると言ってもいい。トランプがそれを潰したがるのも当然だ。

少し背景を。一部の人が信じているらしき話とは裏腹に、経済学の教科書は、貿易が万人にとってウィン＝ウィンだなんてことは言っていない。むしろ貿易政策は、きわめて現実的な利益背反をもたらすと述べている。でもそうした利害の対立は、圧倒的に各国の国内集団の間で発生するものであり、国と国の間で起こるものではない。たとえば、ＥＵの貿易戦争は、ＥＵが報復しなくても（するけど）アメリカ全体を貧しくする。でも、ヨーロッパからの厳しい競争にさらされている一部のアメリカ産業は得をする。

そしてここで重要なポイント。保護主義から恩恵を受ける小集団は、被害を受けるずっと大きな集団よりも政治的な影響力が強い。だから議会はかつて、破壊的な貿易法を次々に可決させ、それが積もって悪名高い一九三〇年スムート＝ホーレイ法ができた。議会の議員たちの多くは、何らかの方法で買収されて、ほとんどの人が国全体にとってよくないと知っている法律を可決させてしまった。

でも一九三四年にルーズベルト大統領が、貿易政策への新アプローチを導入した。他国との相互協定で、相手の輸出品に対する関税をアメリカが下げる代わりに、相手国もアメリカ製品に対する関税を下げる、というものだ。このアプローチは、新しい利益団体を生み出した。輸出業者だ。この団体は、輸入品からの保護を求める利益団体の影響力に拮抗する力を持つ存在となった。

ルーズベルトの相互協定アプローチで、スムート＝ホーレイ法はさっさと潰され、戦後にはこれが一連の世界的な貿易協定となって、それが現在世界貿易機関（ＷＴＯ）の管轄する世界貿易システムを創り出した。実質的にアメリカは、世界の貿易政策を自国に似せて造り上げた。そしてそれが成功した。相互関税アプローチから発展した世界的な取り決めは、世界中の関税を大幅に引き下げ、各国が自分の約束を反故にしないよう制約するルールも作り上げた。

　世界貿易システム発展がもたらした全体的な影響は、とても立派なものだった。かつてはアメリカやその他各国の政治で最も薄汚く腐敗した側面だった貿易政策が、驚くほど（完璧ではないが）浄化された。

　そして世界貿易協定は、効果的な国際協力の驚くべき、勇気づけられる事例だというのも付け加えよう。その意味でそれは、民主的なガバナンスと世界平和に対し、計測はむずかしくても本当の貢献をしている。

　が、そこへトランプがやってきた。

　アメリカの貿易法は、国際協定と整合するように書かれているので、大統領は一部のきわめて狭く定義された条件の下でしか関税を設定できない。でも鋼鉄アルミ関税は、国家安全保障への明らかにデタラメな訴えにより正当化されたが、明らかにその条件を満たしていない。

　だからトランプは実質的に、アメリカ法にも違反しているし、世界貿易システムを潰そうとしている。そしてこれが全面的な貿易戦争へとエスカレートしたら、古き悪しき日々に逆戻りだ。関税政策は再び恩顧主義や賄賂に左右され、国の利益は無視されてしまう。

　でもトランプはそんなことは気にしない。結局のところ、いまや環境保護局が汚染産業のために運営され、内務省は連邦の所有地を強奪したがり、教育省は営利目的学校産業が運営し、という具合だ。貿易政策だけが例外となるはずもない。

　確かに多くの大企業や自由市場イデオローグたちは、トランプが自分たちの仲間だと思っていたのに、いまや貿易についての動きに震え上がっている。でも、いまさら何を？　貿易政策がトランプの収奪を逃れられると考えるべきまともな理由など、昔から一つもなかったのだから。

第57章　貿易戦争入門

二〇一八年六月三日

現在、トランプ式貿易戦争が起こっているようだ。そして読者から、なぜそんなことが可能なのか問い合わせがきている。というのも議会は、貿易協定からの離脱を可決はしていないし、トランプがそんな法制を要求してもそれを飲んだりはしないはずだからだ。どう見てもトランプが敵対的な外国勢力と共謀し、現在も司法の執行を妨害しているのがほぼ確実なのに、多くの共和党員たちはそれを構わないと思っているらしい。が、多くの企業資産を無駄にし、その価値を下げかねない政策行動となると、話はまったくちがう。

だったらなぜトランプにそんな権限があるんだろうか？　そしてそれは世界にとってどんな意味合いを持つのか？　どうやら、貿易システム——およびそのシステム内でのアメリカ通商政策——の仕組みについて、手短で学者向けでない入門論説を書くべき頃合いらしい。

通商政策について理解すべき重要なポイントは、実際の政策では経済学入門講義に出てくるような自由貿易支持論なんかほとんど登場しないということだ。特に貿易交渉では絶対に出てこない。それは別に、政策担当者がその支持論を否定しているからとか、それが理解できないからということじゃない。そういう人もいるし、ちゃんと理解できている人もいる。でもどのみち、それで何か差が出るわけじゃないのだ（公平を期すため言っておくと、ここで私が述べているよりも根底にある経済学は重要なのだと主張する学術研究はある。私はそうした研究が見事とは思うけれど、納得はしていない)。

確かに過去八〇年にわたり、アメリカは貿易をだんだん自由化しようとしてきた。その一部は経済理論の(きわめて)間接的な影響を反映したものではある。一部は、経済統合が進むと平和と自由世界の同盟にとってよいという信念のせいもあった。でも貿易自由化が実現したプロセスは、抽象理念よりは圧倒的に政治的リアリズムによるものだ。

そして貿易をめぐる政治的リアリズムというのは、生産者の利害のほうが消費者の利害よりずっと重視されるということだ。というのも生産者のほうがはるかに結束していて、個別の通商政策についての損得勘定をずっとはっきり認識していることが多いからだ。古典的な例が砂糖で、長年にわたりアメリカが輸入枠を設定していたため、アメリカでの砂糖価格は世界価格の数倍になっていた。その政策の便益は、砂糖農家数千世帯が獲得し、一世帯あたり毎年何万ドル、何十万ドルもの価値をもたらした。その費用は何千万人もの消費者に薄く広がり、その大半は砂糖の輸入枠があるなんてことさえまったくご存じない。

この代表の非対称性を考えると、アメリカで生産できるもののほぼすべてについて、輸入と競合する業界の利害が圧倒的に強くなり、高い保護主義が生じるように思うかもしれない。確かに一九三〇年代までのアメリカ通商政策は、そういう傾向にあった。

でもそこでルーズベルト大統領が、相互貿易協定法を導入した——当初は、外国政府がアメリカ製品の関税を下げたら、アメリカもその国の製品に対する関税を下げるという二国間交渉だった。これが何を実現したかといえば、輸出産業の利害が図式に入ってくるので、政治的な計算を変えてしまうということだ。輸入品と競合するアメリカ企業は、相変わらず保護を求めて騒ぐかもしれない。でもそれに対してアメリカの輸出業者は、外国市場へのアクセスを与えてくれるような取引を要求して対

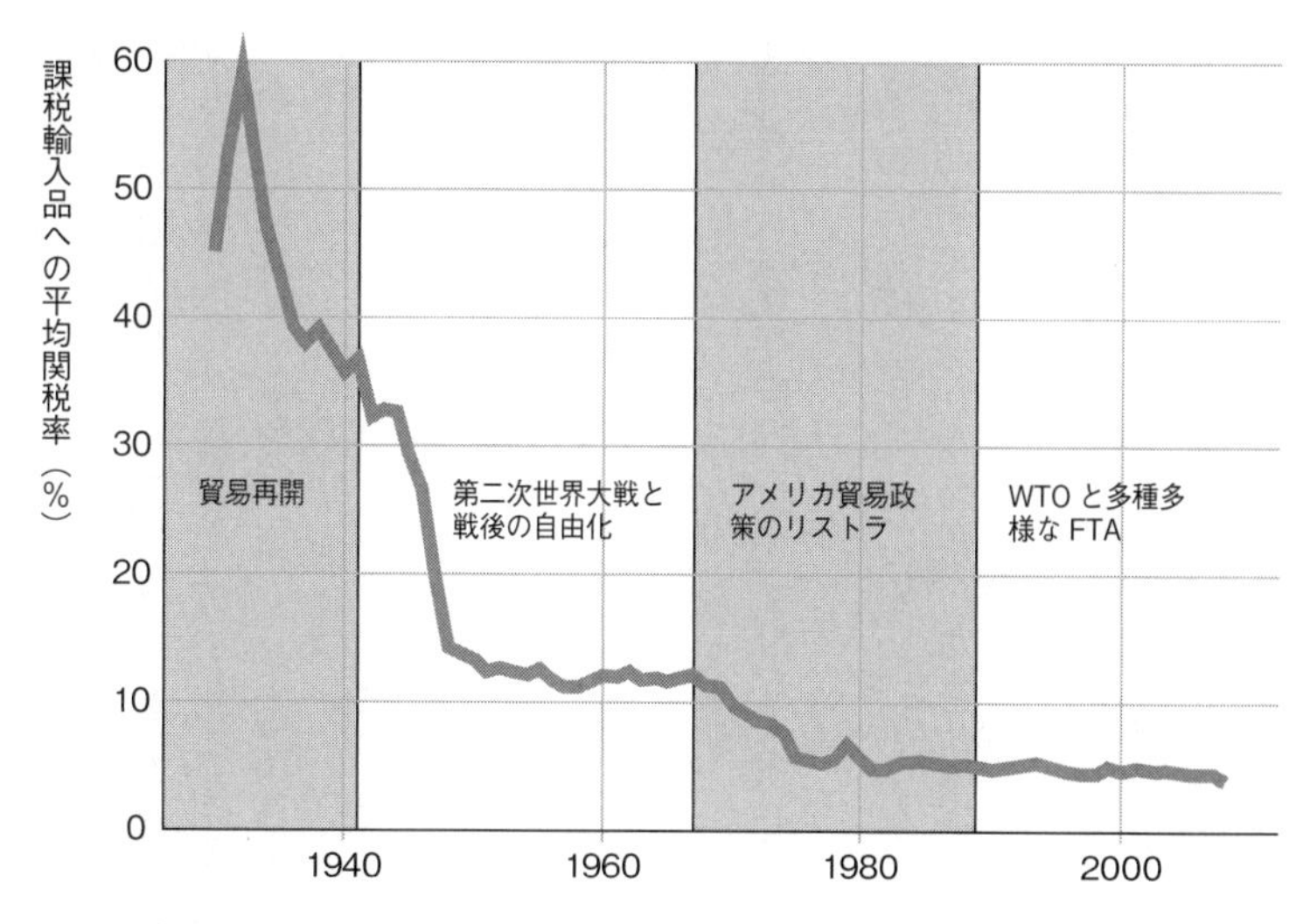

図57.1 関税対象輸入品に対する貿易加重関税率、1930-2008年　出所：アメリカ商務省統計をもとにUSITC職員作成

抗することになる。

相互貿易協定法の根拠になった経済学はダメなものだったという主張は可能だ――輸出はよくて輸入はよくないという重商主義的な想定があるとは言える。でも、それは開明的な保護主義だったし、それがもたらしたプロセスは、全体としてよい経済学的な結果を生んだ。

このプロセスが機能するには、議会は通商政策の細部に立ち入らないようにする必要がある。むしろ内閣に交渉を任せて、その協定全体として是非を投票すべきだ。その結果として、第二次世界大戦前ですら、大きな関税率引き下げが起きた。

そして一九四七年に、アメリカとその仲間は関税及び貿易に関する一般協定（ＧＡＴＴ）を確立した。これは基本的には、同じ仕組みの多国籍版だ。私はＧＡＴＴというのを、一連のレバーとラチェットの仕組みと考えている。レバー――貿易をだんだん自由にする仕組み――は入念な談合取引（「ラウンド」）

で、これが関税引き下げをもたらす。ラチェットは、決まったものが後戻りしないように、各国が何か特定の条件がない限り以前の約束を反故にしないようにするためのルールだ。

なぜ例外が設けてあるのか？　またも政治的リアリズムだ。貿易システムの創設者たちは、柔軟性が必要だということはわかっていた――あまりに硬直したルールは、脆くなるし各種の出来事の圧力にあうと砕けかねない。だから以下の条件下でなら新しい関税をかける権利が与えられた（本当の貿易弁護士たちは以下が単純化したものなのはわかるはずだけれど、でも基本は正しいこともわかるだろう）。

市場の攪乱――輸入がいきなり増えて国内生産者が調整できない場合には、多少の猶予が与えられる

国家安全保障――きわめて重要な財について潜在的な敵国に依存しないようにする

不公正な慣行――たとえば補助金つき輸出といったものに対抗するための関税

ダンピング――外国企業が財を費用以下で販売し市場支配力を確立しようとしているとき

アメリカでは、こうした理由が適用されるか決めるのは誰だろうか？　議会じゃない――それをやったらルーズベルト大統領が一九三四年に封じた地獄の釜のふたがまた開いてしまう。むしろ内閣が準司法的な手続きを経て、政府の調査機関がこうした条件に当てはまるかを決め、大統領が行動すべきかを判断する。

でもアメリカが措置を執っても、貿易相手がそれを不当だと思ったら？（あるいは逆に、アメリカが他国の措置に反対したら？）その場合は国際的な仲裁を要求できる。これは一九九三年に世界貿易機関（ＷＴＯ）が発足するまでは実に面倒だったけれど、いまはかなりすばやく動く。

するとどうなる？　ＷＴＯが、ある国の措置が不適切だと決めたとしよう。その判断を強制するために何か権限はあるのか？　直接的には、何もない。ジュネーヴに黒塗りヘリの大群が控えていて、貿易違反者どもに襲撃をくらわせたりはしない。かわりにＷＴＯは、違反国を違法国家と宣言し、腹を立てた貿易相手は好き勝手に報復してかまわない。

そして歴史的にはこの脅しはうまくいった。ＷＴＯの審査で負けた国は、一般には降参して政策を戻す。どうして機能するのか？　これで手に負えないようになったら、しっぺ返しの連続が貿易戦争となり、七〇年にわたる進歩が無に帰してしまうからだ。

そこへやってきたのがトランプだ。

世界貿易システムは、本当に驚異的な構築物だ――一貫して高い水準の世界的協力をもたらし続けた枠組みとなっている。激しいショックに直面しても、かなり堅牢だった――特に二〇〇八年金融危機の後でも、大規模な保護主義復活は起こらなかった。でも法治に類するものすべてを軽視するような世界大国の指導者に対処するようには設計されていない。

過去の大統領も、その権限を使って関税を課したし、その理由も文句なしとは必ずしも言えなかった。オバマ大統領ですら、中国のタイヤに対して一時的な「市場攪乱」関税を課した。でもどれも必ず慎重なものだった。関税措置は限定的で、その措置の経済的な根拠は、多少苦しくても正当化できなくはなかった。

ところがトランプは、国家安全保障という議論を使って関税をかけた。これは状況から見て完全に筋違いだ。なぜカナダからのアルミ輸入が国家安全保障上の脅威になるのかという筋の通った議論はまったくない。同じことを自動車についてやったら、根拠はさらになくなる。それどころかトランプ政権は、本当の国家安全保障の懸念があるようなふりさえしていない。できるからやってるんだ、文句あるか、と言うだけだ。

もっとひどい話として、目に見える終点がない。中国や、ましてヨーロッパやカナダには、トランプを満足させるようなものが何か提供できるだろうか？　アメリカの貿易赤字をなくす？　そんなものは通商政策が提供できるものではないし、また提供すべきでもない。

そしてもちろん、世界の他の国はみんなアメリカに激怒している。これは重要だ。というのも通商政策は本質的に政治的だからだ。トランプに大きく譲歩するのが経済学的にはよくても（いいかどうかもまるではっきりしない）民主的な同盟国──元同盟国と言うべきか？──はおとなしく言うことを聞くような気分にはならないだろう。

これで、なぜトランプがいまのようなことを実行する権限を持っているかおわかりいただけただろう。そしてなぜそれが、実にでかい、ひどい話なのかも。

第58章
関税を再び腐敗させよう

二〇一八年九月二〇日

通常なら、ドナルド・トランプによる中国商品二〇〇〇億ドルに対する関税の発表は、全面貿易戦争間近ということで、何日も一面トップニュースになっただろう。でも現状だと、この話は一面にも載らず、その他各種進行中のスキャンダルに埋もれて社会経済面送りだ。

それでもトランプの関税は本当に、実にでかい、ひどい話だ。直接の経済的影響は、決して些末ではないが、小さいものにとどまる。でも数字だけで話は終わらない。トランプ式通商政策は、アメリカ自身が八〇年以上前につくり出したルールを、実にお気軽に踏みにじってしまった——関税は国家の優先事項を反映したものにとどめ、利益団体の利害を反映したものにならないようにするためのルールだ。

トランプは、関税を再び腐敗させようとしていると言える。そしてその被害は長期にわたる。

一九三〇年代まで、アメリカの通商政策は薄汚く機能不全だった。全体的な関税が高いというだけにとどまらない。誰がどれだけ関税保護を受けられるかは、利益団体の間の好き勝手な談合で決まっていた。

この好き勝手な談合の費用は、経済だけではすまなかった。アメリカの影響力を弱め、世界全体に被害を与えた。最も重要な点として、第一次世界大戦後の数年にわたり、アメリカはヨーロッパ諸国に戦時中の負債を返済しろと要求した。これはつまり、ヨーロッパ諸国は輸出を通じてドルを稼がねばならないということだ——ところが同時にアメリカは、それに不可欠な輸出をブロックするために高い関税を課した。

でもこの仕組みは一九三四年に変わった。ルーズベルト大統領が相互貿易協定法を導入したからだ。それ以降、関税は外国政府との協定交渉で決まり、輸出産業も開放市場に一言言えるようになった。そしてこうした協定は、全体として賛成か反対かを議会で審議するだけだ。だから利益団体が特別扱いを求めて買収工作をする余地は減る。

このアメリカのイノベーションは、世界的な貿易システムのテンプレートとなり、その集積が世界貿易機関（ＷＴＯ）だ。そして関税政策は、汚職で悪名高い存在から、驚くほどクリーンなものになった。

さて、この貿易システムの創設者たちは、政治的な実現性を担保するために、ある程度の柔軟性が必要だということはわかっていた。だから政府は、限られた状況下では関税をかけていいことになった。産業に輸入激増に対処する時間を与えるため、不公正な外国の慣行に対抗するため、国家安全保障のため。そしてアメリカでは、こうした特例関税をかける権限は大統領府に与えられていた。ただし、この権限の行使は限定的でよい判断に基づくものとされた。

そこへトランプがやってきた。

いまのところ、トランプはアメリカ輸入品三〇〇〇億ドル分に関税をかけ、一部の関税は二五％にもなる。トランプとその部下たちは、これが外国人に対する税金だと主張し続けているけれど、実はこれはアメリカに対する増税だ。そしてほとんどの関税は原材料など事業への投入に対するものなので、この政策は投資とイノベーションに冷や水を浴びせることになるだろう。

でも純粋な経済的影響は、話のごく一部でしかない。別の一部は、プロセスの転覆だ。大統領がいつ関税をかけていいかについてはルールがある。トランプは、こうしたルールをギリギリ字面だけは遵守したけれど、その精神を踏みにじっている。カナダからの輸入を国家安全保障のためと称してブロックする？　本気ですか？

中国関税の発表ですら、表向きは不公正な中国の貿易慣行への対抗措置ということになっているけれど、基本的にはでっちあげだ。中国はしばしば国際経済でお行儀が悪い。でもこうした報復関税は、具体的な政策への対応のはずで、標的となった政府に対してアメリカの要求に応える明確な方法を示すべきだ。ところがトランプのやったことは、漠然とした不満に基づいて大げさに騒いでみせて、しかも出口がまったく見えない。

つまり関税となると、一事が万事ではあるけれど、トランプは基本的に法治を無視して、かわりに自分の気まぐれを持ってきたわけだ。そしてこれはいくつか、いやらしい結果を引き起こす。

まずこれは、昔ながらの汚職の門を開いてしまう。すでに述べたように、関税のほとんどは事業投入だ――そして一部の事業活動は特別扱いを受けている。だからいまや、輸入鉄鋼にかなりの関税がかかっているのに、一部の鉄鋼利用者――制裁を受けているロシア企業のアメリカ子会社を含む――は関税なしで鉄鋼を輸入する権利を与えられた（ロシア子会社の適用免除措置は、それがおおっぴらになると撤回された。高官たちはそれが「事務的なミス」だと主張している）。

ではそうした免除措置の基準は？　誰も知らないけれど、政治的な恩顧主義が猛威をふるっているだろうと思ってまちがいない。

それ以外に、アメリカは交渉における信頼性を投げ捨ててしまった。これまでアメリカと貿易協定を結ぶ国々は、決まったことは動かない、と信じていた。いまやアメリカがどんな文書に調印し、アメリカ市場へのアクセスを認めてくれたところで、大統領が好き勝手に、まったくいい加減な理由で、思いついたときに自国からの輸出品をブロックしかねないと思われてしまった。

要するに、トランプ関税は（まだ）そんなに大きくないとはいえ、すでにアメリカは信用できないパートナーだと見なされるようになった。通商政策が政治的なコネに左右され、都合が悪くなればすぐに約束を反故にしかねない国だと思われている。どうも私には、これがアメリカを再びグレートにするとは思えないのだが。

第12部

格差

アメリカの偏向

私は中産階級社会で育った。そこはどう見ても博愛主義的な社会じゃなかった。大企業のＣＥＯたちは、平均で、平均的な労働者の二〇倍も給料をもらっていた。でもごくわずかな人々以外は、同じ物質的な宇宙に住んでいるのだという全般的な感覚はあった。

いまやもう、そうではなくなってしまった。いまのＣＥＯは平均的な労働者の三〇〇倍以上の報酬を受け取っている。他の高収入グループは大幅に収入を伸ばしているのに、平均的な労働者の賃金は、インフレ調整後で見ると、過去四〇年にわたりごくわずかな増加しか見せていない。まったく増えていない層まである。

アメリカの偏向――収入のうち、少数のエリート層に流れる割合がますます増えている状態――は一九八〇年代末にはすでにはっきり見えていた。これは私を含め、多くの人にとってはよくないことに思えた。一般世帯が経済の進歩を共有できていないというだけでなく、共有された社会に暮らしているという感覚が失われるということだからだ。だから、格差増大の背後にある原因や、そのトレンドを逆転させるために何かできるのか、どうすればよいのかについての真面目な議論が起こりそうなものだ。

そして、格差の原因や影響については真面目な研究がたくさん生じた。そうした研究の一部は、ニューヨーク市立大学（ＣＵＮＹ）のストーン社会経済格差研究センターで、私の同僚たちがまさに行っているところだ。ちなみに、ここが今の私の所属だ。

でも予想されたことではあるけれど、ゾンビの侵略も見られた。結局のところ、格差の激増を認めれば、どうにかしろという要求が出てきかねない。結果として、当初から一種の格差否定産業が生まれた――気候変動否定産業と少なからず似ている――これは格差が実は高まっていないとか、格差は実はどうでもいいのだとか主張する産業だ。この章の最初の論説はそうした議論を俎上に上げたもので、一九九二年に『アメリカン・プロスペクト』誌に発表したものだ。そんなはるか昔に反論した議論がすべて、相変わらず今日になっても主張され続けているというのは、意外でも何でもないはずだ。

長年にわたり、格差の議論につきまとうもっと細かい問題は、三つの広範な誤解だ。まず格差の増大は、教育水準の高い労働者が教育水準の低い労働者よりも成功しているためであって、高等教育労働者のごく一部がほかのみんなをはるかに引き離しているという現象ではないという誤解だ。これについては第60章「大卒vs寡頭エリート」で反論した。

二番目は、ブルーカラー労働者の苦境は家族的な価値観の衰退といった社会問題の深刻化を反映したものだという主張で、これは必ずしも善意で行われるとは限らない議論だ。第61章「お金とモラル」は、話が逆だと主張している。アメリカ労働階級に見られる社会的な衰退は、機会減少の結果であって、原因じゃないのだ。

三番目は、すべてテクノロジーが原因だというものだ。知識ベース産業の発達で高等教育労働者の需要が高まったり、ロボットが労働者全般を置き換えたりしているせいで格差が広がっている、という。これは原理的にはあり得る。でも第62章「低賃金をロボットのせいにするな」で論じたように、証拠を見ると格差増大でテクノロジーが果たした役割は多くの人が思い込みたいものよりかなり小さい。むしろ権力関係のほうがずっと大きな役割を果たしている。

最後に、格差増大の時代は、地域格差増大の時代でもあった。アメリカの貧困地域は、かつては豊かな地域との差を縮めていたのに、再びその差を拡大させている。これはたまたまドナルド・トランプが大勝した地域でもある。第12部の最後の論説は、この地域格差の原因とその影響を採りあげる。

第59章
金持ち、右派、事実：所得分配論争の分析

『アメリカン・プロスペクト』
一九九二年秋

一九八〇年代半ば、経済学者たちはアメリカの所得分配に予想外のことが起きているのに気がついた。三〇年にわたり所得分配はかなり安定していたのに、賃金と所得が急激に不平等になってきたのだ。学術研究者はやがて、格差増大の原因について激しい議論を始めた。原因はグローバル競争なのか、政府の政策なのか、技術の変化なのか、それ以外の要因なのか？　でも所得分配が激変したということは、どんな政治的指向を持った人も疑問視しなかった。

一九九二年にこの礼儀正しい学術議論が『ニューヨーク・タイムズ』『ウォールストリート・ジャーナル』およびいくつかの一般誌上で展開される公開の論争に道を譲った。この公開論争は、二つの点で驚くべきものだった。まず保守派側は、ものすごい熾烈さで自分の主張を展開しつつ相手を攻撃した。第二に、保守派は奇妙で、最終的に擁護不能な立場を採った。所得の差が開いていることを指摘した人々に対し、それはどうしようもないし、またどのみち対応すべきでもないという主張で対抗することも十分できたし、これは正当な議論になったはずだ。ところが、ごく少数の例外を除いて彼らは事実についての立場を採り、格差激増が本当に起きたことを否定しようとした。事実は彼らの味方ではなかったので、保守派は統計的な歪曲をとんでもない規模で試みるしかないことになった。

このエピソード全体で二つの教訓が得られる。ある水準で、これは統計の使い方と濫用に関する教科書的なお手本となっている。本稿は、その教訓をふりかえり、保守派がどうやって統計記録を歪めようとしたかをたどり、なぜ彼らがまちがっているかを示す。でも『ウォールストリート・ジャーナル』とアメリカ財務省、さらには経済専門家と称する多くの人々が示した、ウソとまったくの無能ぶりの組み合わせは、何か別のものを実証している。アメリカ保守主義の道徳的、知的な衰退だ。

まずは基本的なデータのレビューから始め、続いて格差増大についての単純な事実に対する、保守派の三種類の攻撃を評価する。（1）混乱した統計的な主張のごたまぜを通じた事実否定、（2）レーガン時代の経済成長記録が、見かけ上の格差増大をすべて上回るか相殺するという主張、（3）所得の流動性のために、ちがう時点での所得分布を比べても意味はないという主張だ。最後の部分では、この論争全体から見えてくるものを示そう。

基本的な事実

アメリカの所得格差増大についての証拠を提供してくれる、非公式な情報源がいくつかある。たとえば『フォーチュン』誌は昔から、重役報酬の調査を毎年行ってきた。そして一九七〇年代半ば以来、トップ重役報酬は平均賃金や通常賃金よりもはるかに急速に増えてきた。これはグラフ・クリスタルが*In Search of Excess*（『過剰を探して』）でおもしろく描き出したプロセスだ。ミシガン大学の調査もまた、収入分布に有益な光を当てている。特に収入が時間とともにどう変わるかについてはこの調査が示唆的だ。また口承的な証拠もある。トム・ウルフは、学者たちが富の集中加速を本気で議論し始めるはるか以前から、マンハッタンの「よい建物」のマンション需要が激増していることを指摘したし、彼の『虚栄の篝火』（中野圭二訳、文藝春秋）はまさにこの問題について知るべきことをすべ

百分位	年	年間増加率（小数点以下第二位四捨五入）
20	1947-73	2.6%
	1973-79	0.4
	1979-89	-0.3
40	1947-73	2.7
	1973-79	0.4
	1979-89	0.3
60	1947-73	2.8
	1973-79	0.7
	1979-89	0.6
80	1947-73	2.7
	1973-79	0.6
	1979-89	1.1
95	1947-73	2.5
	1973-79	1.1
	1979-89	1.6

表59.1 所得増加率の分布、1947-1989年　出所：アメリカ国勢調査局

て語ってくれるとすら言える。

国勢調査の結果

アメリカの所得分布に関する学術研究のほとんどは現状人口調査に基づく国勢調査データを使っている。こうしたデータには多少の制約があって、これについてはすぐに説明しよう。でも出発点として、国勢調査の数字には一つ大きな優位性がある。議論の余地がないことだ。所得分配論争における罵倒の応酬の中でも、国勢調査が歪んでいるとか偏っているとか糾弾した人はまだいない（そのうち登場するかもしれないけれど）。

表59・1は、一九七〇年代以来のアメリカ経済トレンドを考えるあらゆる人の意識にたたき込むべき図式を示す。この表は、いくつかちがった時点における所得分布の様々な点における所得増加率を示すものだ。

所得分布は百分位で計測する。たとえば、表の最上部は、第二〇番百分位（最下層の五分位の中で最も高い収入の世帯）の世帯所得がどれだけ伸びたかを示している。第二〇番から第九五番の百分位を選んだということは、本当に極端な世帯が排除されているということだ。この排除により、とても重要な展開の一部が見えなくなっている。これはトップ層で顕著だ。だがこの図式だけでも、有益な出発点となる。

選んだ三つの期間は、一九四七－一九七三年、一九七三－一九七九年、一九七九－一九八九年だ。最初の時期は、アリス・リヴリンが「よき時代」と呼んだものにあたる――戦後の大ブーム世代だ。残りの二つの時期は、七〇年代、それも景気循環の頂点一九七三年から一九七九年にかけての時期、それと一九七九年の頂点から一九八九年の頂点までの時期だ。

この図で何がわかるだろうか？　まず一九四七－一九七三年の数字は、本当の広範な繁栄というのがどんなものかを示している。その期間には、あらゆる集団の所得がだいたい同じくらいの急速な割合で伸びた。年率二・五％ほどの伸びだ。一九七三年から一九七九年にかけて、経済が生産性の低い伸び率とオイルショックにやられたために、所得上昇はずっと遅く不均等になった。そして一九七九年以降には新しいパターンが生じている。全般に所得の伸びは遅くなっているけれど、特にその伸びのパターンには強い傾斜が見られ、分布のてっぺんの所得は真ん中よりずっと急速に伸びているのに、底辺ではむしろ所得が減っている。

以下で説明する保守派からの批判の一部では、弁解者たちは一九八〇年代こそが通常のプロセスであって、格差増大は何らおかしいことではないし、心配すべきことでもないと主張している。議論が少しややこしくなってくるので、表59・1の基本的なイメージを頭に入れておくと役にたつ。「よい」成長は、全アメリカ人に共通の柵のようになっている。一九八〇年代の成長は階段状で、豊かな人々がそのてっぺんの段にいる。

CBOの数字

表59・1の国勢調査の数字が物語るものはかなり明確だ。それでも、この話だけでは不十分だということは昔からはっきりしていた。というのも、超高所得世帯の利得について十分な姿を示してくれないからだ。

国勢調査の数字は、高所得世帯の研究にはあまり役に立たない。理由は二つある。一つは大きな理由で、もう一つは小さい。国勢調査の質問票は、はっきりした所得金額の記入を求めない。所得金額は何段階かに分けてあって、そのどこに入るかを選ぶようになっている。そしてそのてっぺんは「Xドル以上」という選択肢だ。そのXは現在、二五万ドルになっている。つまりもちろん、そのXを超える所得を持つ世帯の財産変動については、国勢調査ではまったくわからないということだ。小さいほうの問題はと言えば、国勢調査のデータは高所得世帯の重要な収入源の一つを捕捉していないということだ。それはキャピタルゲインだ。

まさに国勢調査データが超高所得については弱いがために、そのデータを使う人々は通常、第九五番百分位以上は見ない。つまり、トップ五%のいちばん下の人までしか見ないということだ。一九四七－一九七三年にかけて、みんなの所得がだいたい同じ勢いで伸びたときには、トップ層での国勢調査データの弱さはそんなに問題にならなかった。でも一九八〇年代には、超大金持ちたちの所得は、第九五番百分位の人に比べてもずっと急速に増えているのは明らかとなっていた。

それは表59・1を見るだけでも見当がついただろう。手持ちのデータを見れば、所得分布を上がるにつれて所得増加率も上がっているのだから、見えない部分のデータもそうなっていると思っても無理はない。トップ五%内部でも格差は増大し、第九九番百分位のほうが、第九五番百分位よりも所得

百分位	1977-1989年の変化率（%）
0-20	-9%
20-40	-2
60-80	8
80-90	13
90-95	18
95-99	24
100	103

表 59.2 所得増加率、1977-1989 年　出所：アメリカ国勢調査局

増加が大きいと十分に推測できる。

さらにもっと雑な証拠からも、所得はトップ層でことさら急速に伸びていただろうと推測できる。特にグラフ・クリスタルの重役報酬の数字は、CEOの報酬が一般労働者に比べて三倍になったと示唆しているし、ほぼあらゆる社会評論家は、トップ層での豊かさが明らかに激増していると指摘している。欠けているのは、しっかりした統計的な証拠だけだ。

議会予算局（CBO）の調査がそのギャップを埋めてくれる。CBOは下院生活所得委員会により、連邦課税の実態変化を推計する仕事を与えられている。これは同委員会の巨大な年報、グリーンブックの裏付け補遺となるものだ。この仕事のためにCBOは、国勢調査と税務署データをまとめたモデルを開発した。このモデルによりCBOはトップデータの問題を迂回できるし、また課税対象となるキャピタルゲインも含められる。

表59・2は一九七七－一九八九年の収入増加について、所得分布の様々な部分についてCBOによる推計を示したものだ（理想的には一九七九－一九八九年を使いたいところだ。残念ながら、その実際の課税に集中しろという当初の使命に関わる理由のおかげで、CBOは一九七

九年については推計を出していない）。ここのデータは表59・1とは少しちがう形で示してある。ここでは、それぞれの五分位のてっぺんにいる家族ではなく、その五分位の世帯平均所得の変化が示されていて、出ているのも年率換算ではなくその全期間での変化だ。でも図式ははっきりしている。いちばんてっぺんでは、本当にすさまじい所得増大があった。特にトップ一％の世帯は、所得がこの一二年ほどでざっと倍増している。これは年率六％の増大であり、つまり本当の大金持ちにとって一九八〇年代は所得分布の下の連中と比べてだけでなく、戦後の好況期と比べてもきわめてよい一〇年だったということになる。

ＣＢＯの数字からはもう一つ重要なことがわかる。裕福な人々が本当にものすごく裕福だということだ。保守派の人々が持ち出したがる定番のお話は、いわゆる「金持ち」は実はそんなに金持ちじゃない、というものだ。保守派はしばしば、国勢調査の数字を見れば、一九八九年にはトップ五分位に入るには世帯所得はたった五万九五五〇ドルで済んだ。トップ五％に入るのでも、わずか九万八九九六三ドルだ。その意味合いはつまり、アメリカは基本的には中産階級社会で、不当利益についての懸念をあおるほど豊かな人々は、無視できるほどわずかしかいない、というものだ。

でもＣＢＯの数字は別の図式を描き出す。というのも、これでもっと梯子を上がるとどうなるかがわかるからだ。ＣＢＯによると、トップ一％の区分に入るためには、四人家族は税引き前所得が少なくとも三三万ドル（一九九三年ドル）必要だ。トップ一％の四人世帯平均収入は八〇万ドルほどだった。これはもはや中産階級とは言えない。

「クルーグマン試算」

アメリカの所得分布のトップで、所得がこれほど激増したというのは驚くべきことだ。でも、重要なことはなんだろうか? ごく最近までほとんどの経済学者は、重要ではないと考えていた。貧困増（ぞう）大は社会問題として重要かもしれないが、一部の人がえらく金持ちだというのは、社会的好奇の的（まと）でしかない。

ぼく自身がこの議論に貢献したのは、トップ所得の増大が本当に大きな経済問題となる側面があるのだと指摘し、その論点を伝えるお手軽な方法を提示したことによる。これがいまや悪名高い「クルーグマン試算」で、平均世帯所得上昇の七割が、トップ一％の世帯の懐に入ったと指摘したものだ。

まず、一九八〇年代には平均的な所得がとてもゆっくりとしか伸びなかったことを思い出すところから始めよう。たとえば、標準の消費者物価指数よりも低いインフレを示す、改訂版消費者物価指数を使った場合ですら、メジアン世帯所得——一九八九年の所得分布でまんなかにいる世帯の収入——は一九七九年よりたった四・二％高いだけだった。つまりメジアン世帯所得は、年率〇・四％ほどでしか増えなかったということだ。そして平均的な労働者の実質賃金は、多くの指標で見て一九八〇年代には下がっていた。

さて、一九七三年以前のよい時代よりもアメリカの所得の伸びが下がるのは予想できたことだ。アメリカ経済の生産性上昇は、戦後ブーム期の三％から、一九七三年以降には一％ほどに下がった。そして通常は生産性上昇が実質所得上昇を決める。

でも生産性上昇は多少鈍ったとはいえ、上がってはいた。いまのアメリカは、一九七九年よりはずっと生産性の高い国になっている。だったら、なぜ平均的な世帯もずっと豊かになっていないのか？生産性上昇はどこへ消えたんだろうか？

大ざっぱな答は、平均所得はメジアン所得に比べると大きく増えた、というものだ。表59・3は、一九七九年から一九九〇年の平均世帯所得とメジアン世帯所得を示したものだ。見ると、一九七九年から一九八九年にかけて、平均世帯所得は一一％増えている。これは年率一％の生産性上昇があれば

1979	平均	100
	メジアン	100
1980	平均	97
	メジアン	97
1981	平均	95
	メジアン	94
1982	平均	95
	メジアン	93
1983	平均	96
	メジアン	94
1984	平均	99
	メジアン	96
1985	平均	102
	メジアン	97
1986	平均	106
	メジアン	102
1987	平均	107
	メジアン	103
1988	平均	108
	メジアン	103
1989	平均	111
	メジアン	104
1990	平均	108
	メジアン	102

表59.3 平均所得とメジアン所得、1979-1990年　出所：アメリカ国勢局

まさに期待されるものだ。だから計算上は何の問題もない。

メジアン所得に比べて平均所得が大きく増えているのは、表59・1と表59・2を見れば不思議でもなんでもないはずだ。所得がもっと不平等になったらまさにそうなるはずだ。トップ階層の所得が平均よりも急激に伸びたら、それに対応して下の階層の所得は平均よりも伸びが遅くなるしかないからだ。算数的な意味で、生産性上昇のほとんどは、高所得階層に「吸い上げられ」、低い階層の所得増大の余地はほとんど残らなかったと言える。これは、単純な算数問題として強調しているだけだ。そこにどんな経済的な力が働いているか、特に何か別のことが起きる可能性があったか、そうなるべきだったか、といったことは一切述べていない。

でも成長が高所得世帯に「吸い上げ」られたというとき、その高所得世帯って誰だろう？　結婚した学校の先生二人は、夫婦の所得を合わせれば年収六万五〇〇〇ドルでトップ五分位に入る。そういう世帯の話なのか、それともドナルド・トランプの話をしているのか？

表59・2を見れば、ここで問題にしているのが学校の先生なんかじゃないことは見当がつくはずだ。本当に大規模な所得増大が見られたのは、トップ五分位の底辺なんかではなく、てっぺんだ。実際、CBOの数字によると、九番十分位（つまり第八一番百分位から九〇番百分位までの人）に行く税引き後所得のシェアは、一九七七年から一九八九年でむしろ少し減っている。だから吸い上げたのは、トップ五－一〇％の世帯だけだ。そして表59・2を見れば、その大半はトップ一％に行ったと思って当然だ。

これについて実感を持ってもらいたかったのと、黙殺されてきたと思うトレンドに注目を集めるためもあって、ぼくは以下の思考実験を提案した。二つの村を想像してほしい。どちらも一〇〇世帯で構成され、片方は一九七七年、片方は一九八九年の世帯所得百分位を代表する所得を持っている。CBOの数字によると、一九八九年村の総収入は、一九七七年村より一〇％ほど高い。でも分布全体が低くなっている。

一〇％高くなったわけじゃない。むしろ一九八九年村の最も豊かな世帯は、一九七七年の最も豊かな世帯の二倍の所得を持ち、一九八九年村の底辺四〇世帯は、一九七七年の底辺四〇世帯よりも所得が低くなっている。

さて考えてほしい。この二つの村の所得差について、最も豊かな世帯の所得でどこまで説明できるだろうか？　同じことだけれど、アメリカ世帯の平均所得増大のうち、トップ一％世帯にまわったのはどのくらいだろうか？　この数字を見れば、メジアン所得がほとんど増えなかったことから見て平均所得の伸びを「吸い上げ」ていたのが誰か、感じがつかめる。

答はかなり驚かされるものだ。平均世帯の所得増のうち七割は、トップ一％が懐に入れたのだ。これで何がわかるだろうか？　一九七〇年代以来、メジアン所得は平均所得に追いついていない。言い換えると、平均的なアメリカ世帯は、生産性が上昇しているのにほとんど利益を得ていない。だから「高所得」世帯という話をするときの「高所得」というのは、すさまじい高所得のことだ。そこらのヤッピーの話ではなく、トム・ウルフの描く宇宙の支配者たちだ。

富の分布：富——世帯が所有する資産——と所得は、別物ではあるけれど関連している。富は通常、所得よりずっと集中している。現在の推計だと所得トップの一％世帯は、税引き前所得の総額のうち一二％を懐に入れる。でも最も資産額の多い一％の世帯は、純資産の三七％を保有している。まさに富がこんなに集中しているからこそ、それを標本調査で正確に測るのはむずかしい。数百人、数千人を無作為抽出してアンケートをかけても、本当の大金持ちはごくわずかしか含まれない。それでも連邦準備制度理事会の研究者たちは、高度な標本抽出手法を使ってこの問題に取り組もうとした。彼らの調査はここしばらく、所得の場合と同じく平均的な富がメジアンの富よりずっと急速に増えていることを示していた。これは格差増大を示す確実な証拠だ。一九九二年三月に彼らは、一九八三年から見ても富の集中が急激に高まったことを示すワーキングペーパーを発表した。その中でトップ一％世帯のシェアは、三一％から三七％になっている。

最近では、学術研究者数人（ハーバード大学のクローディア・ゴールディンとブラッド・デロングに、ニューヨーク大学のエドワード・ウォルフ）は富の分布について長期的な推計をまとめた。それによると、アメリカでの富の集中は一九七〇年代末に、一九世紀以来起こらなかったほどのどん底に達してから、すぐに一九二〇年代の水準に戻った。ここでのポイントは、富の数字もアメリカにおける経済格差の激増という一般的な図式を裏付けるものだということだ。

政治的意味合い

格差増大は別に政治的な意味合いを持つ必要はない。もっと平らな分布のほうがいいと思っても、他の点が同じだとすれば（そしてそう思わない人さえいる）、どうしろというのか？　アメリカで、賃金給与統制を支持するような人はほとんどいない（とはいえクローディア・ゴールディンは、第二次世界大戦の賃金統制が長期的な賃金格差の狭まりを生み出したらしいと指摘している）。格差増大を使って、税の累進性をある程度復活させる根拠にすることはできる。でも格差増大のほとんどは、税引き前所得の変化から生じているもので、逆進的な税制から生じているわけじゃない。ハーバート・スタインのような正直な保守派ははっきりと「はい、格差は増大したけれど、それで政策対応が必要とは思わない」と述べている。

それでも、多くの保守派は所得分布の話が一九九二年初頭に表面化すると激怒した。この物語は何よりも、『ウォールストリート・ジャーナル』とブッシュ政権をカンカンに怒らせた。

理由はかなりはっきりしている。『ウォールストリート・ジャーナル』の論説面編集者ロバート・バートレーのようなサプライサイド派は、レーガン時代が経済的に大成功だったと思っていて、それにより自分たちのイデオロギーが正当化されたと思っている。そうした時代がほとんどの人にとってはあまり成功とは言えず、利得のほとんどは少数の裕福な世帯にまわったと示唆するのは、政治的なボディブローなのだ。そして実際、一九九二年春における、遅ればせながらの格差への注目のおかげで、クリントンの選挙戦は新しい焦点を見つけたし、世間の怒りも新しい標的を見つけた。中産階級の有権者たちは自分たちの苦境が、キャデラックに乗った生活保護不正受給者のせいではなく、金持ちに有利な政府の政策のせいだと考えるよう促された。

だからこの保守派の無念と怒りは理解できるものだ。政権、『ウォールストリート・ジャーナル』などの保守派からの反応は、どうしようもない代物だった。保守派支配の下で格差が急速に開いたという事実に直面するかわりに、彼らは事実を否定してその話を伝えた人間を攻撃したのだった。

保守派の反応その1：否定
世帯数

『ニューヨーク・タイムズ』が格差増大の影響に関するぼくの推計を報じる記事を掲載すると、多くの保守派経済学者（経済諮問会議（ＣＥＡ）の職員も含む）の当初の反応は、別の計算をしてみせることだった。平均収入ではなく、全成長のうちどのくらいの比率がトップ一％にまわったか、という計算だ。これを「ＣＥＡ試算」と呼ぼう。これはまったくちがう数字になる。というのも、アメリカの世帯数は一九七七年から一九八九年にかけて、ベビーブーマーの最後の世代が成人したので大幅に増えたからだ。だから総所得は一〇％ではなく三五％ほど増えた。当然ながら、このずっと大きな増分のうち、大金持ちの懐に入った部分はかなり小さい。平均世帯所得なら七〇％だけれど、こちらの数字だと二五％になる。この改訂版の数字はワシントンで広く流通し、『ニューヨーク・タイムズ』

に出た数字への反駁だとされた。実際、ある主要ニュース紙は『ニューヨーク・タイムズ』がヘマをしでかしたという嬉しそうな記事を掲載しかけたけれど、最後の最後で正しいのはぼくのほうで、CEAがまちがっていると伝えられてそれを取り下げたそうだ。

CEAの計算はどこがおかしいのか? ここで答えようとしている問題を思い出そう。生産性がかなり上昇したのに、どうして普通のアメリカ世帯はあまり所得が増えなかったのか、そしてその生産性上昇の便益を懐に入れているのは誰か、という点だ。ちょっと考えてみれば、勤労年齢人口の増加を含む収入増大の数字を使うと、この問題から話が完全に離れてしまうことがわかるだろう。たとえば、所得分布の底辺二〇%に何が起きたか考えてみよう。こうした世帯の平均所得はCBOの期間を通じて一〇%下がったけれど、そうした世帯の数は二五%ほど増えた。だからその総所得は一五%ほど増えたことになる。だからCEAの計算だと、底辺五分の一は経済成長の恩恵にあずかったことになるのに、その集団の所得は減っている!

CEAはまた、ここで扱うにはややこしすぎる、仮想的な数値例を示すメモも回覧した。その例のポイントは、未熟練労働者が大量流入すれば、メジアン労働者の実績は下がるかもしれない、というものだ。その場合、メジアン労働者の所得停滞は、ある程度の技能を持つ労働者の賃金上昇を覆い隠すものとなってしまい、「クルーグマン試算」は大金持ちだけが恩恵を受けたというまちがった印象を与えてしまう。このメモは原理的には正しい。でも労働力と賃金のデータを実際に見た人なら、実際の事実はこのややこしい例とはまったくちがっていることを知っている。賃金格差の増大は、一定の技能を持つ労働者の賃金の差が広がったことを示すものであり、その技能のミックスが変わったことを示してはいない。

世帯規模

この問題は、この話には収まりが悪い。というのも、これはこのぼくとCBOとの正直な見解の相違を反映したものだし、最終的には大したちがいにならないからだ。これは、アメリカの世帯規模が小さくなっている点をどう考慮するか、そもそも考慮すべきか、という問題だ。

先に述べたように、CBOは生の世帯所得ではなく、「調整」世帯所得（AFI）を計測したがる。その指標は、貧困ラインの何倍かという形で表現される。調整世帯所得は、所得自体よりも急速に増えている。というのも世帯規模が小さくなってきたからだ。一九七七年から一九八九年にかけて、AFIは一五％増えたけれど、生の世帯所得は一〇％しか増えていない。

生の所得ではなくAFIでクルーグマン式の計算をやると、結果は多少は穏やかになる。トップ一％は、平均世帯所得増加の七〇％ではなく四四％を懐に入れた計算だ。これでもかなり大きな数字ではある。でもこういう補正は適切だろうか？

CBOが調整世帯所得を使いたがるのは、生活の物質的な水準の指標としてこちらのほうがよいと考えるからだ。子供一人の世帯は、所得が同じでも子供三人の世帯が買えないものを買える。確かにその通りだ。でもアメリカの世帯が子供の数を減らそうと決めたことまで所得増の一形態だとしてしまうのは、この考え方の意義をかなり超えたものになってしまうのでは？（共和党基盤委員会は何と言うだろうか？）

実際、通常のアメリカ世帯の総労働時間は一九八〇年代には増えている。だからなぜ世帯所得が生産性にあわせて増えていないのかと尋ねるなら、世帯がいまの所得を稼ぐために前より長く働いているという事実を補正するために、むしろ所得増分を少し割り引いて考えるべきなのだ。CBOの調整はその正反対だ。あるいは別の言い方をするなら、調整世帯所得指標は、なぜ多くの世帯がビデオデッキを買えたかという説明には使える。でもなぜ親よりも貧しいように感じているのか、という理由を説明できない。

でもこういう話はすべて大したものじゃない。世帯規模の調整をしてもしなくても、データを見ればト所得がトップ一%に大きく向かったことは裏付けられる。

キャピタルゲイン

ポール・クレイグ・ロバーツ、アラン・レイノルズ、リチャード・アーメイ下院議員、『ウォールストリート・ジャーナル』社説ページなど、多くの保守派評論家はCBOが所得推計にキャピタルゲインを含めたことについて激しく糾弾した。それを含めると、金持ちの所得がいくつかの形で過大に見えてしまうというのがその非難だ。一回限りの売却益を、それが永続的な所得であるかのように含めてしまう。金持ちが所有する資産の売却益は計上するのに、中産階級世帯が家を売ったときの非課税利益は無視する。キャピタルゲインのインフレ分を所得に含めてしまう、と彼らは述べる。そしてこうした評論家はすべて、CBOのキャピタルゲイン推計こそが、金持ちが他のみんなよりもいい目を見ているという結論の基盤なのだと主張した。

こうした批判のそれぞれについては、反論がある。資産売却はどこかの時点で必ず起こる。インフレ分はインフレ率低下とともに下がったから、トップの所得増加率はむしろ過少に示されている。でも主要な論点は、CBOの数字からキャピタルゲインを除いても、ほとんど話は変わらないということだ。キャピタルゲインを含めると、CBOの数字はトップ一%に流れる所得のシェアが、一九七七年から一九八九年にかけて七%から一二%に増えたことを示している。そしてこの集団は、調整世帯収入上昇分の四四%を懐に入れている。キャピタルゲインを外すと、シェアは六%から一〇%に増えたことになり、上昇分に占めるシェアは三八%だ。CBOは数字を出していないけれど、キャピタルゲインを除外した「クルーグマン試算」はやはり六〇％超の数字になるはずだ。つまりキャピタルゲインの話はまったくの論点ずらしでしかない。

金持ちすぎるなんてことがあるのか？

連邦準備制度理事会の資産調査が発表されると、すぐに『ウォールストリート・ジャーナル』でアラン・レイノルズがこれを攻撃し、さらにリチャード・アーメイ下院議員もこれを攻撃した。レイノルズの主要な論点は、三〇〇〇世帯のアンケート調査に基づくこの研究ではトップ一％について正確なことは言えない、というものだった。これは興味深い反応だった。というのも三〇世帯では標本数として小さすぎるから、というのもFRBの研究は、自分たちが二段階の手順を使い、推計においてはトップ一％世帯を四〇〇世帯以上含めるようにして計算したのだ、と詳しく説明しているからだ。それどころか、この調査は統計手法に関するワーキングペーパーとして書かれていて、標本サイズの問題がまっ先に出てくるのだ。だからレイノルズは、この研究を攻撃するにあたり、実物を読んでいないと結論するしかない。

アーメイ下院議員の結果は、レイノルズとポール・クレイグ・ロバーツがいくつかのコラムで報じたもので、ちがう面から攻撃をしかけている。これまでのFRB調査を慎重に調べることで、彼は重要な事実だと考えたものを掘り出してきた。所得五万ドル以上の世帯の平均資産は、一九八三－一九八九年には全体としての平均的な資産よりも上昇率が小さかったという。アーメイ議員はこの事実から、富の分布は実は差が広がるどころかむしろ縮まったのだと主張した。どうやら議員は、この時期に「所得五万ドル以上」のグループの規模も、人口の一七％から二〇％に増えたことを見落としたらしい。今日のトップ二〇％の学生の成績は、数年前のトップ一七％の成績よりも低いぞ、と言ったとしよう。何か心配するだろうか、それとも標本に加わった追加の学生たちが、平均の足を引っ張っただけだろうと指摘するだろうか？

富をめぐる論争は、所得分布論争で大きな話ではなかったけれど、今日の保守派がどれほど必死で、汚い手を平気で使い、しかも無能かについては、実にはっきりさせてくれた。

保守派の反応その２：成長は自分たちのおかげ

保守派による反論の二つ目の議論は、お馴染みのものだ。レーガン時代の成長記録は、サプライサイド派の政策が万人にとって利得をもたらすことを示したのであり、所得の分布について心配したりするのは、いやそもそもそれを話題にすること自体が、破壊的なのだという主張となる。

表59・3を見直してほしい。不景気だった一九八二年から景気循環のピークとなる一九八九年まで、メジアン所得は激増した（一二・五％増えている。平均所得の伸びは一六・八％）。これらの年を比較の基準に使えば、メジアンの伸びが平均の伸びよりも低いからといって、そんな大騒ぎする必要もなさそうに思える。問題は、その年を見るのが本当に正しいかどうか、ということだ。

もしマクロ経済学理論が人類の知識にもたらした、まともな貢献が一つあるとすれば、それは景気循環と長期成長とのちがいを示したことだ。長期的な成長は、経済の生産能力を拡大することで実現される。不景気やそこからの回復は、その能力をどれだけ活用するかという度合いを示す。不景気はよくないものだし、回復はよいことだけれど、回復期の急成長と、経済の長期パフォーマンス改善とは決して混同してはいけない。経済が能力いっぱいで動くようになったら、成長は鈍るに決まっている。さらに、不景気と回復はその時の政権よりはＦＲＢにはるかに大きく左右されるし、政権が民主党だろうと共和党だろうと同じように起こる。だから経済トレンドのまともな評価は、景気循環のピークを比べるか、あるいはもっと優れたやり方としては、ある失業率における所得水準がどうなったかを見ることで行われるわけだ。

だから、伝統的なケインズ派による景気循環への注目に反対してもともと大きく騒ぎ立てたサプライサイド派のイデオローグたちが、いまや成功主張の根拠を一九八二年から一九八九年にかけての景気循環の回復だけに依存するようになったのは、皮肉なことではある。でも他に手がない。というのも彼らのプログラムは、長期成長をまるで加速させられなかったのだから。

一九八二年から一九八九年、ロバート・バートレイが「七年の太った年月」と呼ぶものにかけてのメジアン所得の伸びは、ほぼすべてが一時的な景気循環の回復でしかなく、やがて一九七九年ピークのたった四％上という水準で、限界を迎えるしかなかった。そしてその後の不景気は、一九八〇年の不景気がジミー・カーター大統領のせいではなかったのと同様に、ジョージ・ブッシュのせいではなかったものだが、おそらくメジアン所得を、一九八〇年水準の四％より低い水準に転落させた。

「クルーグマン試算」が伝えようとした基本的な主張は、所得の格差が実に急増しているので、ほとんどの世帯は長期成長からあまり便益を受けられていない、というものだった。この主張は相変わらず成立している。過去一五年間を細切れにして、よい部分だけ自分のおかげだとして、ダメな部分は人のせいにするというサプライサイド派の手口を真面目に受けとる必要はない。

保守派の反応その３：収入の変動性

アメリカは静的な社会じゃない。ある年に高所得な人でも、翌年には低所得者になるし、その逆もある。さっき述べた二つの仮想的な村では、一九七七年と一九八九年に同じ人々（またはその子供）が同じ地位を占めていたとは必ずしも言えない。そして経済的な厚生は、ある単独の年での所得よりは、長期にわたる所得の平均に依存する。だからある単年での所得分布統計に基づいて、経済的な厚生の分布についてあまりいろいろ結論を引き出すには、多少のリスクが伴う。

所得の変動性——世帯が所得ランキングを上がったり下がったりするにつれて生じる、経済的なカードのシャッフル——は、格差が激増したという主張を相殺しかねない。まず、もし所得の変動性がとても高いなら、ある年に格差が大きくてもどうでもよくなる。生涯収入の分布はとても均一になるからだ。ぼくはこれを、ミキサーモデルと考えている。ミキサーの中であぶくがどの位置にいても、数分たてばそれぞれのあぶくは平均で液面までの道半ばにきているはずだ。

第二に、所得の流動性がだんだん高まっているなら、これは各時点での格差増大を相殺できる。所得流動性が高まれば生涯所得の分布はもっと均される。いま金持ちの人の所得は下がるしかないし、貧乏人の所得は増えるしかないからだ。

残念ながら、この可能性はいずれもアメリカ経済の特徴としてはまるで当てはまらない。アメリカではかなりの所得変動があるけれど、所得分布がどうでもよくなるほどの変動ではとてもない。たとえば国勢調査データを見ると、一九八五年に底辺二〇%にいた世帯の八一・六%は、相変わらず底辺二〇%のままだった。トップ二〇%の場合、その比率は七六・三%だ。長期的に見るともう少し入れ替わりが起こるけれど、それでも大したものではない。アーバン研究所とアメリカ財務省の研究はどちらも、所得分布のトップ二〇%と底辺二〇%から出発した世帯のうち半数ほどは、一〇年たっても同じ地位にいることを示している。底辺からてっぺんに上がったり、その逆の転落を見せたりする世帯は、たった三-六%しかいない。

これですら、所得の変動性を過大に述べている。というのも、(1)トップ二〇%などから脱落する人々は通常、その分類の底辺にいるし、(2)上下移動の相当部分は、かなり決まった長期分布に基づく変動を示すものでしかないからだ。ミシガン大学のジョエル・スレムロッドは、高所得がどれ

	期間効果			循環的効果	
	全期間	1980年以前	1980年以後	不景気以外の年	不景気の年
高所得への移行					
上の階層に移った中所得個人	6.7	6.3	7.5	6.9	6.2
転落した高所得個人	29.7	31.1	27.1	28.5	31.8
低所得への移行					
上の階層に移った低所得個人	33.6	33.5	30.4	35.0	32.3
転落した中所得個人	7.0	6.2	8.5	6.2	8.5

表59.4 大きな所得移行を遂げた成人比率　出所：Dimitri B. Papadimitriou and Edward N. Wolff, Poverty and Prosperity in the USA in the Late 20th Century (Palgrave Macmillan, 1993)、SNCSCの許可で再掲。
注：不景気の年は1人あたり実質可処分所得の5年成長率で定義。1974-1975と1979-1981.

ほど持続性を持つかについて、便利な指数を作っている。それによると、一九八三年に所得が一〇万ドル超だった世帯の平均所得は、その年は一七万六〇〇〇ドルだった。それが一九八五年で終わる七年間の平均所得は一五万三〇〇〇ドルだ。

また所得変動性が一九八〇年代に大きく高まったという証拠もまったくない。表59・4は、ミシガン大学のグレッグ・ダンカンによる、いささか恣意的ながらも納得できる「中産階級」の定義に出入りした五年ごとの移行を示す証拠だ。この中産階級の分類は一九八〇年代には縮小したので、中産階級世帯は上に行く可能性も下に下がる可能性も増えた。でもそれに対して、上がってきた貧困世帯は少ないし、金持ち世帯から中産階級に下りてきた世帯も少なかった（貧困だったのが金持ちになった世帯やその逆は、ほとんどないくらい少数だ）。全体的な図式を見ると、変動性はほとんど変わっていないらしい。

所得の変動性は、原理的には格差増大を相殺する重要な要因になる可能性はある。でも実際にはそんな役割は果たしていない。だからといって保守派たちは、それを論点にしようとするのをあきらめなかった。

ハバードの研究

一九九二年六月、財務省租税分析局は、コロンビア大学から出向中の経済学者グレン・ハバードの指示で、実はアメリカには巨大な所得階層の上方移動があるのだという報告書を発表した。その報告書によると、一九七九年に底辺二〇%から出発した個人の八六%は、一九八八年にはその区分を脱出したという。それどころか、底辺二〇%から出発した個人は、そのままの階層に残る可能性よりもてっぺん二〇%に加わる可能性のほうが高いのだという。

でもこの報告書は、かなりひいき目に見ても、奇妙な手順と言うべきものを使っていた。ハバードの報告書はこんなことをしている。一九七九年から一九八八年の一〇年間すべてにわたって所得税を支払った個人の集団をたどり、その所得をお互いにではなく、全人口の所得と比べたのだ。すべての年で税金を払った個人に限ったことで、すぐに経済的に成功した者だけを含めているという強い偏りが導入される。一〇年すべてで所得税を支払った世帯は半分くらいしかいないのだ。この成功した世帯への偏向は、標本期間の終わりになるとこの集団に貧乏人はほとんどおらず、金持ちがたくさんいたという事実にもはっきり現れている。実際、標本期間の終わりになると、標本の中で底辺二〇%にいるのはたった七%で、トップ二〇%には二八%の標本世帯が属していた。もっと重要な点として、この標本を相互にではなく全人口と比べることで、この報告は基本的に、年齢とともに稼ぎも増えるという通常の傾向を、社会的な移動性をあらわすものとして扱ったことになる。この調査で、一九七九年に底辺二〇%に分類された人物のメジアン年齢は、たった二二歳だ。

シカゴ大学の労働経済学者ケヴィン・マーフィーが、財務省調査の結果をうまくまとめている。

「これは普通の所得移動性ではない。これは大学書店で働いていて、三〇代初めには本当に就職している人物の話だ」

所得の増大

とうとう最後の、そして実に見事なまでにややこしい保守派の議論にやってきた。

まずは事実から入ろう。高所得で始まる世帯は、平均的にはその後一〇年で所得の伸びが低いか、あるいはマイナスになる。一方、低所得から始まる世帯は平均で見ると、所得が急増する。これはアーバン研究所とアメリカ財務省のどちらのデータでも言える。アーバン研究所の数字だと、一九七七年に底辺二〇％にいた世帯は一九八六年には収入が七七％増えていた。トップ二〇％の世帯は、所得がたった五％しか増えていない。『ウォールストリート・ジャーナル』の論説ページで、ポール・クレイグ・ロバーツたちはこの種の数字をあげつらい、一九八〇年代に貧困者のほうが金持ちより実はよい目を見た証拠だ、と言う。これを「ＷＳＪ試算」と呼ぼう。

ＷＳＪ試算は衝撃的に思える。でも考えてみれば、アメリカの格差が急増しているという結論と完全に整合している。この証拠が示しているのは単に、確かに所得の流動性が多少はあったというだけだ。でもそれは誰も否定していない。そして何年も続けて宝くじに当たる人はいないというのと同じことで、サプライサイド派の政策が貧困者の役に立ったという証拠にはまるでならない。

残念ながら、これを数値例なしで説明するのはむずかしい。ある経済で、毎年半数の世帯が一〇万ドル稼ぎ、残り半分は二〇万ドル稼ぐとする。そしてこの経済はミキサーモデルに従うので、下半分から出発する世帯は一〇年後にはトップの半分になる可能性が五〇％あり、その逆も成り立つとしよう。

ここでＷＳＪ試算をしてみよう。下半分の世帯は出発点が一〇万ドルだ。一〇年後、平均で彼らは一五万ドル稼ぐから、五〇％の増加になる。上半分から始まる世帯は二〇万ドルから出発だ。一〇年後、平均でこの人たちの収入も一五万ドルになっているから、三三％減ったことになる。

でも所得分布の平等性は高まっただろうか？　いいや。まったく同じだ。ここで見られるのは、「平均回帰」という統計でお馴染みの現象でしかない。要するに、最初金持ちだった人たちは、下がるしか行き場がないし、最初に貧しかった人は上がるしか行き場がない。だから所得の分布が同じなら、どんな所得変動でもまちがいなくＷＳＪと同じ結果を生み出す。そして所得格差が高まっているときにもそれが起こるのは、別に不思議でも何でもない。

もし所得の変動性がこの例くらい高ければ、もちろんある時点での所得分布は大した問題にならない。でもすでに見た通り、所得の変動性はそんなに高くない。ほとんどの貧困者も金持ちも、貧困または金持ちのままだ。だからアメリカでは、ＷＳＪ試算がもっともらしく思える程度の所得変動はあるけれど、でも格差が増大しているという本当の問題を変えるほどではないということだ。

もっと具体的なイメージが欲しければ、こう考えてほしい。どの年でも、所得の低い人の中には単に運が悪かっただけの人もいる。一時的なレイオフにあった労働者や、契約を切られた中小企業、天候に恵まれなかった農家などだ。そうした人々は数年たてばずっとよい状況になるから、現在低所得の人々の平均所得は、この先ぐっと上がるはずだ。でもだからといって、ずっと貧困のままだった人々の所得も増えるということにはならない。実際、そういう人の所得は増えない。ＷＳＪ試算のどこが変かを示す最もわかりやすい方法は、アーバン研究所のイザベル・ソーヒルがやったように、それを逆転させてみることだ。彼女のデータだと、一九七七年にトップ二〇％にいた世帯は一九八六年には所得が一一％下がっていた。でも一九八六年にトップ二〇％にいた世帯を見てみると、その人たちは所得が六五％も増えていた！　保守派が所得変動を強調したがるのは、それが機会の国としてのアメリカという歴史的なイメージを喚起できるからだ。このイメージは、昔から完全にではないにせよ、部分的には事実だった。でも結局のところ、一九八〇年代の変動性は高まっていなかったし、格差増大という圧倒的な構図を少しでも変えるほどの高さではなかった。

一九七〇年代以来のアメリカにおける所得格差は、経済的な風景におけるつまらない細部なんかじゃない。それどころか、ほぼあらゆる経済統計にはっきりあらわれていて、国民生活のほぼあらゆる側面を彩っている。このトレンドについて、好き嫌いはあるだろう。でもそれを真面目に否定することは誰にもできない、と思うのが人情だ。

つまり所得分布論争の驚くべき教訓は、それが保守派の考え方について物語ってくれることだ。実は多くの保守派は、口では反専制主義を語ってみせるけれど、実はオーウェル的な本性を持っている。記録が自分の思い通りのことを語っていなければ、それを隠すかごまかすかすればいい、というわけだ。

所得分布については本質的な問題がいろいろある。なぜトップ層の所得が激増し、底辺の所得が下がったのかについて、あらゆる理由を本当に理解している人はいない。まして、そのトレンドを抑えたり逆転させたりする政策についても、何らコンセンサスはない。でも多くの保守派は、そもそもそういう中身を議論したくないというだけじゃない。彼らは現実を直視したくないのだ。そして一九八〇年代が、現実とはちがって自分たちの思い通りに展開したという妄想世界に暮らしたがっているのだ。

第60章 大卒VS寡頭エリート

二〇〇六年二月二七日

連邦準備制度理事会の議長として、ベン・バーナンキの行った議会での処女証言は、誰もが認める通りすばらしいものだった。金融政策についても財政政策についても、まったくまちがえなかった。でもバーナンキ氏は、ある点でつまずいた。所得格差についてバーニー・フランク下院議員からの質問に答えて、彼は格差増大における「最も重要な要因」は「技能プレミアムの上昇、つまり教育の収益性増大」なのだと宣言したのだ。

これはアメリカ社会で起こっていることについての根本的な誤解だ。いま見られるのは、かなり広範な知識労働者の台頭ではない。むしろ狭い寡頭エリートの台頭が見られる。収入も富も、ますます少数の特権エリートの手に集中しつつあるのだ。

バーナンキ氏の立場は、しょっちゅう耳にするものではあるけれど、八〇 - 二〇の誤謬だと考えている。これは、ますます不平等になる社会における勝者は、かなり大きな集団だという発想だ——アメリカ人労働者の二〇%かそこらは、新技術やグローバル化を活用するだけの技能を持っていて、それがその技能を持たない八〇%を引き離しているのだ、という考え方となる。

でも事実はかなりちがう。高等教育を受けた労働者は、教育水準の低い労働者よりはよい結果となっているけれど、大卒だからといって大幅な所得増大が見られるわけじゃない。二〇〇六年大統領経済報告を見ると、大卒者の実質稼ぎは、二〇〇〇年から二〇〇四年にかけて五％以上も減っている。もっと長期で一九七五年から二〇〇四年を見ると、大卒者の平均稼ぎは増えたとはいえ、その増分は年率一％未満だ。

では格差増大の勝者は誰だろうか？　トップ二〇％ではないし、トップ一〇％ですらない。大きく儲けているのは、ずっと小さく、ずっと豊かな集団だ。

ノースウェスタン大学のイアン・デュー＝ベッカーとロバート・ゴードンによる新しい研究論文「生産性上昇分はどこへ行った？」は詳しい答を出している。一九七二年から二〇〇一年にかけて、所得分布の第九〇番百分位にいるアメリカ人の賃金給与所得はたった三四％、つまり年率一％ほどしか上がっていない。だから所得分布トップ一〇％に入る大卒者になっても、大幅な所得増が確約されるわけじゃなかった。

でも第九九番百分位の所得は八七％増えた。九九・九番百分位だと、一八一％増えている。そして九九・九九番百分位の所得は、四九七％上がった。いいえ、誤植じゃありません。

これがどんな人の話か実感してもらおう。党派性のない税制センターの推計だと、今年の九九番百分位は年収四〇万二三〇六ドル、九九・九番百分位は一六七万二七二六ドルに対応する。九九・九九番百分位の数字は出ていないけれど、たぶん年収六〇〇万ドルは軽く超えているはずだ。

どうしてバーナンキ氏ほど賢くて物知りな人が、格差増大の性質をまちがえるのか？　それは、彼が陥った誤謬が、所得トレンドに関する礼儀正しい議論で主流になっているからだ。別にそれが正しいからではなく、気休めになるから。教育の収益性が話のすべてだという発想は、格差増大の犯人はどこにもいなくて、単に需要供給が働いた結果でしかないと示唆している。さらに、格差を減らす方法は教育システムの改善だと示唆する――そして教育改善は、アメリカのあらゆる政治家が少なくとも口先では支持する価値観だ。

寡頭エリートが台頭しつつあるという発想はずっと困ったものになる。それは、格差増大は市場の力だけでなく権力関係も大いに関与しているのではと示唆するからだ。残念ながら、こちらのほうが本当の話だ。

米国社会がますます寡頭エリート化していることについて懸念すべきだろうか？　すべきだ。そしてそれは、経済の上げ潮がほとんどの船を持ち上げられなかったから、というだけじゃない。歴史や現代の経験から見て、きわめて不平等な社会はきわめて腐敗しがちだ。格差トレンドの落差が開く状況から、ジャック・エイブラモフとKストリートプロジェクト（いずれも二〇〇〇年代半ばの共和党大規模汚職事件）へはまっすぐ因果の矢が貫いているのだ。

そしてぼくは、格差の増大が「民主社会」にとって脅威となると繰り返し警告したアラン・グリーンスパンに同意する。彼がそんなことを述べたのは意外なことではある。彼はもともとはリバータリアン的なルーツを持つ人間なのだから。

この脅威に立ち向かうだけの政治的なやる気を奮い起こすまでには、しばらくかかりそうだ。でも格差についてどうにかするための第一歩は、八〇 - 二〇の誤謬を捨てることだ。格差増大はごく少数のエリートによるすさまじい所得増大に動かされているのであって、大卒者の慎ましい所得増に左右されているわけじゃないのだという事実に、そろそろ直面すべきだ。

第61章 お金とモラル

二〇一二年二月九日

最近になって、格差がまた国民の間で話題に上るようになった。ウォール街占拠運動がこの問題を目に見えるものにしたし、議会予算局が所得ギャップ拡大についてのしっかりしたデータを提供した。そして階級なき社会という幻想は暴かれた。富裕国の中で、アメリカは経済社会的な地位が最も世襲されやすい国として突出している。

で、次に何が起こるかは見当がついていたはずだ。いきなり保守派たちは、実はお金なんかどうでもいいのだ、と言い出した。重要なのはモラルなのだ、と。賃金の停滞とかそんなことは気にするな、本当の問題は労働者階級の家族重視の価値観が崩壊したことで、それはなぜだかリベラル派のせいなのだ。

でも本当にこれはモラルだけの話なのか？　いやいや、主にお金の話です。

公平を期すために述べておくと、保守派反発の核心にある新著、チャールズ・マレイ *Coming Apart: The State of White America, 1960-2010*（『崩壊：白人アメリカの状況、一九六〇－二〇一〇年』）は、確かにいくつか衝撃的なトレンドを指摘する。高卒以下の白人アメリカ人の中では、婚姻率と男性労働力参加が下がっていて、婚外子は増えている。明らかに白人労働者階級社会は、あまりよいとは思えない形で変化した。

でもまっ先に尋ねるべき問題は次の通り：価値観方面はそんなにひどいことになっているのだろうか？

マレイ氏などの保守派はしばしば、伝統的な家族の衰退が社会全体にとってひどい意味合いを持つと思い込みたがる。これはもちろん、昔ながらの立場だ。マレイ氏を読みながら、私はついついもっと前の糾弾本、ガートルード・ヒンメルファーブの一九九六年の著書 *The De-Moralization of Society: From Victorian Virtues to Modern Values*（『社会の道徳劣化：ヴィクトリア朝価値観から現代の価値観まで』）を思い出してしまった。これはほとんど同じ中身で、社会が解体しつつあると主張し、ヴィクトリア朝の価値観衰退が続けば社会はさらに解体すると予言した。

でも実のところ、社会機能不全の一部指標は、伝統的な家族が勢力を失う中でも、劇的な改善を見せている。見たところ、マレイ氏は一九九〇年以来のあらゆる人種グループ内でのティーン妊娠激減や、九〇年代半ばからの暴力犯罪六割減についてはまったく触れていない。実は伝統的な家族なんて、社会的なまとまりにとって、言うほど重要じゃないのでは？

それでも、確かに伝統的な労働者階級世帯には何か起きている。問題は、それが何かということだ。そして正直言って、保守派が一見して自明な答を実にすばやく平然と一蹴してしまう様子は驚くべきものだ。その答というのは、教育の少ない人々に提供される労働機会の激減だ。

アメリカの所得トレンドについて見られるほとんどの数字は、個人ではなく世帯に注目している。これは目的次第では筋が通っている。でも所得分布の底辺あたりで所得がわずかに増えているのは、その増分のすべて――そう、すべてだ――は女性から来ているということを認識すべきだ。それは賃金を稼ぐ労働力に参加する女性が増えているからで、さらに女性の賃金はかつてほど男性を下回っていないからだ。

でも教育水準の低い労働者男性にとっては、すべてマイナスばかりだった。インフレ調整すると、高卒男性の初任賃金は一九七三年以来二三％下がっている。一方、福利厚生は崩壊した。一九八〇年には、民間部門で働く高卒者の六五％は保健手当をもらっていた。でも二〇〇九年にはそれが二九％に下がっている。

だから、アメリカは教育水準の低い男性が、まともな賃金でまともな福利厚生のある仕事を見つけるのがとても困難な社会になってしまったわけだ。それなのに、そういう男性が労働力に参加したがらなかったり、結婚したがらなかったりするので、何やら驚いてみせるべきだということになっている。そして、それが何やら鼻持ちならないリベラルどもが引き起こした、謎のモラル崩壊があったせいにちがいないと言われる。さらにマレイ氏は、労働者階級の結婚は、起こる場合ですらあまり幸せでないのだと語る。言うのも不思議なことなんですが、お金の問題があると、そうなるらしいですよ。

もう一つ。この論争における真の勝者は、傑出した社会学者ウィリアム・ジュリアス・ウィルソンだ。

一九九六年、ヒンメルファーブ女史が道徳的崩壊を嘆いたのと同じ年、ウィルソン氏は *When Work Disappears: The World of the New Urban Poor*（『仕事が消えるとき：新都会貧困層の世界』）を発表し、一般に価値観崩壊のせいとされる、黒人の間の社会的な乱れは、実は都市部でのブルーカラー職不足から生じているのだと論じた。ウィルソン氏の言う通りなら、別の社会集団――たとえば労働者階級の白人――でも、経済機会が同じくらい失われると、同じようなことが起こりそうなものだ。そしてまさにその通りになった。

だから、国民の話題を格差増大からそらし、後塵を拝するアメリカ人たちの道徳的な破綻と称するものに目を向けさせようとする試みは拒絶しよう。伝統的な価値観は、社会的保守派たちが思い込ませたがるほど重要なものじゃない――そしていずれにしても、アメリカの労働者階級の中で起こっている社会的変化は、激増する格差の結果である部分が圧倒的に多くて、その原因ではないのだ。

第62章
低賃金をロボットのせいにするな

二〇一九年三月一四日

先日、ありがちなことだけれど、賃金停滞と格差激増を論じる会議に出た。いろいろおもしろい議論もあった。でも一つ驚いたのは、実に多くの参加者たちが、ロボットが問題の大きな一部だとあっさり思い込んでいたことだ——機械がよい仕事を奪っている、いやあらゆる仕事を奪っているというわけだ。ほとんどの場合、これは仮説扱いすらされていなかった。単なる常識の一部とされていたのだ。

そしてこの思い込みは、政策議論に本当に影響してくる。たとえばベーシックインカムを求める声高な主張の相当部分は、ロボットによる破滅が経済を覆い尽くす中で、仕事がますます減るという信念からきている。

だからここで、みんなが思い込んでいることが事実じゃないということを指摘しておくほうがいいだろう。予測はむずかしいし、特に未来についての予測はなおさらだ。だからいずれ、本当にロボットたちがやってきて仕事をみんな奪ってしまうかもしれない。でも過去四〇年にわたってアメリカの労働者に起きたことを見たとき、オートメーションはどう見ても大した影響を及ぼしていない。

確かに大きな問題は抱えている——でもそれはテクノロジーとはまるで関係なく、政治と権力に大いに関わる話だ。

ちょっと一歩下がって考えよう。そもそもロボットって何だろうか？　明らかに、C‐3POみたいなものである必要はないし、転がって「殲滅せよ！　殲滅せよ！」とわめく白い球のようなものである必要もない（いずれも有名なSF映画／テレビ番組のネタ）。経済学的な観点からすると、ロボットというのはそれまで人間がやっていた仕事を行うのに技術を使うすべてのものを指す。

そしてその意味でのロボットは、文字通り何世紀にもわたって経済を一変させてきている。経済学開祖の一人デヴィッド・リカードは、一八二一年に機械の破壊的な影響について書いているほどだ！最近の人々がロボットによる破滅の話をするとき、通常は石炭の露天掘り鉱山だの山の切り崩しだのが念頭にあるわけじゃない。でもこうした技術は炭坑を完全に一変させた。石炭生産は一九五〇年から二〇〇〇年にかけて倍増近くなった（減り始めたのはほんの数年前だ）。それなのに、炭坑労働者の数は四七万人から八万人未満にまで減った。

あるいは貨物コンテナ化を考えよう。港湾労働者は、主要港湾都市でかつては風景の当たり前の一部だった。でも世界貿易は一九七〇年代以来急増したのに、「海洋貨物扱い」に従事するアメリカの労働者の比率は三分の二も減っている。

つまり技術による破壊は、目新しい現象じゃない。でも、加速はしてるんでしょう？　いやいや、データを見る限りはちがう。本当にロボットが大量に労働者に置き換わっているなら、残った労働者が生産するモノの量――労働生産性――は激増するはずだ。ところが生産性は、一九九〇年代半ばから二〇〇〇年代半ばにかけてのほうが、そのあとよりも急速に伸びていたのだ。

だから技術変化なんて、今に始まった話じゃない。目新しいのは、その技術変化の果実を労働者が享受できないという点だ。

変化への対応は昔からつらいことではあった。炭坑雇用の減少は多くの家族にひどい影響を与えたし、かつては炭坑地帯だった地域はいまだに回復できていない。港湾都市での肉体労働の減少は、まちがいなく七〇年代と八〇年代の社会危機に貢献している。

でも技術進歩の被害者はいつもどこかにいたけれど、一九七〇年代まで生産性上昇により、労働者の大半にとっては賃金上昇がもたらされた。ところがそこで、この結びつきが切れた。そしてそれを切ったのは、ロボットじゃなかった。

では何が？　経済学者の間では、賃金停滞の大きな要因が、労働者の交渉力低下だというコンセンサスが、不完全とはいえ広がりつつある――そしてその低下のルーツは最終的には政治的なものだ。最もわかりやすいこととして、連邦最低賃金は、インフレ調整後で見ると、過去半世紀で三分の一も下がっている。でも労働者の生産性は一五〇％も上がっているのだ。この乖離は、文句なしに政治的なものだ。

アメリカで、民間労働者は一九七三年には四分の一が労働組合に所属していたのに、いまやそれが六％になっている。この労組衰退は、政治的なものかどうかはそんなにはっきりしない。でも他の国ではそんな衰退は見られない。カナダは一九七三年のアメリカと同じくらいの労組組織率だ。北欧諸国では労働者の三分の二が労働組合に入っている。アメリカが例外的なのは、労働者の団結に対して根深い敵対心を持っていて、組合潰しの雇用者を優遇する政治的な環境があったという点だ。

そして労働組合衰退は大きな差を招いた。トラック輸送の場合を考えよう。これはかつてはよい仕事だったけれど、いまや一九七〇年代よりも賃金が三分の一も下がり、しかも労働条件は最悪。どうしてこんな差が生じた？　労働組合の崩壊が大きな原因の一つだ。

そしてこうした簡単に定量化できる要因は、アメリカの政治における全面的な持続的反労働者バイアスの一指標でしかない。

ということで、話はなぜロボットの話がこんなに多いかという問題に戻ってくる。思うにその答は、これが陽動作戦なのだというものだ――アメリカの仕組みが労働者に敵対するよう仕組まれているのだという事実に向き合わずにすむようにしてくれる手法なのだ。「技能ギャップ」の話が、失業率を高止まりさせていたダメな政策から目をそらすための手法だったのと同じだ。

　何よりも進歩派たちは、この浅はかな宿命論にはまってはいけない。アメリカの労働者たちは、いまよりずっと多い取り分をもらっていいはずだし、そうすべきだ。そしてそうなっていないのは、ロボットたちのせいではなく、政治的指導者たちのせいなのだ。

第63章
トランプランドはどうなった？

二〇一八年四月二日

最近では、ほとんどあらゆる人が、アメリカは崩壊しつつあるという（正当な）感覚を抱いている。でもこれは目新しい話ではないし、単なる政治についての話でもない。物事は一九七〇年代からいろいろな面で崩壊しつつあった。格差が激増する中で、政治的な両極化が経済的な両極化と並行して進行してきた。

そして政治的・経済的な両極化は、地理的な側面を大きく有している。経済面では、アメリカの一部、主に沿海部の大都市は、ずっと豊かになりつつある。でもその他の地域は取り残されている。政治面では、そうした繁栄地域はおおむねヒラリー・クリントンに投票したのに、低迷地域はドナルド・トランプに投票した。

別に沿海都市では万事快調と言うのではないよ。全体としては成功して見える大都市圏ですら、多くの人は経済的に貧困から抜け出せずにいる。そして身勝手な建設排除も大きく貢献している住宅コスト高騰も、大問題として増大しつつある。それでも、地域的な経済格差は実際に起きているし、政治的な分断と完璧にではなくても密接に相関している。

でもこの分断の背後にあるのは何だろうか？　トランプランドはどうなっちゃったの？

地域格差はアメリカで目新しい現象じゃない。実際、第二次世界大戦前に、世界で最も豊かで生産的な国は、何百万人もの極貧農民を抱えた国でもあった。そうした農民の多くは電力も上下水道もなかった。でも一九七〇年代まで、その格差は急激に埋まりつつあった。

たとえばミシシッピ州を例にとろう。ここはアメリカ最貧の州だ。一九三〇年代に、ミシシッピ州の一人あたり所得は、マサチューセッツの一人あたり所得の三割しかなかった。でも一九七〇年代末には、その数字は七割近くまで上がっていた——そしてほとんどの人はおそらく、この収斂プロセスが続くと期待していた。

ところがこのプロセスは逆転した。最近では、ミシシッピ州はマサチューセッツの所得のわずか五五％に逆戻りしている。これを国際的な観点に置き換えると、ミシシッピ州はいまや、沿海部に比べて、北部イタリアと比べたシチリアくらい貧しいのだ。

これはミシシッピ州に限った話じゃない。ベンジャミン・オースティン、エドワード・グレイザー、ローレンス・サマーズの新しい論文が示すように、一人あたり所得の地域収斂には急ブレーキがかかっている。そして後進地域の相対的な経済衰退に伴い、社会問題も急増しつつある。壮年男性が働かない、死亡率上昇、アヘン類消費の高水準。

余談ながら、こうした展開の意味合いの一つは、ウィリアム・ジュリアス・ウィルソンが正しかったというものだ。ウィルソンは、非白人のインナーシティ貧困者たちの社会問題の起源が、黒人文化の謎の欠点にあるのではなく、経済要因にある——具体的には、よいブルーカラー職喪失にあるのだ、と論じた。そしてその通り、地方部の白人が似たような経済機会喪失に直面したら、似たような社会的解体を経験した。

では、トランプランドの問題ってホントに何なの？

ほとんどの点で、私はカリフォルニア大学バークレー校のエンリコ・モレッティに同意する。彼の二〇一二年の著書『年収は「住むところ」で決まる』（池村千秋訳、プレジデント社）は、アメリカの現状を理解しようとしている人なら誰でも必読だ。モレッティは、経済の構造的な変化が、高等教育労働者を雇用する産業を有利にしたと論じる——そして、そうした産業がいちばん活躍できるのは、すでにそうした労働者がたくさんいるところだった、という。結果として、こうした地域は成長の好循環に陥っている。知識集約産業が栄え、それがもっと多くの高等教育労働者を引き込み、それがその地域の優位性を固める。

そして同時に、労働力の教育が不十分な地域は、悪循環に陥る。それはダメな産業しか残っていないからだし、同時に頭脳流出に相当するものが起こっているからだ。

でもこうした構造的な要因は確かに中心的な話ではあるけれど、自滅的な政策の役割も認識する必要があると思うのだ。

オースティンらの新論文は、後進地域を支援する国家的な政策を呼びかけている。でもそうした地域を支援する政策はすでにあるのに、当の地域がそれを拒絶しているのだ。費用の大半を連邦政府が負担するというのに——そしてその過程で雇用も生まれるのに——メディケイド拡張を拒絶した州の多くは、アメリカの最貧州が多い。

あるいはカンザス州やオクラホマ州を考えよう。どちらも一九七〇年代にはそこそこ豊かだったのに、いまやはるかに遅れを取っている——が壮絶な減税に乗り出して、結果として教育システムがめちゃくちゃになってしまった。外部の力で苦境に陥ったのは事実だけれど、でもその墓穴を自分でさらに深掘りしているのだ。

そして国家的な政策となると、言いたくはないことだけれど、トランプランドは実質的に自分を貧窮化させるような投票を自分でやっている。戦後の大収斂においては、ニューディール政策や公共投資が大きな役割を果たした。政府を縮小しようとする保守派の活動は、アメリカ全土の人々に被害を及ぼすけれど、その損失が圧倒的に大きいのは、まさに共和党に政権を握らせた地域なのだ。

正直言って、アメリカの地域格差拡大をどうにかするのは、賢い政策をもってしてもむずかしい。そして実際に実現しそうな政策の下では、その格差は開く一方となるだろう。

第13部

保守派

保守派運動

ウィル・ロジャース（二〇世紀初頭のアメリカのコメディ系俳優で社会評論家）はこんなギャグを飛ばしている。「私はまとまった政党なんかには所属してないんだ。民主党員だからね」。彼がそう述べたとき、そこには一抹の真実があった。そしていまや、その真実味は高まっている。私の言うことを鵜呑みにしなくてもいい。政治学者たちは、民主党と共和党の構造が根本的にちがうのだと教えてくれるはずだ。

民主党は別に、必ずしもどうしようもないわけではないし、無力なわけでもない。でも昔からこの党は、利益団体のゆるい連合体だった。北部連合の指導者と南部人種分離派が両方所属していた時代ほどバラバラではないし、最近ではイデオロギー的な一貫性も高まってきた。でも何か単一の集団が仕切っているわけではない。

これに対して現代の共和党はきわめて組織化された運動のごく一部でしかない。この運動は、マードックのメディア帝国、目もくらむほど無数のシンクタンクや業界団体（そのほとんどが同じ億万長者グループの資金を受けている）などで構成されるものだ。内外の評論家たちはしばしばこの集合体を「保守派運動」と呼ぶ。

保守派運動は、アメリカ政治で常に重要な勢力だったわけではない。一九七〇年代以前には存在しないも同然だったし、共和党を完全に乗っ取ったのは一九九〇年代になってからだ。でもいまやそれは、意味のある唯一の保守主義になっている――そしてこれが、アメリカの深い政治的両極化を動かしている。またも政治学者たちは、こうしたものを計測する方法を編み出した。少なくとも最近まで、民主党はごくわずかに左に寄っただけだった——でも共和党ははるか右に移動している。政治の両極化は起きているけれど、でも政治学者の表現を借りれば、それは「非対称的」なのだ。

ところがアメリカ政治やアメリカの政策について論評する人々の多くは、この両党の根本的な非対称性に気がつかないか、それを認めようとしない。そういうやり方には、名前すらある。両論併記というやつだ。右派でどんな過剰な党派性が見られるにせよ、左派にも同じものがあるはずだというこだわりで、アメリカの問題を解決するための道筋は、両党のよき中道主義者たちが知恵をあわせて物事を解決することなのだ、という信念となる。このすべては、とんでもなくおめでたい発想だ。

もちろん、アメリカにも左派過激派はいるけれど、別にそういう連中が民主党を牛耳っているわけではない。右派過激派はというと、これはまさに共和党そのものだ。中道派と呼べそうな政治家も少しはいる。これは、その政策がおおまかに世論と一致しているという意味だ——でも世論は実は、一般に広く認められているよりもはるかに左派に寄っている。いずれにしても、この時点で中道派と呼べそうな政治家はほぼ全員、民主党だ。共和党の中道派は共和党から蹴り出されている。

そしてこの非対称的な両極化を考慮しないなら、アメリカの政治や政策についてまともなことは書けない——というのも、政策的なアイデアは少なくとも部分的には、実現の見通しがある程度は存在しなければならないからだ。この第13部の論説はすべて、何らかの形で保守派運動の時代におけるアメリカ政治の現実について扱っている。

第64章
昔ながらのあの政党

二〇〇七年一〇月八日

最近、ブッシュ大統領を真の保守主義の道から外れた人物として描く論説がいろいろ登場した。そういう論説によれば、共和党はそのルーツに立ち戻る必要があるとのこと。

まあ、ぼくは真の保守主義ってのが何なのかは知らない。でも新著に向けて調査をしている中で、保守主義を自称するアメリカの政治運動の歴史については、かなり時間をかけて勉強した――そしてブッシュ氏はその道からはまったく外れていない。それどころか、彼こそは現代の保守派運動のお手本のような人物だ。

たとえば、ブッシュ氏が高価な戦争を戦っている最中に減税をしたので、みんな驚いたそうな。でもロナルド・レーガンだって、巨大な軍備備蓄を行いつつ減税をした。

ブッシュ氏が全般的に放漫な財政運営をしているのでショックを受けた、という人もいる。でも保守派知識人は、三〇年前に財政規律なんか捨て去ったと自分で述べている。当時『パブリック・インタレスト』編集者だったアーヴィング・クリストルは、一九七〇年代にサプライサイド派経済学を受け容れた理由についてこう語っている。「財政赤字など金融や財政の問題については、いささかいい加減な態度をとった」、なぜなら「私の見たところ、大事なのは新しい多数派をつくり出すということであり、これは明らかに保守派の多数派ということで、さらにそれはつまり共和党の多数派ということだ——だから優先されるのは政治的な有効性であり、政府の会計上の赤字なんかではなかった」。人々はブッシュ政権が主要な政府機能を民間業者に外注しつつ、そうした業者に対してきちんと監督しなかったことでショックを受けているという。その代表例がイラク再建の失敗やブラックウォーター事件だ。[*1]

でも一九九三年にジョナサン・コーンは、『アメリカン・プロスペクト』誌の論説で、「レーガンとブッシュ政権下で、契約業者監督に必要な役人の配置があまりに手薄となり、業務外注の金銭的な利点は失われてしまった。政府機関は官民双方の最悪の部分をつかまされた——やる気を失いバラバラになった役人たちと、説明責任のない民間契約業者だ」と述べた。

人々はブッシュ政権の全般的な無能ぶりに驚いたと述べる。でもよい統治に関心がないというのは、現代保守主義の長年の基本原理だ。一九六〇年刊の *The Conscience of a Conservative*（『保守派の良心』）で、バリー・ゴールドウォーターは「私は政府の働きを改善したり効率を高めたりするのにまるで興味がない、なぜなら政府自体を縮小したいからだ」と述べている。

人々は憲法無視のブッシュ司法省にショックを受けたと言う。ブッシュの司法省は、議会や法廷にやめろと指示されたにもかかわらず、拷問を容認する秘密見解を出していた。でもイラン＝コントラ事件を覚えているだろうか？　レーガン政権が法的な禁輸措置を無視してこっそりイランに武器を売り、その売却益をニカラグアの反共ゲリラであるコントラ支援に使っていた事件だ。そういう支援をしてはいけないと議会が明示的に禁じていたにもかかわらずそんなことをしたのだ。

そうそう、それとイラン＝コントラ事件がトップ層——その人々は、実に好都合な大統領恩赦などの慎重な隠蔽に守られていた——に完全に知られて承認されていた活動ではなく、一部の独断によるものだと思う人がいたら——ニジェールからの手紙があるので、是非お買い上げいただけませんかねえ。

人々は、ブッシュ政権が投票詐欺への対処という口実で少数民族集団を排除しようとするのにショックを受けたという。でもレーガンは投票権法に反対したし、一九八〇年になってもそれを「南部にとって屈辱的」と述べている。

人々はブッシュ政権による、マスコミ恫喝活動——これはしばらくの間、成功しすぎるくらい成功した——にショックを受けたと言う。でもこの政権のメディア戦術と、相当部分まではその戦術を実践している人々は、ニクソン政権からまっすぐやってきた人々だ。ディック・チェイニーがシーモア・ハーシュ（ベトナム戦争のソンミ村虐殺事件報道などで知られるジャーナリスト）のアパートを捜索したがったのは、先週のことではなく、一九七五年のことだ。フォックスニュース社長ロジャー・エイルスは、ニクソンのメディア顧問だった。

人々は、ブッシュ政権が異論を裏切りと同一視しようとする活動にショックを受けたと述べる。でもゴールドウォーター——彼はレーガンと同様に、保守派の純粋性の象徴にまつりあげられたが、実際の生活ではずっと魅力のない人物だった——は頑固に赤狩りのジョセフ・マッカーシーを支持し、デマゴーグ検閲を支持する動議に反対した上院議員わずか二二人の一人だった。

人々は何よりも、ブッシュ政権の専制主義、法治の軽視にショックを受けたと述べる。でも『ナショナル・レビュー』が「南部の白人コミュニティは、繁栄するに必要となる各種手段を講じる権利がある」と宣言し、「平等に生まれたアメリカ市民の権利一覧を調べた」後で生じるかもしれない反対論などどうでもよいのだと一蹴してから、丸半世紀がたっている。ちなみにその権利一覧って、おそらくはアメリカ憲法と呼ばれる文書のことじゃないかな。

さて。いまや自分たちの大義の廃墟をふりかえって、保守派たちは「あら、なんでこんなことになっちゃったの？」と自問するかもしれない。「こんなの、私の美しい右派じゃない」とつぶやくかもしれない。そして「神様、私たち何をしでかしてしまったんでしょうか？」と自問するかもしれない（この前後、トーキング・ヘッズの名曲「ワンス・イン・ア・ライフタイム」のパロディ）。

でも彼らの運動は昔から何も変わっていない。そしてブッシュ氏は保守派運動の、真の忠実なる後継者なのだ。

＊1訳者注：イラクやアフガンでの各種警備および準軍事業務を民間軍事会社のブラックウォーター社が請け負ったが、民間人への一方的な発砲など多くの事件を引き起こした。

第65章 エリック・カンターとある運動の死

二〇一四年六月一二日

下院多数派総務エリック・カンターが、予備選で予想外の敗北を喫したというのは、どれほど重要なことなのだろうか？　きわめて重要だ。ロナルド・レーガン選出からバラク・オバマ選出までアメリカ政治を支配していた——そして多くの評論家が、今年は復活すると考えている——保守派運動が、目の前で展開しているのだ。

これは別に、保守派全般が死につつあると言いたいのではない。でも私などが「保守派運動」と呼ぶもの（これは確か、歴史学者リック・パールスタインから学んだ用語だ）はもっと狭いものだ。文化と人種的な不安を刺激することで選挙に勝ち、その勝利を使って主にエリートだけの経済的な狙いを追求しつつ、政治的、イデオロギー的な忠誠者たちの支援ネットワークを提供してきた、相互にかみ合う制度機関や連合の集合体のことを指す。

カンター氏を排除することで、共和党の票田は選挙戦における公約のすりかえ手口を見抜くようになったことを示した。そして敗北によりカンター氏は、支援ネットワークがもはや職の安全を保証できないことも示した。三〇年にわたり、保守派の鼻薬は効いていた。でもその効き目は切れた。

公約のすり変え手口というのが何のことか理解したければ、二〇〇四年に起きたことを考えよう。ジョージ・W・ブッシュは国家安全保障と伝統的価値観の支持者——私のお気に入りの表現だと、同性結婚したテロリストたちからアメリカを守る存在――のふりをして再選されたのに、選出されたらいきなり本当の魂胆をさらけだした。社会保障（年金制度）の民営化だ。これはトマス・フランクの*What's the Matter with Kansas?*（『カンザスはどうなっちゃってるの？』）での描写で知られる戦術を見事に例示している。その戦術というのは、共和党が社会問題を使って票を集めるけれど、でも選挙の後で必ず企業とトップ一％の利益に奉仕するようになる、というものだ。

このご奉仕の見返りとして、企業と金持ちは適切な／右派的な考えの政治家にたっぷりと金銭支援を提供し、忠実な連中にはセーフティネット――「イデオロギーに基づく役職」――を提供する。特に、自発的にせよ強制的にせよ公職を追われた連中には、いつも快適な役職が用意されていた。ロビイスト職もあれば、フォックスニュースなどでのコメンテーター職もある（ブッシュの元スピーチライター二人が、現在は『ワシントン・ポスト』のコラムニストだ）。「研究」職もある（上院議員に落選してから、リック・サントラムはコーク兄弟の支援するシンクタンクの「アメリカの敵」プログラム長官などになった）。

成功する選挙戦略とセーフティネットの組み合わせで、保守派の忠義者となるのが一見すると低リスクの専門キャリアのように思えた。大義は過激なものだったけれど、この仕組みが雇う人々はますます党派の手下になってしまい、信念よりもキャリアを重視する連中ばかりとなっていった。

少なくともカンター氏の与えた印象はそういうものだ。彼が人を鼓舞する存在だという評判は聞いたことがない。政治的レトリックも意地が悪いのに力がなく、しばしば驚くほど周りが見えていない。たとえば二〇一二年に、労働者記念日をわざわざ選んで企業所有者たちを賞賛してみせたのをご記憶だろうか。でも明らかに、内輪のゲームにはとても精通していたらしい。

しかしやはり、それだけではもはや不十分なようだ。なぜ彼が予備選で敗北したかはわからない。でも共和党の有権者たちは、企業の利益より自分たちの利益を優先してくれるとは思わなかったのは明らかなことに思える（たぶん彼らは正しい）。そして最も大きく持ち上がった問題、移民もまた、有権者と党のエリートたちの望みが大きく分かれる問題だった。エリートは、ヒスパニックを味方につける手法を探さねばならないと考えているのに、支持者たちはヒスパニックが大嫌いだ。また支持者たちの国内主義と、企業が求める豊富な安い労働との間にも本質的な対立がある。

カンター氏が路頭に迷うことはないはずだ――ワシントンのKストリートに乱立するロビイスト企業のどこかでまちがいなく安泰な仕事が見つかるはずだ――でもその転落ぶりの恥辱は、保守派の走狗でいるのがかつて思えたほど安定したキャリア選択でなくなりつつあるという警告になっている。

では保守派運動はどうなるのか？　ヴァージニア州での大逆転以前には、共和党エスタブリッシュメントがティーパーティから支配力を奪い返しつつあるというお話がメディアで広く見られた。これはつまり、昔ながらの保守派運動が復活しつつあるという話だ。でも現実には、予備選で勝利したエスタブリッシュメントたちは、自分のレッテルを変えて極端主義者だと名乗ることで勝てたにすぎない。そしてカンター氏の敗北は、極端主義に口先だけ賛同してもダメだと告げている。支持者の有権者たちは、それが本気だと信じる必要がある。

長期的には――というのはたぶん二〇一六年からということだ――これは共和党にとって悪い報せとなるだろう。というのも党として社会問題について右派に傾いているときに、国全体は左派に傾いているからだ（同性結婚について地盤がどれほど急変したかを思い出そう）。でも一方で、いま目にしているのは二〇〇八年と比べてすらますます極端になり、通常の統治への参加にますます関心を失っている政党だ。醜悪な政治の舞台が、いまやさらに醜悪になろうとしている。

第66章　中道右派という大いなる妄想

二〇一八年一〇月三一日

アメリカの政治を崖から追い落としているのは何だろうか？　人種憎悪と、それを活用して平気な政治家のシニシズムは中心的な役割を果たしている。でも他の要因もある。そして今日の『ニューヨーク・タイムズ』に掲載された、アレクサンダー・ハーテル＝フェルナンデズ、マット・ミルデンバーガー、レア・ストークスによる論説記事（これは実は論説ではなく社会科学だ！）は、私が昔から薄々気付いていたことを裏付けているらしい。有権者の求めるものを誤解していることで、政治的な立ち位置と公共政策の両方が歪んでしまっているのだ。

この論説の筆者たちが示しているのは、議会補佐官たちは自分の上司の票田の見方を大幅に誤解しているということだ。これは民主党と共和党の両方に当てはまるけれど、共和党のほうがひどい。彼らが明示的に指摘しないのは、オバマケア法の撤回を例外として民主党もまた程度はマシとはいえ、共和党とまったく同じ方向にまちがえるということだ。具体的には、どちらの党も世間が実際より右側に傾いているのだと信じている。

余談ながらオバマケア法の撤回について一言。本当はいったい何が起きているのか不思議だ。多くの世論調査を見ると、有権者は既存症状についても保護や、低所得アメリカ人が健康保険に入れるようにするための補助金を圧倒的に求めている——つまりオバマケア法自体は気に食わないと言うのに、その中身は求めているのだ。だからこの結果については眉にツバをつけたいところだ。民主党はここで、目に見えるほどまちがってはいないのかもしれない。

とにかく、本当に見たいのは他の集団についての似たような調査だ——たとえば主要メディア組織の政治アナリストを対象にした調査だ。なぜか？　たぶん似たような結果が得られると思うからだ。政治について論評する人々も、有権者が実際よりも右に偏っていると思っている。つまり私が示唆しているのは、首都圏界隈には共有の妄想があるということだ。アメリカが保守派か、せいぜいが中道右派の国だという妄想だ。この見方は現実に根ざしていない。

確かに、ますます極右化しつつある共和党は、政治的な競争力がずっと強い。過去二四年のうち四年間を除いてずっと、ホワイトハウスか、下院か、その両方を抑えてきた。でもこれは土俵が偏っているせいが大きい——この期間ずっと、大統領選の総得票数で上回っていたのは一度だけだ。民主党がずっと多く得票しても共和党は下院で優位に立てるのだ。

そしてまたこれは、共和党が政策以外のあらゆる面で実施する政治戦略の反映でもある。来週の選挙を、医療や減税についてよりは、おっかない茶色い人々についてのものにしようとするトランプの必死の活動は、これまで長いこと見てきたものよりずっと粗雑で醜悪だけれど、でも色合いとして根本的にちがうものではない。先代ブッシュはウィリー・ホートンを相手に選挙戦を戦った。[*1] その子供のブッシュは国家安全保障を盾にして大統領選を戦った。どっちも実際の政策なんか、まったく問題にされなかった。

実は共和党の選挙戦術と世間の選好との乖離については、二〇〇四 - 二〇〇五年に客観的な教訓が得られている。ブッシュはこれを国家安全保障をめぐる選挙だとして、さらにそこに文化戦争の色合いもつけた。かつて私が冗談で述べた通り、彼は同性婚テロリストの敵として出馬したわけだ。でも勝利を収めたら、自分が社会保障制度（年金制度）の民営化をするのだと約束したと主張した。そんな公約はしていなかった。

でも多くの評論家は、その公約があったと思った。二〇〇四年選挙以後数年にわたり、評論家業界ではもちろんブッシュが社会保障制度についても自分の主張を通すというのが常識とされた。そしてナンシー・ペロシのようにその動きを止めようとする人々は、歴史のまちがった側にいる、というわけだ。社会保障制度（およびメディケアやメディケイド）を本当に気に入っていた有権者からの圧倒的な反発は、多くの自称政治専門家たちの予想を完全に裏切るものだった。

ならば、アメリカが中道右派の国だという妄想はどんな影響をもたらすだろうか？　このせいで民主党は明らかに大胆な政策的立場を取れなくなっている。有権者にとってそうした立場があまりに左派すぎるから、というわけだ――この恐れは、世間が両党の中間くらいの中道主義者を欲しているのだと固執し続けるジャーナリストたちがあおるものでもある。ブルームバーグを大統領にという運動を思い出そう。これは多くの有力な評論家に加え、ジャーナリストでない有権者が三人くらいいただろうか。

でも共和党はそれよりもっと現実から遊離している。ハーテル＝フェルナンデズらの論文は正しくも、トランプ減税が一貫して不人気だったと指摘する。でも当初共和党が、それが政治的な大勝利となると確信していたことは指摘しない。「これをアメリカ国民に納得させられないなら、我々は転職すべきだ」とミッチ・マコネルは宣言した。でも国民は納得せず、減税は共和党のメッセージからはほぼ消え去った。

そして共和党は、既存の病状に対する保護をオバマケアから除去しようという試みに対する世間の反発を、まったく予想していなかったらしい。これは考えてみればすごい話だ。なぜこれがマズい論点だというのに気がつかずにいられるんだろうか？

ということで、話はデヴィッド・ロバーツが昨日書いた話にやってくる。これは私がここしばらく考えていたことを補う内容となっていた。彼は「ミュラーをはめろ」論争の中で、私たちが「フォックスニュース保守派第二世代」を相手にしているのだと述べた。この世代は右派バブルの中だけで育っていて、そのバブルの外の人々がどんなふうにしゃべり、考え、行動するかわかっていない。

これは専業の共和党政治屋にはなおさら当てはまることだと言いたい。この連中はみんな、子飼いでしかない。つまり保守派運動という仕組みの中で育ち、少数の左派負け犬ども以外の全員が自分たちのイデオロギーを共有していると思っている。自分たちの党の成功が人種対立に根ざしていて、ほとんどの人が金持ちの税金を増やしたがっており、社会的な福利厚生を維持したいと思っているのだということには気がつきさえしない。

ちなみにこれは、トランプの優位性だ。彼は保守派の温室育ちではない。彼が粗雑に見えるのはまさに、自分の選出の可能性が保守派に対する敬虔ぶりを繰り返すことではなく、最大限の醜悪さを実演することにかかっているのだということを理解しているからなのだ。

＊1 訳者注：殺人犯だったが仮釈放制度で出所しているときに逃亡し再犯、仮釈放制度の是非が一九八八年大統領選の大きな論点となった。

第67章 アメリカ政治の空白

二〇一九年二月四日

コーヒーの億万長者ハワード・シュルツは、「中道」として広範な支持を集められると思ったのに、ふたを開けてみたら支持率四％、不支持率四〇％だった。[*1]

ヴァージニア州で地滑り的な勝利により州知事となった民主党のラルフ・ノーザムは、医学生時代の記念アルバムに描かれた人種差別的な画像のせいで、自分の党から嵐のような糾弾を受けている。[*2]

医療拡大と金持ち増税を公約として出馬したドナルド・トランプは、政権の座についた瞬間に労働者階級の有権者たちを裏切って、金持ち向け大減税を強行しつつ、何百万人もの医療を奪おうとしている。

これらは、実は関連した物語で、そのすべてはアメリカの政治生活における二つの大きな不在に結びついている。

一つは社会的にリベラルで経済的には保守派の有権者不在だ。シュルツはこうした人々にアピールできるつもりでいた。でも基本的にはそんなものは存在しないも同然で、全有権者の、そう、四％くらいでしかない。

もう一つは経済的にリベラルで社会的には保守派の政治家不在だ——いやもう率直になって、単に「人種差別のポピュリスト」と呼ぼう。この取り合わせを気に入る有権者はたくさんいるし、トランプはその一人だというふりをした。でも実はちがったし、他にそんな人はいない。

こうした空白を理解するのが、アメリカ政治を理解する鍵なのだ、と私は主張したい。昔々、議会には人種差別のポピュリストたちがいた。ニューディール連合は、人種分離主義的な民主党離反派たちの大量支持を当てにして成立した。でもこれは昔から不安定だった。実際には、経済的な包摂を支持すると、人種包摂や社会包摂の支持もついてくる可能性が高い。一九四〇年代には、北部の民主党員はすでに北部共和党員よりも公民権支持が強く、そしてノーザム事件が示すように、民主党はいまや人種差別の見かけだけですら、まったく容認しない。

これに対して現代の共和党は、とにかく金持ち減税と、貧困者や中産階級の福祉カットだけだ。そしてトランプは選挙戦時代のポーズとは裏腹に、他の共和党とまったく変わらない存在だった。おかげで、アメリカの政治システムは社会的に保守派＝人種差別主義的でありながらも、金持ちに課税して社会保障制度を維持したい有権者に奉仕できなくなっている。民主党はそういう人々の人種差別主義を容認しない。共和党はそんな傾向は持ち合わせていない――この党はロイ・ムーアの上院議員立候補[*3]をがっちり支持したのをお忘れなく――でも彼らが依存する政策を保護はしない。

でもなぜその逆の立場、つまり社会／人種リベラリズムと経済的保守主義を組み合わせた立場の有権者がこんなに少ないのだろうか？　思うにその答えは、共和党がとんでもなく右に偏ってしまったからだ。

世論調査の結果を見ればそれは議論の余地がない。「中道」というのを、民主党と共和党の間の立場だと定義するなら、経済問題について国民は圧倒的に左派寄りとなる。民主党の立場よりさらに左なくらいだ。金持ち減税は共和党の旗印だけれど、有権者の三分の二は金持ちの税金が低すぎると考えており、高すぎると思っている有権者はたった七％だ。巨額資産に対する課税を訴えたエリザベス・ウォーレンの提案を、有権者は三対一の割合で支持している。メディケイド削減を支持するのはごく少数でしかないが、最近では共和党の医療提案はすべて、メディケイド削減が中心になっている。なぜ共和党は、有権者の選好からこれほどかけ離れた立場を採るようになってしまったのか？　それでもかまわないからだ。民主党が公民権の政党になるにつれて、共和党は労働者階級白人の社会的、人種的な反リベラル主義に訴えかけることで、彼らを惹きつけられる。一般労働者に害をもたらす政策を追求しても、その支持は変わらないのだ。

結果として、アメリカにおける経済的保守派になるというのは、政策の中身からすると少数のエリートしか容認しないような政策を支持する、ということになる。基本的には、誰もこうした政策をそれ自体として求めたりはしていない。人種的な敵対とセットにしないと、誰もそれを受け容れないのだ。

ではアメリカ政治の空白部分は、将来にとってどんな意味を持つだろうか？　まずもちろん、シュルツはバカだということだ——そして保守派でありながらも人種差別主義とは袂を分かつ、改革された共和党を夢見る連中もみんなバカだ。そんな立場のミックスを求める者はほとんど誰もいない。

第二に、民主党があまりに左寄りになりすぎて、たとえば金持ちへの税率引き上げやメディケア拡大を訴えることで選挙の見通しを危険にさらすというおそれは、ひどく誇張されている。有権者は経済的に左に移行したがっている——ただ一部の有権者は公民権支持のために民主党を嫌っている。でも党としては、この主張は魂を捨てるのでない限り手放せない。

もっとはっきりしない点としては、真に人種差別のポピュリストになろうとする政治家の余地があるか、ということだ。トランプは後半がただのポーズだからここには入らない。人種差別のポピュリスト有権者はかなり大量にいるから、誰かその人々に奉仕したがる政治家もいそうなものだと思うかもしれない。でも大金が持つ重力的な引力——これは共和党を完全にとらえてしまったし、民主党もそのせいで、有権者が本当に求めるほど左には行けずにいるとすら言える——が大きすぎるのかもしれない。

いずれにしても、独立候補者にとって真の活動余地がここにあるとすれば、その候補者はハワード・シュルツよりはジョージ・ウォーレスのような感じになるだろう。伝統的な政党を嫌う大金持ちは、望みをはるかに上まわるとんでもないものを呼び寄せないよう注意したほうがいい。

＊1訳者注：スターバックスの創業者ハワード・シュルツは、二〇一九年初頭に大統領選出馬を視野に入れた政界進出を発表したが、支持が集まらずにすぐに断念した。

＊2訳者注：ノーザム知事の一九八四年の医学生時代のアルバムで、ＫＫＫのような仮装をしている写真が見つかった事件。

＊3訳者注：アラバマ州で二〇一七年に共和党上院議員候補として出馬したが、性犯罪の嫌疑が持ち上がった。共和党はそれでも支持をとりやめなかったものの、選挙では新人の民主党候補に敗北した。

第14部

ウゲゲッ！　社会主義だ！

二一世紀の赤狩り

アメリカは、合法住民全員に対してメディケア的な医療保険を提供すべきだろうか？　これは有権者に尋ねられる本当の質問だし、意味ある回答も得られる（人々はおおむね、メディケアに加入できるというのは喜ぶけれど、いまの民間健康保険が気に入っているなら、それを捨てなければならないのはいやがる）。

アメリカは社会主義を採用すべきか？　これは本当の質問とはいえない。社会主義というのは人によって意味がちがうからだ。古典的な定義は「生産手段の政府所有」だし、有権者は明らかにそんなものは支持しない。でもアメリカの政治は、ヨーロッパ人たちが「社会民主主義」と呼ぶもの――市場経済だが、強力な社会セーフティネットと、事業が利潤追求で行える活動の範囲を制限する規制を持つもの――を社会主義と混同しようとする長い伝統がある。実際、発効してすさまじく人気が出るまで、メディケア自体が「社会主義化医療」と糾弾され、それがアメリカの自由を破壊するという恐ろしげな警告が出されていたほどだ。

あるいは別の言い方をすると、もしアメリカがもう少しデンマーク――つまり市場経済ながら、アメリカよりずっと強力な社会セーフティネットを持つ国――のようになるべきだと思っていても、保守派はそれがアメリカをベネズエラに変えようとしているのだと固執する。ベネズエラでは、市場の力を信じなかったために経済的な大惨事が起きているのだ。

執筆時点で、共和党は明らかに二〇二〇年大統領選の中心的な主題を社会主義の恐怖にしようとしている。民主党――基本的にはいまのところ社会民主主義だ――の中には、決然と、でも私に言わせれば不正確に、社会主義者を名乗る政治家がいるからだ。この脅し戦術がどこまで効くかは見当もつかない。でもそれが効果を発揮するとすれば、それは社会民主主義というのが何をするのか、アメリカよりも社会民主主義を推し進めた国での生活がどんなものかについて、理解している人があまりに少ないからだ。

この第14部の論説は、その無知に各種の側面から取り組もうとする。西欧での生活がどんなものかを説明すると同時に、アメリカ社会自体の仕組みについての思い込みをいくつか正そうとする――特に、自由市場が常に個人の自由を育むという、しつこいながらまちがった主張を正そうとしている。

第68章
資本主義、社会主義、非自由

二〇一八年八月二六日

いま『ニューヨーク・タイムズ』のウェブページに載っている記事二本——コーリー・ロビンによる論説と、ニール・アーウィンによるニュース分析——はまとめて読むべきだと思う。まとめて読むと、一九七〇年代以来世間の議論を支配してきた新自由主義イデオロギー（はい、これがここでは正しい用語だと思う）のどこがまちがっていたかについて、いろいろ正鵠を射ているのがわかる。

そもそも、低い税金と最低限の規制の売りは何だろうか？　部分的には、小さな政府こそが優れた経済パフォーマンスの鍵で、上げ潮はすべての船を浮上させるという主張がある。この主張は、新自由主義支配の時代が実は経済成長もそこそこでしかなく、それが一般労働者には分かち合われなかったにもかかわらず続いている——それを続いてほしいと思っている強力な利益集団がいるからだ。

でももう一つの主張は、自由市場が個人の自由につながる、というものだった。規制なしの市場経済は一般人を官僚の圧制から解放するという。このお話によると、自由市場では上司や物を売ってくれる企業にへつらったりする必要はない。向こうも、こちらがいつでも乗り換えられると知っているからだ。

ロビンが指摘するのは、市場経済の現実はまったくこんなものではないということだ。それどころか、何千万人ものアメリカ人——あまり儲けていない人々は特にそうだが、それに限らない——の日

図68.1 常勤者のメジアン通常実質報酬、賃金労働者および給与労働者、16歳以上男性　出所：アメリカ労働統計局

常体験は、雇用者などもっと強い経済プレーヤーたちの善意に絶え間なく依存している状態だ。

　確かにブラッド・デロングが述べるように、ロビンの例の多くはあらゆる複雑な経済システムすべてに当てはまるものではある。携帯電話会社のベライゾンとの交渉でも、社会保障局とのやりとりでも時間を無駄にしたことはあるし、どちらの場合にも私の社会経済的な地位のおかげで、最低賃金の労働者よりは交渉がずっと容易だったのはまちがいない（一方で、運転免許を出す陸運局事務所はいろいろ悪口を言われるけれど、私はいい経験しかない）。でも自由市場が実際の取引から権力関係を排除するという考えは、おめでたいにもほどがある。

　そして、いまや数十年前よりそのおめでたさ加減が増している。というのもアーウィンが指摘するように、大規模経済プレーヤーがますます経済の大きな部分を占めるようになっているからだ。たとえば買い手独占による権力が賃金を引き下げているのはますます明らかになりつつある。でもそれにとどまるものではない。雇用が少数の企業だけに集中するのと、その市場支配力を強化するような非競合条項や暗黙の談合などで、雇われた場合の賃金が下がるにとどまらない。不当な処遇を受けたときの選択肢も減るか、そもそもなくなってしまう。パワハラ上司や企業方針の問題で辞職したら、新しい就職口を見つけるには本当に苦労することになる。

でもそれをどうにかできるだろうか？　コーリー・ロビンは「社会主義」と言う——でも私が見る限り、実際には社会民主主義と言いたいようだ。ベネズエラではなく、デンマークが望ましいという。政府により義務づけられた従業員保護で、企業の採用と免職の力は制約されるけれど、一方で労働者もきわめて露骨ないじめからは守られる。労働組合は確かに労働者の選択肢を制約するけれど、企業の買い手独占力に対する重要な対抗権力にもなる。

ああそうだ、あと社会セーフティネットは、悲惨な事態を限定させるにとどまらない。人を解放してくれることもある。健康保険を失うのがいやで、嫌いな仕事を辞めずにいる知り合いは多い。オバマケアは、欠陥もあるけれど、その種の「ロックイン」を目に見えて減らしたし、医療カバーを完全に保証すれば、社会は目に見えて自由になるはずだ。

先日私は、ケイトー研究所による州ごとの経済自由度指数で少し遊んでみた。この指数は、フロリダが最も自由で、ニューヨークが最も自由でないと述べる（ワタクシめはこんなことを書いてよろしいのでしょうか、同志政治局員殿？）。私が指摘したように、ケイトー式の自由というのは、いろいろあるが高い幼児死亡率と相関しているらしい。自由に生きて死のう！（ニューハンプシャー州は僅差でフロリダに次ぐ）。

でも真面目な話、ニューヨーク州とフロリダ州との本当の差があって、ニューヨーク住民のほうが自由度が低いというのは本当か？　ニューヨークは労組がとても強い州だ——労働者の二五・三％が

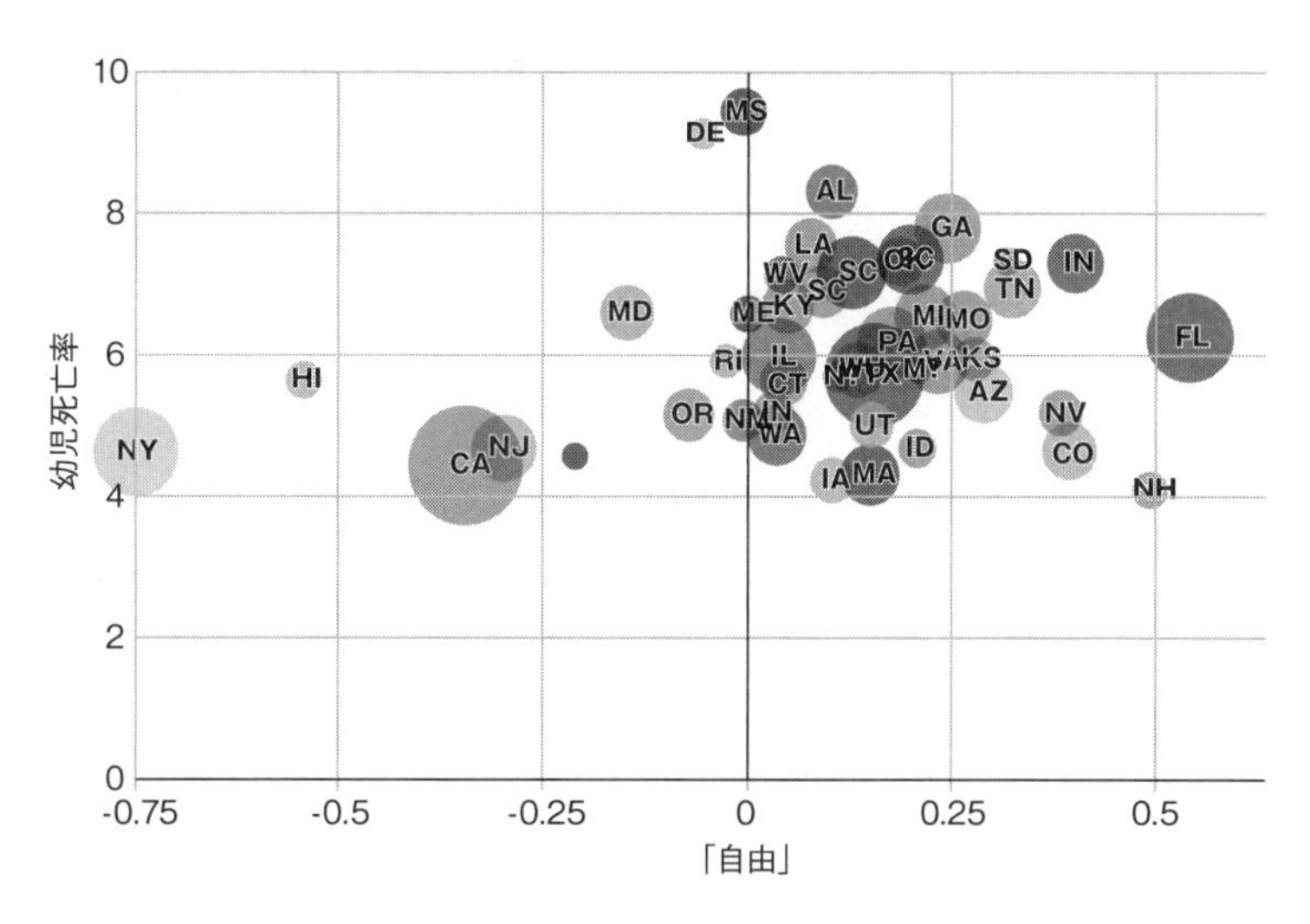

図68.2「自由度」と幼児死亡率　出所：William P. Ruger and Jason Sorens, *Freedon in the 50 States: An Index of Personal and Economic Freedom*（Cato Institute, 2018）

労組所属だ——フロリダ州だと、労組が代表する労働者は六・六%しかいない。するとニューヨークの労働者は自由度が低いのか、それとも企業の権力に対抗する力を与えられているのか？

　さらにニューヨーク州はメディケイドを拡張し、オバマケア取引所を稼働させたので、非高齢成人のうち健康保険に入っていないのは八%だけだ。フロリダではこれが一八%となる。ニューヨーク住民は、保険法の重圧の下であえいでいるだろうか、それとも医療上の緊急事態で破滅するリスクがずっと低いので、解放された気分になるだろうか？　失業しても路頭に迷わないとわかれば解放感が得られるのでは？

　高収入の専門職なら、たぶんあまり差は感じないだろう。でも憶測ながら、ほとんどの労働者はフロリダ州よりニューヨーク州のほうが、少なくとも多少は自由に感じるんじゃないかな。

　もちろん、複雑な社会で暮らすためにど

うしても犠牲となるある程度の自由について、完璧な答なんかない。ユートピアなんてものはあり得ないんだから。でも無制限の企業権力と最小限の労働者保護を支持する人々は、自分たちが自由の庇護者だというふりをしてあまりに長いこと逃げおおせてきた。でも自由というのは、実は何も失うものがないというのと同義なんかじゃないのだ（ジャニス・ジョップリンの歌で知られる名曲「ミー・アンド・ボビー・マギー」への言及。自由とは何も失うものがないということなんだ、と歌われる）。

第69章 デンマークは別に腐ってませんが

二〇一八年八月一六日

社会主義の地獄の底であるべきか、そうでないか、それこそが問題だ。ごめんなさいね、つい……

先週、フォックスビジネスの司会者トリシュ・レーガンはデンマークを、ベネズエラと並ぶ社会主義の恐怖を示す事例として紹介したことで、ちょっとした国際紛争をつくり出した。デンマークの財務大臣は彼女に、デンマークを訪ねて事実を自分の目で学んではと示唆した。

実際、レーガンが引き合いに出すべき国として、デンマークは最悪だった――あるいはアメリカの進歩派からすれば、最高の国だった。

というのもデンマークは過去数十年でアメリカとまったくちがう道をたどり、アメリカが右に傾いたときに、（わずかながら）左に傾いたからだ。そして何も問題が起きていない。

アメリカの政治は、大きな政府に対する十字軍活動に支配されてきた。デンマークは拡張的な政府の役割を受け容れ、公共支出がＧＤＰの半分を占める。アメリカの政治家たちは、金持ちから恵まれない人への再分配について語るのを恐れる。デンマークはまさに、アメリカでは想像もできないほどのそうした再分配を行っている。アメリカの政策はますます労働組合に敵対的になり、労働組合は民間部門からほとんど消え去った。デンマーク労働者の三分の二は労働組合所属だ。

保守派イデオローグたちは、デンマークの政策的な選択はひどいものであるはずだし、コペンハーゲンの街路にはぺんぺん草が生えているはずだ、と述べる。レーガンは、自分の雇い主たちがデンマークについて思い込んでいることを表現していたようなものだ。でもデンマークが地獄の底なら、その事実は実に見事に隠されている。この私もちょうどそこに出かけていたところだけれど、ずいぶん繁栄しているように見えるのだ。

そしてデータを見てもその印象と整合している。デンマーク人たちは就職率がアメリカより高いし、多くの場合は稼ぎもずっと多い。デンマークの一人あたりGDPは、アメリカより少し低い。でもそれはデンマーク人たちの休暇が長いからだ。所得格差はずっと低く、期待寿命は長い。

はっきり言って、ほとんどのデンマーク人にとっての人生は、アメリカ人よりましだ。デンマークが幸福度や人生の満足度でいつもアメリカよりはるかに高い得点なのは、それなりの理由があるのだ。

でもデンマークは社会主義か?

リバータリアン的なケイトー研究所は、ちがうという。「デンマークはかなり自由な市場経済を持つ。ただし福祉国家としての所得移転と高い政府消費がある」。これは但し書きとして大したものだ。

確かにデンマークは、古典的な社会主義の定義にはまるで当てはまらない。古典的な社会主義とは、生産手段の政府所有を含むものだ。デンマークはむしろ社会民主主義だ。市場経済だけれど、資本主義の悪いところが政府の行動により軽減されている。その行動には、とても強力な社会的セーフティネットも含まれる。

でもアメリカの保守派は――フォックスのレーガンのように――絶えず一貫して、社会民主主義と社会主義とのちがいをあいまいにする。二〇〇八年にジョン・マケインは、バラク・オバマが社会主義を求めていると糾弾した。理由は要するに、オバマが医療カバレッジの拡張を呼びかけたからだ。二〇一二年にミット・ロムニーはオバマが「ヨーロッパの社会主義民主派から」アイデアを得ていると宣言した。

言い換えるとアメリカの政治言説では、あまり意地悪くない、あまり粗野でない、あまり短絡的でない市場経済で暮らしたいと思う人はみんな、社会主義者だと罵倒されてしまう。

そしてこの罵倒キャンペーンの影響は予想通りだ。遅かれ早かれ、アメリカの生活を改善しようとするあらゆる試みが「社会主義」だと言いつのるうちに、多くの人はそれなら社会主義だっていいじゃないかと思い始めてしまう。

最近のギャラップ世論調査では、若い有権者と自称民主党支持者の多数派は、資本主義より社会主義を望んでいるという。でもアメリカ人何千万人もが政府に経済の司令塔を演じさせたがっているわけではない。単に多くの人が、アメリカがもう少しデンマークみたいになってほしいと考えるのが社会主義だと言われてきたので、だったら社会主義もそんなに悪くないと信じてしまったというだけだ。

同じことが一部の民主党政治家についても言えそうだ。アレクサンドリア・オカシオ＝コルテスについてはいろいろ取り沙汰されてきたけれど、それは彼女が予想を裏切って予備選で逆転勝利を収めたせいだけでなく、自称社会主義者だからでもある。でも彼女の基盤は、伝統的な意味の社会主義とはほど遠い。単に自他共に認める社会民主派というだけだ。

そしてそのせいで、彼女は民主党全体とも整合した立場になっている。民主党は何を奉じているのかと疑問視する論説を読むたびに、その書き手たちが候補者による政治発言をきちんと見ているのか不思議に思ってしまう。というのも今日の民主党は、実は社会民主派的な目標を核に驚くほど結束していて、その結束は昔よりもはるかに強いのだ。

確かに、政策面でもレトリック戦術の面でも人によって差はある。ユニバーサル医療カバーを促進するにあたり、メディケア・フォア・オールを目指すべきか、それとも拡大したメディケアプログラムに加入する権利だけ用意すればいいのか？　民主党は共和党による社会民主主義的な思想の罵倒を単に無視するべきなのか、それとも「社会主義者」なる汚名をむしろ誇り高い看板に仕立てるべきなのか？

でもこれはそんなに深い分断ではないし、数十年前に民主党に亀裂を入れた、リベラル派と中道派の対立にはまったく及ばない。

要するに、アメリカには必要以上の悲惨がありすぎるということだ。他の先進国はすべてユニバーサル医療を持っていて、社会的セーフティネットもアメリカよりずっと強い。アメリカもこんな状態に甘んじる必要はないのだ。

第70章　トランプVS社会主義の脅威

二〇一九年二月七日

一九六一年に、アメリカは保守派が生死に関わる脅威と考えたものに直面した。高齢者をカバーする全国的な健康保険プログラムだ。この最悪の事態を回避すべく、アメリカ医学協会はコーヒーカップ作戦なるものを開始した。これはヴァイラル・マーケティングの先駆とでも言うべきものだ。

仕組みはこんな具合だ。医師の奥さんたち（まあ一九六一年のことですから）は友人たちを自宅に招き、社会化医療がアメリカの自由を破壊するぞとロナルド・レーガンが説明している録音をかけろと言われたのだった。そしてその奥様方は議会に手紙を書いて、メディケアの脅威を糾弾しろと頼まれた。

どうもこの戦略はうまくいかなかったらしい。メディケアは実現したばかりか、あまりに人気が出たので、いまや共和党のほうがしょっちゅう（そして不正に）民主党に対し、このプログラムの予算を削ろうとしていると言って糾弾するほどだ。でもこの戦略――社会的セーフティネットを強化したり格差を抑えたりする試みはすべて全体主義への転落だという主張――はいまだに続いている。

だからドナルド・トランプも、一般教書演説で、いつものおっかない茶色い連中についての警告の途中で、少し社会主義の脅威について警告を発したのだった。

トランプの手下たちや、保守派一般のいう「社会主義」って何？　答は、場合による、というものだ。

ときにはそれは、あらゆる経済自由主義だ。だから一般教書演説の後で、財務長官はトランプ経済を絶賛し「社会主義に戻ったりはしません」と宣言した――つまりどうやらこのアメリカは、二〇一六年というごく最近まで社会主義の地獄の底だったらしい。いやあ、初耳ですなあ。

でもときには、それはソ連式の中央計画経済、あるいはベネズエラ式の産業国有化のことだ。もっともアメリカの政治業界でそんなものを支持している人は誰もいないという現実はあるが、それは気にしないことにしよう。

そしてここでの詐術――「詐術」というのは文字通りの意味だ――は、この二つのまったくちがう意味合いを行ったり来たりして、人々が気がつかないことを願う、というものだ。大学の学費無料化？ ウクライナの飢餓で何人死んだと思ってるんだ！ そしてこれは戯画化なんかではない。昨年秋にトランプの経済学者たちが発表した、社会主義に関するおべんちゃらだらけの奇妙な報告書を読んでほしい。そこでの議論はまさに今述べたようなものだ。

だから、本当に俎上にあがっているものについて語ろう。

アメリカの一部進歩派政治家は、社会主義者を名乗っている。そして相当数の有権者は、三〇歳未満の有権者の多数派を含め、社会主義を支持すると述べる。でもその政治家も有権者たちも、生産手段の政府接収を熱望したりはしていない。むしろ市場経済の過剰を抑えるものをすべて社会主義呼ばわりする保守派のレトリックを逆手にとって、「うん、だったら自分は社会主義者だな」と言っているわけだ。

「社会主義」を支持するアメリカ人が本当に求めているのは、その他世界が社会民主主義と呼ぶものだ。市場経済だけれど、その極端なつらい部分が強力な社会的セーフティネットで抑えられ、極端な格差が累進課税で制約されているものだ。社会主義支持者はアメリカをデンマークやノルウェーに近づけたいのであって、ベネズエラにしたいのではない。

そして北欧諸国に行ったことがない人もいるだろうけれど、あそこは実は地獄の底なんかじゃない。アメリカより一人あたりＧＤＰは少し低いけれど、それは向こうのほうが休暇が長いせいが大きい。アメリカと比べると期待寿命も長いし、貧困はずっと少ないし、人生の満足度も圧倒的に高い。ああそうそう、起業精神も旺盛だ――失敗しても医療が受けられなくなったり路頭に迷ったりしないとわかっていれば、起業のリスクも取りやすいからだ。

トランプの経済学者たちは明らかに、北欧社会の現実を自分たちの反社会主義マニフェストに押し込むのには苦労したようだ。ところどころでは、北欧諸国は実は社会主義なんかじゃないと述べている。別のところでは、見た目とは裏腹にデンマーク人やスウェーデン人たちは実際には苦しんでいるのだ、と必死で示そうとする――たとえば、ピックアップトラックを運転するのはアメリカより高くつく、と言う。いやこれは私がでっちあげたのではなく、ホントにこんな例が挙がっているのだ。

じゃあ自由主義から全体主義への転落が容易だという話は？　そんなことが起こるという証拠は、実は何一つ存在していない。メディケアは自由を破壊しなかった。スターリン主義のロシアと毛沢東支配下の中国は、社会民主主義から生まれたものではない。ベネズエラはウーゴ・チャベスが登場するよりはるか以前から腐敗した産油国だった。隷属への道があるにしても、実際にその道をたどった国はどこも思いつかない。

だから社会主義についての恫喝は、バカげているし不正直だ。でも政治的に効くだろうか？　たぶん効かない。結局のところ、有権者はアメリカの「社会主義者」たちの提案する政策のほとんどを圧倒的に支持している。たとえば金持ちへの増税や、万人にメディケアを提供、といった政策だ（ただし、人々に民間健康保険を手放させる計画は支持しない――単一支払い者制度を純粋に実施するかどうかをリトマス試験にしないよう民主党には警告しておく）。

一方で、虚言の力は決して甘く見てはいけない。右派メディアは、民主党が大統領候補に掲げる人物を誰であれ、レフ・トロツキーの再来のごとく描き出すだろう。そして何百万人もがそれを鵜呑みにする。それ以外のメディアが、アメリカ社会主義の美しい秘密をきちんと報道してくれると祈りたい。その秘密とは、アメリカ社会主義は何ら過激なものじゃない、ということだ。

第15部

気候

最も重要なこと

正直言って、ときどき自分がなぜ気候変動以外の問題について論じて時間を無駄にしているのかと不思議に思う。だって、文明は生死に関わる脅威に直面している。温室ガス排出を制約するための行動をとらないと、長期的にはその他すべて――医療改革も、収入格差も、金融危機ですら――どうでもよくなってしまう。

もちろん、コラムを全部、気候変動の脅威の話で埋め尽くさないのは、それなりの理由もある。人生や政策立案も、手遅れになる前に気候の脅威を避けるだけの対応が行われるという期待のもとで、継続されねばならない。また書き物の影響力というのは、とりあげる問題の重要性に加えて、自分がそこに貢献できるものがどれだけあるかにも左右されるというのもポイントだ。レイモンド・チャンドラーがエッセイ「殺人という単純な技芸」で述べたように、「神様について実に退屈な本もたくさん書かれているし、生計を立ててそこそこ正直に生きる方法についてのとてもすばらしい本もいろいろある」。

また、好き嫌いはどうあれ、気候は政治問題として大きくなりつつある一方で、対策への支持を勝ち取るためには気候政策を人々の重視する他のことと束ねる必要がある。これについては後出。

だから気候のことしか書かないわけではないし、また物事の重要性から見て適正にはほど遠いほどわずかしか触れていない。でもこれで疑問が生じる。この問題に経済学者が何の貢献ができるんだろうか？　答は三つあると思う。

まず、私は気候科学者ではないけれど、気候変動をめぐる政治論争は、経済政策をめぐる政治論争ときわめて似ている。経済と同じように、地球気候は複雑系だ。経済政策と同じく、気候政策は一部の人が本気で仕組みを理解しようとしている分野だけれど、一方で証拠の裏付けの有無を問わず自分の見方を広めたいという利権を持つ人々もいる。

だから私は、何十年にもわたる経験をもとに、真面目な研究と政治的な魂胆のあるインチキ研究とは見分けがつく。かの有名な地球温度の「ホッケースティック」グラフをつくり出したマイケル・マンのような研究者の業績と、彼を悪者に仕立てて信用に傷をつけようとする気候変動否定論者たちの必死の試みを並べてみると、どっちがどっちかを見分けるのは簡単なことだ。

第二に、気候変動に対して何かをすることに反対する議論の一つは、温室ガス排出を抑えようとする真面目な取り組みはすべて、経済に巨大な被害を与える、という主張だ。だからこの論争にはストレートな経済学的側面もある。

最後に、長年経済政策にまつわる政治を見てきたおかげで、政策一般をめぐる洞察力が多少は発達したと思いたい。特に医療改革の道筋は、完璧は善の敵という原理をあからさまに示す教訓だったように思える。単一支払い者の、メディケア・フォア・オール的な医療システムのほうが、オバマケアのような官民ハイブリッド型の手法よりも優れているという有効な議論はある。でも二〇〇九年に、一五年目にして初めてまともな医療改革の機会がきてみると、アメリカが単一支払い者方式を採用する準備がまだできていないのは明らかだった（たぶんいまだに準備はできていない）。だから次善の策を推した——そして二〇〇〇万人が医療保険でカバーされるようになった。

それが気候変動と何の関係があるのか？　あらゆる経済学入門講義の受講者は、公害に対応する効率的なやり方は、それに値段をつけて、たとえば炭素税のようなものを導入することだと教わる。そして一部の経済学者仲間はこの純潔主義者的アプローチにこだわっているようだ。炭素税が望ましいのだから炭素税しか認めない、というわけだ。一方、一部の進歩派たちは通称グリーン・ニューディールを主張している。これは気候政策と他の目的を混ぜたもので、炭素税以外の他の政策に大きく依存している。第15部の最後の論説では、気候政策へのクリスマスツリー型アプローチ——利害関係のある様々な集団向けにいろいろ詰め込んだアプローチ——が実は問題ないのだ、と論じている。

第71章 ドナルドと致命的な温暖化否定論者

二〇一八年一〇月一五日

気候変動なんてインチキだ。
気候変動は起きているけれど人為的ではない。

気候変動は人為的だけれど、その対策はすべて雇用を破壊して経済成長を殺す。

気候変動否定論はこういういくつかの段階がある。あるいはこれを段階と呼ぶのはまちがっているかもしれない。というのも、否定論者はどんなに証拠で徹底的に反駁されても、自分の主張を捨てようとはしないからだ。むしろゴキブリアイデアと呼ぶのがふさわしい——始末したと思っても何度も戻ってくる、偽の主張だ。

とにかく、トランプ政権とそのお仲間——またもや気候変動で巨大化したハリケーンと恐ろしい国連報告書で防戦を強いられている——は過去数日にわたり、こういうダメな議論を全部展開している。それは衝撃的な光景だったと言いたいところだけれど、最近では衝撃を受けるのも一苦労だ。でもいまや政治的な便宜と、言うまでもなく化石燃料の友人たちの利潤増大に向けて文明を脅かして平気な人々に支配されているというのを思い出させる光景ではあった。

こういうゴキブリについて一言。細かい話はさておき、気候変動否定論が実に多様だということ——否定論者の話はしょっちゅう変わるのに、何もすべきではないという基本線はいつも同じ——こそまさに、気候変動対策行動の反対者が悪意で行動しているというしるしだ。本気で気候変動の現実に取り組もうとはしていないし、排出削減の経済学にも取り組む気はない。彼らの目標は、汚染者たちができるだけ長く、好き勝手に汚染し続けられるようにすることだ。そしてその目標に奉仕するものならば何にでもしがみつく。

それでも、彼らの議論がすべて、近年どれほど徹底的に崩壊したかを指摘しておくのは重要だろう。最近では、気候変動否定論者たちは一時的に、何も起きていないという主張からは少し後退したようだ。異様に暖かかった一九九八年と温度を比較して、地球は温暖化していないと主張する古いごまかし――これは七月初頭の日々と五月の暖かい日を比べて、夏なんて存在しないと主張するようなものだ――は一連の新しい温度記録により否定された。そして加熱した海洋で促進された巨大な熱帯性嵐のおかげで、気候変動の影響はますます人々の目につくようになっている。

だから新しい戦略は、起きていることを矮小化することだ。気候変動モデルは「あまり成功していない」とホワイトハウスの最高経済顧問ラリー・クドロウは述べた。でも実際はかなり成功している。今日の地球温暖化は過去の予測と十分に整合している。「何かは変化しているけれど、また元に戻る」とドナルド・トランプは『60ミニッツ』で主張したけれど、その根拠は、えーと、何もなし。

地球が実際にちょっと温暖化しているかも、と嫌々ながら認めたら、気候変動否定論者たちは、それが温室ガスのせいだとは納得できないと主張する。「人為的かどうかわからない」とトランプ。そして気候変動が中国のでっちあげたインチキだという以前の主張からはなんとなく撤退したようではありながら、いまだに気候科学者の間に巨大な陰謀があるように思い込んでいて、「彼らには巨大な政治的魂胆があるのだ」と言う。

ちょっと考えてもみてほしい。何十年も前に専門家たちは、根本的な科学に基づいて、排出が地球の温度を上げると予測した。トランプのような人々はせせら笑った。いまや専門家たちの予想は現実になった。それなのに否定論者たちは、排出が原因ではなく、何か別のものが原因のはずで、このすべてが陰謀なのだという。本気ですか。

なんと、これではまるで、サウジ大使館に入ったあとで姿を消したジャマル・カショギの失踪にサウジが何も関与していないとトランプが主張するに等しい話だ。いや待て、トランプはホントにそんな主張をしてたな。

最後に気候政策の費用について。以前も指摘した通り、保守派は市場経済の威力と柔軟性を全面的に信じているくせに、そうした経済が温室ガス排出のインセンティブをつくり出したら全壊すると主張しているのは実に不思議だ。

排出削減の費用に関する終末論的な主張は、再生可能エネルギーのすさまじい技術進歩を見ればことさら不思議だ。風力発電や太陽光の費用は激減した。一方、石炭火力発電所はあまりに競争力がなくなったので、トランプ政権はクリーンエネルギーを犠牲にしてまで石炭火力に補助金を出したがっている。

要するに、気候変動否定論者たちの議論はもともとかなり弱いものでしかなかったけれど、それがなおさら弱くなっている。五年か一〇年前なら否定論者に本当に納得していたとしても、その後の展開を見たら考え直すはずだ。

現実にはもちろん、気候変動否定はもともと論理や証拠とは何の関係もない。すでに述べたように、否定論者たちは明らかに悪意で議論している。本当は自分の言っていることを信じてはいないのだ。コーク兄弟のような連中がお金儲けを続けられる口実を探しているだけだ。さらにリベラル派は排出を削減したいけれど、現代の保守主義はおおむねリベラル派をどう出し抜くかという話なのだから。

その一つの見方は、トランプ流腐敗の究極形態だというものだ。トランプとそのお仲間たちが、私利私欲のためにアメリカを売り渡していると考えるべき理由はたくさんある。でも気候の話となると、連中はアメリカを売り渡すにとどまらない。全世界を売り渡しているのだ。

第72章
気候変動否定論の腐敗

二〇一八年一一月二六日

トランプ政権は言うまでもなく、根深い反科学主義に立っている。それどころか、反客観的現実ですらある。でも政府の統制は限られている。最新の全米気候アセスメント発表を防ぐほどの強さはなかった。このアセスメントは、地球温暖化がアメリカに与える被害の現状と将来予測を詳述したものだ。

確かにこの報告はブラックフライデーに公表された。明らかに騒ぎの中で見すごされることを期待してのことだ。ありがたいことに、この小細工は効かなかった。

アセスメントは基本的に、気候科学をフォローしている人なら誰でもとっくに知っていることを裏付け、さらに大量の追加の詳細を教えてくれるものだった。気候変動はアメリカにとって大きな脅威であり、その悪影響の一部はすでに実感されつつある。たとえばこの報告は、最新のカリフォルニアでの災害以前に書かれたものだが、アメリカ南西部での山火事の危険性を指摘する。山火事がますます大きく危険になってきているのは、落ち葉を片づけていないからではなく、地球温暖化のせいだ。

でもトランプ政権と議会のお仲間たちは、もちろん、この分析を無視する。証拠はどうあれ、気候変動を否定するのが中核的な共和党の原則となっている。それがどのように起こったか、そして否定論者になるための腐敗のひどさを理解するのは重要なことだ。

ちょっと待った。腐敗というのは言いすぎでは？　人々は世間の常識に反対する権利があるはずでは？　その常識が圧倒的な科学的コンセンサスで裏付けられている場合でも？

そう、その通り――ただしその議論が誠意をもって行われている限り。でも、誠実な気候変動否定論者はほとんどいないも同然。そして科学を利潤や政治的な利点や自己満足のために否定するのはよくない。科学に基づいて行動しないとひどい結果が生まれるようなら、否定論は、すでに述べた通り、腐敗している。

こうしたすべてについて私が最近読んだ中で最高の本は最先端の気候科学者マイケル・E・マンによる、トム・トールズがイラストを描いた *The Madhouse Effect*（『マッドハウス・エフェクト』）だ。マンが説明するように、気候変動否定論は実は、昔の科学否定と同じ道をたどっている。その発端は、喫煙の危険について世間を混乱させようとするタバコ会社の長いキャンペーンだ。

衝撃的な事実として、一九五〇年代までにこうした企業はすでに、喫煙が肺ガンを起こすのは知っていた。でもこのつながりについて本当に意見が分かれているかのような見かけをつくり出すために大金を費やしてきた。つまり彼らは自社製品が人を殺していると知っていたのに、世間がこの事実を理解しないようにすることで稼ぎ続けられるようにしたわけだ。これを腐敗と言わずに何と言おうか。

多くの点で、気候変動否定論はガン否定論に似ている。世間を混乱させると金銭的に利益を得られる企業――この場合は化石燃料会社――がその主犯だ。私の知る限り、気候変動に懐疑論を述べた一握りの有名な科学者たちは一人残らず、こうした企業から大金を得ているか、あるいはドナーズ・トラストといった怪しいお金のパイプから大金を得ている――ちなみに実はこのパイプは、新任の検事総長代行マシュー・ホイティカーがトランプ政権に加わる前に資金を得ていたところだ。

でも気候変動はガン否定論がかつて到達したこともないほど深い政治的な根っこを持っている。実際には、地球温暖化の現実を否定し、それが自然要因によるものだと主張し、あるいはそれについて手を打とうとしたら経済が破壊されると主張しない限り、現代の共和党員として一流になれない。また気候変動についての圧倒的な証拠はインチキであり、それが大量の世界的な科学者の陰謀により捏造されているのだというとんでもない主張を、受け容れるか黙認するかしなければならない。

なぜそんなものにつきあおうとするのか？　やはりお金が大きな答だ。有力な気候変動否定論者たちのほぼ全員は化石燃料の子飼いだ。でもイデオロギーも大きな役割を果たす。環境問題を真剣に考えるのであれば、何らかの政府規制はどうしても必要だという結論になるから、頑固な自由市場イデオローグたちは環境問題が本物だと信じたがらない（が、どうやら消費者に石炭を補塡させるのはかまわないらしい）。

最後に、タフガイ的な強がりの要素もあるんじゃないかとは思う——本物の男は再生可能エネルギーなんか使わない、とか何とか。

そして、こういう動機は重要だ。もし重要なプレーヤーたちが科学との誠意ある意見の相違から気候変動対策に反対しているなら、残念ではあるけれど罪ではないし、もっと頑張って説得しなければというだけだ。でも現状では、気候変動否定論は貪欲、日和見、エゴに根ざしている。そしてそうした理由から対策に反対するのは、罪以外の何物でもない。

実際、それはガン否定論など些事に思えるほどの規模の腐敗だ。喫煙は人を殺すし、この現実について世間を混乱させようとしたタバコ会社は邪悪にふるまっていた。でも気候変動は人々を殺すだけではない。文明を殺してしまいかねない。それについて世間を混乱させようとするのは、邪悪の水準がちがう。そういう人々の中にも、子供がいる人はいるはずだろうに。

そしてはっきりさせておこう。ドナルド・トランプは気候変動否定論の腐敗の筆頭格ではあるけれど、このテーマについては共和党全体が何年も前にダークサイドに転落している。共和党は、ダメなアイデアを抱いているだけにとどまらない。この時点で彼らはどうしようもなく悪人なのだ。

第73章　気候変動はトランプ主義のるつぼだった

二〇一八年一二月三日

多くの評論家たちは、共和党がドナルド・トランプに忠誠を尽くしているのを見て首を傾げている――共和党は、中間選挙でいくつか敗北しているのに、あらゆる面でトランプを支持し続けているのだ。明らかに腐敗していて、どうやら外国独裁者の子飼いであるだけでなく、しょっちゅう事実を否定して、それを指摘する人全員を犯罪者扱いしたがる指導者をこれほど支持するなんて、いったい共和党はどうなってるの？

答は、共和党はトランプ登場のはるか以前から、気候変動の事実否定と、そうした事実を報告する科学者の犯罪者扱いに手を染めていたということだ。

共和党は、別にもとから反環境反科学の政党ではなかった。ジョージ・H・W・ブッシュは、酸性雨の問題をおおむね抑えたキャップ・アンド・トレード方式を導入した。二〇〇八年になっても、ジョン・マケインは地球温暖化を引き起こす温室ガス排出を抑えるため、類似の規制を導入しようと主張した。

でもマケインの党はすでに、今日の状態に到る過程をかなりたどっていた――その現状とは、気候変動否定論者に完全に支配されているだけでなく、科学全般に敵対的で、その教義に異を唱える科学者たちを悪者扱いして破滅させようとする政党だ。

トランプはこの考え方にぴったりはまる。それどころか、共和党による気候変動否定論の歴史を振り返ると、まさにトランプ主義そのものだ。気候変動否定論こそは、トランプ主義の基本要素が形成されたるつぼだったのだとすら言えるかもしれない。

自分の行動やその結果に関する否定的な情報をすべて、敵対的なメディアがでっちあげたフェイクニュースに仕立てるか、悪意ある「ディープステイト」の産物だとして一蹴するトランプのやり方を見よう。この種の陰謀論的なやり方は、気候変動否定論者の間では昔から普通の手口だった。彼らは地球温暖化の証拠――気候科学者の九七％を納得させた証拠――を「巨大なインチキ」と呼んできた。

この巨大な陰謀の証拠とは？　その多くは、ご明察の通り、ハックされた電子メールが根拠だ。あまりに多くのジャーナリストたちが、イギリスの大学からの文脈を無視して選択的に抽出されたメールに基づくスキャンダルもどき、「クライメートゲート」で暴かれたと称する不正活動なるものについて真に受けてしまったが、これは二〇一六年にハッキングされた民主党電子メールをめぐる、ひどいメディアの扱いの先触れとなった（メールからわかったことといえば、科学者だって人間だということにすぎない――ときどきケンカ腰にもなるし、専門的な略語でしゃべったりもするし、それを敵意ある部外者たちが意図的に誤読するのも容易だ）。

ああそうそう、そしてこのインチキを主導しているはずの、何千人もの科学者を動かしているはずのものは何？　史上最も腐敗した大統領ドナルド・トランプが、現代で最も腐敗した政権を主導し、絶えず敵対者や批判者たちを「根性曲がり」と呼ぶ光景はすでにお馴染みだ。同じことが気候論争でも起こる。

本当のことを言えば、最も有力な気候変動否定論者は基本的に、お金をもらってその立場をとっているのだ。彼らは化石燃料会社から大金を受け取っている。でも地球温暖化で予想される被害を詳述した最近の全米気候アセスメントの後で、大量の共和党員たちがテレビで、科学者たちがそんなことを言っているのは「お金目当てなのだ」と宣言した。自分がそうだと人もそう見えるってことでしょうかね。

最後にトランプは、アメリカの政治における悪意をこれまでにない水準に引き上げた。自分の追随者たちに批判者への暴力をそそのかし、司法省にヒラリー・クリントンとジェイムズ・コミーを訴追させようとした。

でも気候科学者たちも嫌がらせや脅迫を受けているし、ひどいときには殺人予告まで長年くらってきた。そして政治家たちによる、研究を実質的に犯罪に仕立てようとする活動にも直面してきた。最も有名なのが「ホッケースティック」のグラフを作ったマイケル・E・マンで、長年にわたり当時ヴァージニア州検事総長だったケン・クッチネリによる反気候科学ジハードの標的にされてきた。

そしてそれが続いている。最近ではアリゾナ州の裁判官が、コーク兄弟とつながりのある集団からの訴訟を受けて（そして明らかに研究がどう行われるか理解しないまま）アリゾナ大学の気候科学者によるメールをすべて公開するよう命じた。必ず起こるはずの選択的な歪曲を事前に阻止すべく、マンはアリゾナの同僚たちとのメール通信をすべて公表し、文脈の説明文もつけた。

この物語には三つの重大な教訓がある。

まず、気候変動の困難に立ち向かえず、ひどい結果が生じたとしたら――これはあまりに実現してしまいそうだ――それは重要な問題をまったくの善意で理解し損ねた結果とはならない。むしろそれは、腐敗、意図的な無知、陰謀論、恫喝でもたらされた災厄となる。

第二に、腐敗は「政治家」や「政治システム」の問題ではない。それは共和党固有の問題であり、彼らは温暖化する地球のもたらす被害がますます明らかになるのに、気候変動否定論にますます深くはまり込んでいる。

第三に、いまや気候変動否定論は、もっと大きな道徳的腐敗の一部だというのがこれでわかる。ドナルド・トランプは逸脱ではない。共和党が長年向かっていた方向性の集大成なのだ。トランプ主義は、気候変動否定論の腐敗を政治のあらゆる側面に適用したものにすぎないとすらいえる。そしてその腐敗が終わる気配はまったくない。

第74章　グリーンな新年への期待

二〇一八年一二月三一日

自分をごまかすのはやめよう。下院で民主党が新たに多数派となったからといって、新しい法制を施行はできない。何であれ重要なことについて、超党派的な取引が実現したら驚く――インフラですら、どちらも行動を求めてはいるものの、共和党が本当に欲しがっているのは、公共資産民営化の口実だ。

だからワシントンにおける権力シフトの直接的な影響は、実際の政策立案とは関係ない。それはむしろ、民主党が新たに手に入れた、トランプ流汚職のぷんぷんする泥沼を、召喚令状の権力を使って操作できる力からやってくる。

でもだからといって、民主党が政策問題を無視すべきだということにはならない。それどころか民主党はこれからの二年を、二〇二一年に政策立案力を獲得した場合に何をずばりやるか、考えておくのに使うべきだ。ということで話は、目下の大きな政策スローガン、通称グリーン・ニューディールにやってくる。これは本当にいい考えなんだろうか?

いい考えだ。でも、魅力的なスローガンで終わらず、細部をいろいろきちんと詰めるべきだ。共和党みたいなことはしたくないだろう。彼らは長年、オバマケア法をひっくり返すと勇ましいことを言っていたけれど、現実的な代替案をついに考案できなかった。

　ではグリーン・ニューディールとはどういう意味なんだろうか？　完全にはっきりはしていない。だからこそよいスローガンになる。いろいろよいことを意味するかもしれない。でも私の理解する限り、その中心的な力は気候変動に取り組むための大きな行動をするべきだということだ。そしてその構想はプラス面を強調するものであるべきで、マイナス面を強調するべきではない。特にそれは投資や補助金を強調すべきで、炭素税を前に出すべきではない。

　が、ちょっと待った。炭素税は検討したほうがいいのでは？　原理的には、検討したほうがいい。まともな経済学者なら誰でも指摘するとおり、排出に値段をつけることで汚染をやめさせると大きな利点がある。それをやるには、税金をかけるか、キャップ・アンド・トレード方式を導入して、人々が排出権を売買できるようにすればいい。

　これは経済学入門講義で習うことだ。汚染税かそれに相当するものは、これほど包括的でない政策では不可能な広いインセンティブをつくり出す。なぜか？　人々が炭素排出を、再生可能エネルギー利用から、省エネから、消費エネルギー集約製品の忌避まで、あらゆる手段で避けるよう促すからだ。

　でも炭素税は、税金にはちがいない――払わされる人はいやがる。確かに、炭素税の歳入で他の税金は下げられる。でも全体としては得になるんだということを、十分な数の人に納得させるのはなかなかむずかしい。そして意味があるくらい排出削減ができるほど高い炭素税が、十分な超党派の支持を集められると思うのは、よくても妄想にすぎず、最悪なら大規模な行動を避けようとする化石燃料産業の陰謀だ。

　論点としては、少なくとも当初は、完璧ではないにしても売り込める政策を支持するのは、完璧が善の敵になるよりはマシだ、ということだ。これが医療改革の教訓だ。単一支払い者方式は、バラク・オバマ大統領の下で実施されることはあり得なかったけれど、雇用者による健康保険を温存する、怪しげな官民ハイブリッドシステムなら（ギリギリ）実施できた――そしてアメリカ人二〇〇〇万人が医療保険でカバーされるようになった。

いまやユニバーサル健康保険の原理が知れ渡ったので、何らかのメディケア・フォア・オール的な政策への段階的な推移も、政治的に現実味をもってきた。でも人々の生活を大きく乱さない形で、大きな進歩を実現するような政策から始めることが重要だった。

気候変動についても、アメリカ人の生活をあまり乱さずに、大きな進歩を実現できるだろうか？私がデータを見たところでは、イエスだ。

アメリカの温室ガス排出の大半は発電と輸送から出ている。石炭火力の利用をやめて、再生可能エネルギー（価格が激減している）の使用を増やすだけで、発電関連の排出を三分の二減らせるし、アメリカ人の電力消費を減らす必要もない。車の燃費を改善して電気自動車の利用を増やすだけで、年間走行距離を減らさなくても同じくらい輸送関連の排出を減らせる。

こうした排出削減は、税控除やあまり面倒でない規制の組み合わせで実現できる。代替エネルギーを支える技術とインフラへの投資を加えれば、排出を劇的に引き下げるグリーン・ニューディールは炭素税なしでも完全に現実的なものとなる。そしてこうした政策は再生可能エネルギーの雇用を明確につくり出す。この産業はすでに炭坑よりも多くの人々を雇用しているのだ。

もちろん、損害を受ける人も出てくる。いまだに炭坑で働くアメリカ人五万三〇〇〇人は、いずれ他の職を見つけねばならない（そして転換期の産業にいる労働者のための補助も、グリーン・ニューディールの一部になるべきだ）。化石燃料企業の利潤も下がるけれど、こうした企業はいまやお金のほとんどを共和党に渡しているから、民主党がそれを気にすべき理由も特に思い当たらない。

でも全体として、民主党はまちがいなく医療について行ったことを気候変動に対しても実現できる。つまり、状況を改善しつつ、勝者が敗者よりはるかに多い政策を考案するのだ。すぐにグリーン・ニューディールを施行することはできない――でもいまから準備しておいて、二年後にその実現に向かえるようにしておくべきだ。

第16部

トランプ

どうせなら最悪のヤツを

ドナルド・トランプの選出には人並みにショックを受けたけれど、ヒラリー・クリントンに対するメディアの冷笑的な扱いを見て懸念はしていた——これは、メディアの問題を扱う第17部のテーマとなる。でも共和党が彼を指名したという事実には驚かなかったし、就任後のトランプの行動が、悲観論者たちが警告したのにまったくひけをとらないほどのひどさだったのも驚かなかった。さらに議会の共和党議員たち——トランプを抑える力をずっと持っていた人々——が実質的に、腐敗と残虐さの瘴気に実質的に加担していたのにも驚かなかった。

というのも、トランプ主義のようなものがやってくるのは動かしがたい事実だったからだ。トランプが勝利するためには、いろいろなことがダメにならねばならない——主にジェイムズ・コミーの悪行とメディアのセコさという有毒な組み合わせで、これがクリントンは負けるはずがないという信念のもと、ヒラリーを攻撃した。でもアメリカの右派は長いこと、トランプ式の統治を目指して動いてきたのだった。

考えてもみてほしい。保守派運動は、ほとんどのアメリカ人を犠牲にして金持ちエリートにしか得にならない政策を実施している。でも選挙で勝つために、白人の恨みに依存してきた以上、白人ナショナリズムが台頭していないはずがない。トランプ支持者の偏執狂的な考え方は、自分の思い込みに従わないもの——気候変動の現実から低インフレまで——すべてを巨大な陰謀の結果だと思っている政治運動から台頭するに決まっているではないか？　そして人々はつい忘れがちだけれど、トランプ政権の腐敗と恩顧主義は、ブッシュ時代に先鞭がついていた。多くの点で、二〇一六年以来トランプがアメリカにやってきたことは、ブッシュのチームが占領の悲惨な初年度にイラクに対して行ったことと似ている。

そして国際的な観点も有益だ。私はヨーロッパでの白人ナショナリズム右派の台頭に注目してきたし、ハンガリーとポーランドでの実質的な民主主義崩壊も見守ってきた。それが実際、このアメリカでも起こりかねないのは十分承知していた。

いずれにしても、この第16部の論説は主に二〇一六年から二〇一八年にかけてのアメリカ政治を扱っている。ほとんどは、その間に起こったひどいことと、それが起きた理由についてのものだけれど、すべてが否定的というわけじゃない。ここでの各種論説の中で、誰も賞賛しないナンシー・ペロシの偉大さを述べた論説が、いちばん反応が大きかったと思う。彼女の業績は誰にでも見えるものだった。彼女の政策方針が嫌いでも、その驚異的な業績はすぐわかるはずだ。それなのに、当時は誰もそれを指摘しない。もちろん、二〇一八年中間選挙で、民主党が下院の議席を四〇も増やした後では、ペロシを誉める人はずっと増えた。

第75章
共和党政治のパラノイアスタイル

二〇一八年一〇月八日

多くの人は、ブレット・カバノーの最高裁判事指名がアメリカにとって長期的にどんな意味を持つか、正しくも懸念している。カバノーは露骨な党派人間で、明らかに宣誓の下で自分の個人史の各種側面についてウソをついた。これは、彼がクリスティン・ブレイジー・フォードに対して何をしたかという問題と同じくらい重要だし、[*1] それと関連したものだ。ちなみにこちらの問題は、それについての捜査と称するものがあまりにあからさまなインチキだったため、いまだに解決されていない。そんな人間を最高裁に入れることで、法廷の道徳的な権威は当分の間破壊されることになった。

でもこうした長期的な懸念は、この時点では二次的なものでしかない。もっと目先の脅威は、この公聴会の間とその後に共和党側で見られたものだ。真実無視の態度だけでなく、あらゆる批判をすべて悪者扱いしようとする様子が見られた。特に、共和党の上層部がカバノー反対論についてのイカレた陰謀論を実にあっさり受け容れた様子は、アメリカに長期的どころか、ほんの数週間先に起こりかねないことについての、根深くも恐ろしい警告となっていた。

その陰謀論とは、カバノーの証言の発端から始まった。彼は自分の問題を、「クリントン一家にかわり復讐を」求めている人々が仕組んだ「計算高い組織的な政治的攻撃」のせいだとしたのだった。これはまったくまちがった、ヒステリックな糾弾であって、こんな主張をしただけでカバノーの最高裁入りは却下されるべきだった。

でもドナルド・トランプはすぐにこれをずっと悪化させ、カバノーへの抗議をジョージ・ソロスのせいにして、反対者たちはお金を受け取っているのだと事実に反する（そして証拠もない）宣言をした。

そしてここがポイント。共和党の主要人物たちは、すぐにトランプを支持した。フォードとカバノーの証言を聞いた上院委員会議長チャールズ・グラスレーは、抗議者は確かにソロスに雇われていると固執した。ジョン・コーニン上院議員はこう宣言した。「金で買われた抗議者の金切り声なんかに屈したりしない」。いえいえ、抗議者たちは別にお金をもらって抗議しているのではないし、ましてジョージ・ソロスなんかには雇われていない。でもよい共和党員になるためには、そういうふりをしなくてはいけないわけだ。

何が起きているのだろうか？　あるレベルで言えば、これは目新しい話じゃない。陰謀論は当初からアメリカ政治の一部だった。リチャード・ホッフスタッターは一九六四年に有名な論説「アメリカ政治におけるパラノイアスタイル」を発表し、一八世紀にまで遡る事例を挙げた。公民権に反対する人種分離主義者たちは、いつも「外部のアジテーター」たち——特に北部のユダヤ人たち——のせいでアフリカ系アメリカ人の抗議運動が起きているのだと述べていた。

でも陰謀論の重要性は、それを誰が行うかで変わってくる。

政治の周縁部にいる人々が自分の苛立ちを陰の勢力——ありがちなのは、邪悪な金持ちユダヤ人だ——のせいにするのは、単なる妄想として無視すればいい。同じことを権力のレバーの大半を握る人々がやったら、その妄想は妄想ではすまない。道具となる。反対派の正当性を貶め、それを無視するだけでなく、自分たちの行動を批判するだけの度胸を持つ人を処罰するための口実を作り出す。

だからこそ、陰謀理論は多くの専制主義政権のイデオロギーにとって中心的な位置を占める。ムッソリーニ時代のイタリアもそうだし、エルドアンのトルコもそうだ。ハンガリーやポーランドの政府は、もともと民主主義だったのに実質的な一党独裁国家になってしまい、いつも外部の連中、特にソロスを自分たちの支配に対する反対派を煽動しているといって糾弾したがる。だってもちろん、彼らの行動や政策について、まともな苦情なんかあるはずはないですからね。

そしていまや、連邦政府の三権すべてを支配する共和党——最高裁が党派的な機関であることについて以前は疑問視していた人も、いまや疑問の余地はないはずだ——は、ハンガリーやポーランドの白人ナショナリストとそっくりの物言いをしている。これは何を意味するのか？

私の提示する答は、共和党政権は潜在的な専制主義政権だ、というものだ。

トランプ自身が明らかに、公然と崇拝している外国の専制君主と同じ衝動を持っている。公職者はアメリカ国民にではなく、自分個人に忠誠を尽くすよう求める。政治的な敵対者を復讐で脅す——この前の大統領選から二年もたっているのに、いまだにトランプはヒラリー・クリントンについて「投獄しろ」という合唱を主導している。マスコミを国民の敵だと攻撃する。

トランプの多くのスキャンダルについて包囲をせばめている各種の調査を加えよう。税金逃れから、在職中の株取引、ロシアとの共謀の可能性など。どれも彼に、報道の自由を潰して法執行の独立性を奪うインセンティブを与えるものだ。トランプは疑問の余地なく、機会さえあれば完全な専制主義を実現したいと思うはずだ。

そして誰がそれを止めるだろうか？　ソロス子飼いの抗議者たちという陰謀論を繰り返してみせるだけの上院議員たちか？　鼻薬の効いた新最高裁か？　過去数週間で明らかになったのは、トランプと共和党の間には何の溝もなく、誰もアメリカ的価値観の名の下にそれを止めようとはしないということだ。

でもすでに述べた通り、共和党政権は潜在的な専制主義政権であって、まだ本当の専制主義政権にはなっていない。彼らは何を待っているのだろうか？

うん、トランプとその政党が、今度の選挙で上院と下院の両方を抑えたら何をするか考えてみよう。近未来にアメリカがどうなるか恐れていない人は、世の中をきちんと見ていないのだ。

＊1訳者注：カバノー判事の指名が報じられると、パロアルト大学教授のフォードが、高校時代に性暴力を受けたと主張、他にも同様の主張をする女性が二人登場した。四〇年前の話ではっきりした証拠は得られず、特に後から進み出た二人の主張に関しては曖昧な点が多すぎたこともあり、いずれの主張についても裏付けがないとして捜査は終了した。

第76章 トランプと腐敗貴族集団

二〇一八年一〇月四日

実はワタクシ、ドナルド・トランプに対して不正なことをしてしまったかもしれない。いやね、私はずっと、自分がすげえディールメーカーだと言うトランプの主張を怪しいと思っていたのだよ。でもいまみんなが学んだのは、彼の卓越した交渉能力が幼少期から始まっていたということだ。その実力があまりにすごかったので、実に幼い頃から今日の貨幣価値で年間二〇万ドルに相当するものを稼いでいたそうな。

具体的にいえば、彼は三歳にしてそれだけ稼いでいたんだとのこと。八歳ですでに億万長者だった。もちろん、そのお金は父親からきたものだ――何十年にもわたり、法的に支払うべき税金を、子供に与えることで逃れてきたのだった。

『ニューヨーク・タイムズ』のトランプ一家の詐欺史に関する一大報道は、実はまったくちがうが関連しあった詐欺をめぐるものだ。

一方では、この一家は大規模な脱税をしていて、払うべき税金を避けるために各種のマネーロンダリング技法を活用した。それとは別に、ドナルド・トランプが自分の人生について語る物語――慎ましい出自から自力で何十億ドルも稼ぎ出した、独立独歩のビジネスマンという自己描写――はずっと前からウソだった。資産は相続したもので、父親から四兆ドル以上に相当するものをもらっただけでなく、ディールが破綻したら父親のフレッド・トランプは息子を救済してあげていたのだった。

　こうした新事実の意味合いとして、政治の泥沼の水を抜きつつ、ビジネスセンスを使ってアメリカを再びグレートにしてくれる、率直な味方を見つけたと想像しているトランプ支持者たちは、とんでもないくらいダマされたということだ。

　でもトランプのお金をめぐる物語は、もっと大きな話の一部でしかない。格差激増と、トップへの資産集中拡大がこれほどひどいことに不満を抱く人々の中ですら、莫大な富はおおむね正直に稼ぎ出されたものだと信じたがる傾向があった。いまになってやっと、寡頭支配に向けた道のりの根底にある、文句なしの腐敗や違法行為のすさまじさが見えてきたのだ。

　ごく最近まで、ほとんどの経済学者たちは、税制の専門家ですら、企業や金持ちによる租税回避——これは合法——は大きな問題だと合意してきた。でも脱税——税務署からお金を隠す行為——はそんな大きな問題とは思われていなかった。一部の金持ちが、税制の道徳的に怪しげとはいえ合法的な抜け穴を使っているのは明らかだったけれど、税務当局、ひいては世間をストレートにだます行為は、先進国ではそんなに手広く行われていないというのが一般的な見方ではあった。

　でもこの見方は昔から、あまりしっかりした根拠がなかった。なんと言っても脱税は、ほぼその定義からして、公式統計には現れない。そして超大金持ちは、自分がいかにすごい脱税屋かなんてことをあちこちで自慢したりはしない。どれほどの不正が横行しているか本当に理解するには、『ニューヨーク・タイムズ』のやったこと——ある特定家族の財務を徹底的に調査する——か、それまで隠されていたものをあらわにする、運のいい出来事に頼るしかない。

　二年前に、まさに運のいい巨大な出来事が、パナマ文書という形で現れた。これは人々がオフショアの租税回避地に資産を隠す手伝いをするのが専門の、パナマ法律事務所からリークされた莫大なデータだ。そしてHSBCからの少し小規模なリークもあった。こうしたリークで明かされた、ろくでもない詳細はすぐに新聞の見出しとなったけれど、その真の意義が明らかになったのは、カリフォルニア大学バークレー校のガブリエル・ズックマンらが、スカンジナビアの税当局と共同で行った研究のおかげだった。

パナマ文書などのリークと国の税務データとをつきあわせることで、これらの研究者たちはトップ層の金持ちの間で文句なしの脱税が実はすさまじいことを発見した。本当の金持ちたちは、そこらの金持ちよりも実効税率がはるかに低い。それは税法の抜け穴のせいではなく、違法手段を使っているからだ。この研究者たちによると、最も金持ちの納税者たちは、平均で本当の税額より二五％少なくしか支払っていない——そしてもちろん、多くの人物はそれよりずっと少ない税金しか納めていない。これはかなりの金額になる。アメリカの金持ちが同じくらいの規模で脱税しているなら（これはほぼまちがいない）、たぶん政府にとって、フードスタンプ事業と同じくらいの負担になっている。そして連中はまた脱税を使って自分の特権を永続化させ、それを相続人に伝えている。これがトランプの本当の物語だ。

当然出てくる疑問は、代議士たちはこの詐欺の蔓延に対して何をしているのか、ということだ。うん、議会の共和党はこの問題に長年取り組んでいる。そして系統的に内国歳入庁（税務署）の予算を削り、税不正の査察能力を減らしている。脱税屋どもが政府を仕切っているだけじゃない。脱税屋の、脱税屋による、脱税屋のための政府になっているのだ。

つまりいま明らかになってきたのは、アメリカ社会に起こっていることが思ったよりなおさらひどいということだ。ベテラン税務記者デヴィッド・ケイ・ジョンストンが述べるように、アメリカ大統領が「財務バンパイア」で、これまでの取引相手みんなをごまかしてきたのと同じように、納税者をごまかしてきたというだけにとどまらない。

それを超えて、アメリカの寡頭支配——少数者による支配——に向けたトレンドはまた、ますますカキストクラシー――最悪の人物、あるいは最も恥知らずな人物による支配――のように見えつつある。腐敗は細やかなものではない。それどころか、あらゆる人の想像を上回る粗雑さだ。しかもそれは根深く、文字通り権力の最高位に到るまでアメリカ政治を蝕んでいるのだ。

第77章
トランプをポピュリスト扱いするな

二〇一八年八月二日

マスコミで、ドナルド・トランプを「ポピュリスト」と呼び続けている皆さんへ：その言葉って、あなたの思ってるような意味じゃないと思いますよ。

確かにトランプはいまだに、たまには、普通の働くアメリカ人の利益をエリートの利益より優先する人物のようなポーズはする。そして、彼の白人ナショナリズム容認が、彼の人種差別を共有しつつもその偏見を公然と表明できない普通のアメリカ人にとって、声を与えている面もたぶんあるのだろう。

でもトランプはすでに一年半も大統領の座に就いているのだから、発言ではなく行動をもとに判断を受けるだけの時間はあった。そして彼の政権はあらゆる面で、容赦なく反労働者的だった。トランプがポピュリストだというのは、彼が神々しいというようなものだ──つまりどっちもまったく当てはまらない。

税制から始めよう。トランプの大きな法的業績は、主に企業に有利な減税をしたことだ──法人税収は激減した──これは賃上げにはまったく貢献していない。この税制は、一般アメリカ人にはまるで恩恵がないので、共和党はそれを選挙戦で持ち出すのをやめた。それなのにトランプ政権は、金持ち向けの税金をさらに一〇〇〇億ドル削減するために大統領命令を使おうという（おそらくは違法な）考えを弄び始めている。

　また医療政策もある。これはトランプが、オバマケアをひっくり返せなかったために——ひっくり返っていたら、労働者世帯には大打撃だった——かわりに妨害キャンペーンを始めて、おかげで保険料はそうでない場合に比べて二割近く高くなったはずだ。そしてこの高い保険料の負担は、補助金をもらうにはちょっと稼ぎが多すぎる世帯、つまりは労働者階級の上層部に最も重くのしかかる。

　そして労働政策もある。トランプ政権はいくつもの面で、労働者を収奪、傷病などから保護してきた規制を廃止してしまった。

　でも目先の政策だけでは話の全貌はわからない。トランプが役職に指名した人物を見よう。労働者に関係する政策面で、トランプは恩顧チームをつくり上げた。ほぼあらゆる重要な役職は、ロビイストか産業界と強い金銭的なつながりのある人物に与えられた。労働者の利害を代表する人はほとんど誰もいない。

　また最高裁にブレット・カバノーが指名されたのは特筆に値する。カバノーについてわからないことはいろいろある。その理由の一部は上院の共和党員たちが、民主党からの情報要求を却下し続けているからだ。でも彼がすさまじく極端なまでに反労働者的なのはわかっている——主流のはるか右側にいて、ほとんどの共和党よりも右派なくらいだ。

　彼の極度に反労働者的な見方は、シーワールドで飼っていたシャチが従業員の一人を殺したとき、被害者はその仕事に就いたときに十分に危険を承知していたはずだから、シーワールドに賠償責任はないと主張したことに最もよく現れている。でも記録を見れば、反労働者的な極論はまだまだ出てくる。

　カバノーの就任が承認されたら、彼は長いことその職にとどまることになる。だからこの極論だけで、指名を却下すべき十分な理由となる——特に彼が、無制限の大統領権限を支持したことと、共和党が隠そうとしている他の各種の記録があることもその理由だ。

でもなぜ、アメリカ労働者の擁護者を自称するトランプが、そんな人物を選ぶのだろうか？　ホワイトハウスを与えてくれたまさにその人々を傷つけるような各種の行動を、なぜ採っているのだろうか？

その答は知らないながら、よく聞く説明——トランプは怠け者で政策の細部についてとんでもなく無知だから、共和党の正統教義に知らぬ間に囚われてしまったのだというもの——は大統領を過小評価し、実際よりも好人物に仕立てていると思う。

トランプの行動を見ていると、彼が自分の有権者基盤に罰を与えているのは十分にわかっているという印象はぬぐえない。でも彼は、派手なやり方でもセコイやり方でも、他人に恥をかかせるのが好きだ。そして憶測ながら、彼はたぶん支持者たちが、裏切られているのに自分を支持し続ける様子を見るのが好きなんだろう。

実は労働者階級に対するトランプの蔑視が露骨に現れることさえある。「学のない連中は大好きだ」という発言をご記憶だろうか？　五番街で誰かを射殺しても得票はまったく減らないと豪語したのをご記憶だろうか？

とにかく動機はどうあれ、トランプの行動はポピュリストの正反対だ。そして、貿易戦争でもその判定はひっくり返らない。ポピュリストの対立候補を破った、金ピカ時代の大統領筆頭とも言うべきウィリアム・マッキンリーもまた保護主義者だった。さらにトランプ式貿易戦争は、ほとんど便益がないのに、アメリカ労働者に最大限の被害をもたらすような形で実施されている。

でもポピュリストではないにせよ、トランプは病人じみているほどの嘘つきで、アメリカ大統領として最も不正直な人物だ。そしてアメリカ労働者の立場に立つというのは、そのウソの中でも最大級のものだ。

これで話は、マスコミによる「ポピュリスト」という用語の使用に戻ってくる。トランプをこの用語で表現するなら、彼のウソに実質的に加担していることになる――特にそれを、客観的報道であるはずのものの中でやる場合には。

そしてそんなことをする必要はないはずだ。トランプがやっていることを表現するのに、彼の実像とはまったくちがう、人々の味方のような印象を与える標語を使わなくてもいいはずだ。彼は支持者をだましている。それを皆さんが手助けする必要はない。

第78章
党派性、寄生虫、両極化

二〇一八年八月二一日

自然界で、寄生虫は一大勢力だ。ほとんどの場合、寄生虫は宿主を食べるだけだ。でも寄生虫がもっと巧妙な影響力を行使する場合がいろいろある。寄生虫は宿主の行動を変えてしまう。寄生虫には利益があっても、その被害者たる宿主には損害を与え、ヘタをすると殺しかねない行動をさせてしまうのだ。

そして最近私は、アメリカでもそれが起きているのでは、と思い始めている。アメリカの政治的な病気のうち、寄生虫感染の結果はどのくらいあるのだろうか？　具体的に念頭にあるのは、政治的党派性を利用し強化する、ダイレクトマーケティング詐欺の繁殖だ。これは主に右派で見られ、各種商品の販売が行われている。

バカげていると思われるかもしれないけれど、少し辛抱してほしい。これを示唆したのは私が初めてではない――現代保守主義の最高の歴史家であるリック・パールスタインも、二〇一二年に（生物学的なアナロジーは抜きで）基本的に同じ主張をしているし、これから説明する通り、それ以来この論点を裏付ける出来事がいろいろ起きた。

当初私がこの道に進んだのは、いま流行の若き保守派インテリ代表格のベン・シャピロが、トークショーでの名声を利用してサプリの販売をしていると知ってからのことだ。

この点については後述。まずは政治経済について一言。

政治的行動を理解しようとするときには、私も他の多くの人と同じく、マンサー・オルソンの古典『集合行為論：公共財と集団理論』（依田博・森脇俊雅訳、ミネルヴァ書房）につい立ち戻る。オルソンの単純ながらも深遠な洞察は、ある集団のための政治行動は、その集団の構成員の観点からすると、公共財だということだ。

これはどういう意味だろうか？　公共財というのは、提供されたら多くの人が恩恵を被る財だ――でもそれを提供する人は、その便益を自分だけに限定する方法がないので、その財の提供で儲ける方法がない。古典的な例は、岩礁からみんなを遠ざける灯台だ。料金を払っても払わなくても、その恩恵は受けられる。病気を制限する公的保健対策も同じ分類に入る。結果として、社会的に見てある公共財を提供する価値がある場合でも、それが実際に提供されるという保証はない。それがある個人にきちんと見返りを与えなければ提供されない。

オルソンが指摘したように、同じことが政治行動についても言える。ある政治的候補者の勝利が、たとえば農民にとってよい結果になるからといって、農民たちが献金してくれるわけではない。個々の農民は、他のみんなの献金にただ乗りするインセンティブがある。だから政治行動は通常、直接利益を受ける個人や組織化された集団が行う。あるいは、それが独自の理由から有益となり、政治行動のために利用できる他の活動の副産物となる。たとえば業界団体や労働組合への加入などだ。

でも金持ちは自分の階級の利益を守るためにお金を出すのでは？　実は、政治で見るお金の相当部分は、献金者自身の個人的利益のために費やされたお金だったりする。たとえば、コーク兄弟の政治支出は、それ自体が投資だと考えていい。彼らは最近の減税ですさまじく得をしたので、その支持に使ったお金をはるかに上回る利得があった。

だから政治行動の相当部分は、個人的利益になるよう政策を形成したがる人々が動かしている。でもシャピロ／知能増進ピルの物語が私に確信させてくれるのは、現在の政治的な風景に別の重要な要因があるということだ。政治そのものとはまったく関係ないものを売って儲けようとする人々が、政治行動をマーケティング手口として使うことだ。

すでに述べたように、リック・パールスタインはこの問題についての基本的な文書を書いている。彼が述べるように、右派ウェブサイトはおおむね、以下のような代物のマーケティングセンターとして機能している…

読者の皆さん、これからお話しすることは、決して誰にも話さないでください。私がお話しすることを知ったら、「エリート」たちからどんな目にあわされるかわかりません。だからみんな注意が必要なのです。つまりほとんどの人は株式市場ばかり見ていますが、銀行や証券会社や巨大機関は別のところにお金を投資しているんです……私が隠れたお金の山と呼ぶものに投資するんです。あなたはいまから教えるインサイダーの符牒さえ知っていれば大丈夫。そうすれば、毎月六〇〇〇ドルも追加で儲かります。

そして右派の最も影響力の強い声は、インチキ販売屋に広告スペースを提供しただけじゃない。直接インチキ商品販売に手を染めている。

だから、

・グレン・ベックは往年、オバマがいまにもハイパーインフレを引き起こすと視聴者を脅した。そして自ら相場以上の値段で金貨を販売して大儲けした。

・アレックス・ジョーンズは学校での虐殺がフェイクニュースで、被害者たちは実は役者なのだと主張して話題になった。でも実は、ダイエットサプリを売って儲けている。
・ベン・シャピロは保守派が博識だと考えるリベラル派学者を批判する（思慮深い人がどんな口調か、バカな人がどう思っているかというエズラ・クラインの一節を思い出してほしい）。でも収入源はアレックス・ジョーンズと同じだ。

どうしてマーケティングのインチキが、政治的な極端主義とつながるのか？　それはすべて、親近性の詐欺をめぐるものだ。いったん怒れる高齢白人男性に訴えるペルソナを確立したら、その勢力、ウェイストライン、資産を保護できると称する代物を売りつけられるわけだ。

そしてもっと大きな水準で言うと、それってまさにフォックスニュースの話では？　フォックスは純粋なイデオロギー組織としてではなく、事業として見るべきだ。ソファにすわってテレビに向かって怒鳴るのが好きな、怒れる老いぼれ白人の偏見に訴える、安手の番組（だって大した報道もないんだし）を提供し、その視聴者数を使って広告主たちがダイエット方式を売るのを手伝うわけだ。

さて通常は、個人の見方や利害こそが政治を動かすと思われている。これは政治環境をますます支配するようになっている醜悪な両極化も含む。そうした両極化を商業的に収奪すること自体はあまり問題視されないし、問題にする場合でも、根本的な力学を出汁にした表層的な現象の一種として扱われる。

でもそれが正しいと確信できるのか？　この世のアレックス・ジョーンズたち、ベン・シャピロたち、フォックスニュースたちは、こうした話に耳を貸す怒れる老いぼれ白人男性どもの、もともと存在していた傾向がなければ、収益にはつなげられないはずだ。でも政治的な怒りの商業的利用こそ、まさにその怒りを集中させて兵器化したものなのかもしれない。言い換えると、この論説の冒頭に話を戻すと、私たちが政治的な悪夢の中にいる理由は、私たちの政治行動が実質的に、マーケティングのアルゴリズムに寄生されていたせいなのかもしれない。

こういう考え方をしているのが私一人ではないのはわかっている。チャーリー・ストロスは「紙クリップ最大化装置」――人々ではなく、利潤や市場シェアとかいったものを最大化したがる社会システムやアルゴリズム――がますます社会の方向性を導くようになっていて、それが人類に損害を与えていると指摘している。彼はおおむね、直接オーダー詐欺に奉仕する、怒れる人々の動員という話ではなく、政策に対する企業の影響力に専門特化しているけれど、どちらも作用している可能性もある。

いずれにしても、政治的なインチキ薬の売り込み――それは経済についてだろうと人種、移民の影響、その他なんであろうと――が、かなり重要な形で実際のインチキ薬――決してお腹が空くことなしに体重を減らし、若々しい男性性回復を実現してくれる、魔法の錠剤など――の販売手法になっていることを認識するのはとても重要だと思うのだ。

第79章
なぜアメリカでも起こり得るのか

二〇一八年八月二七日

以前述べた通り、ベルリンの壁崩壊から間もなくして、私の友人――国際関係の専門家――がこんな冗談を述べた：「いまや東欧が共産主義という外交イデオロギーから解放されたので、本来の真の歴史的道筋に戻れるわけだ――それはファシズムだ」。当時ですら、この軽口は本当に痛いところを突いていた。

そして二〇一八年現在、これはもう冗談とは思えなくなっている。フリーダムハウスが非自由主義と呼ぶものが東欧全体で台頭している。これはポーランドとハンガリーを含む。どちらもEUの一員でありながら、私たちが通常考える民主主義はすでに死んでいる国々だ。

どちらの国でも支配政党――ポーランドでは法と正義、ハンガリーではフィデス――は一般投票を形だけ維持する政権を確立したけれど、司法の独立性は破壊し、報道の自由を奪い、大規模な汚職を制度化し、実質的に異論表明を非正当化した。その結果は、当分先まで一党支配らしい。

そしてこれは、実に容易にアメリカでも起こり得る。さほど遠くない過去に、人々がアメリカの民主主義的規範、自由の誇り高い歴史が、独裁へのそうした転落から守ってくれるのだと主張した時代があった。それどころか、いまだにそう述べる人もいる。でもそうした話を今日信じるには、意図的に現実に対して目をつぶる必要がある。事実はといえば、共和党はアメリカ版の法と正義やフィデスになれるし、なりたがっている。現在の政治的立場を活用して永続的な支配を確立したがっているのだ。

州のレベルで起こっていることを見るだけで、それは明らかだ。

ノースカロライナ州では、民主党が知事選で勝利したら、共和党は既存首長の最後の日々を使い、知事の権限をほとんどはぎ取る法制を可決させた。

ジョージア州では、共和党は身体障害を持つ有権者のアクセスについての露骨にインチキな懸念を利用して、黒人主体の投票所のほとんどを閉鎖させた。

ウェストヴァージニア州では、共和党議会は過剰支出についての苦情を利用して、州最高裁をすべて弾劾し、それを共和党に忠実な連中で置き換えた。

そしてこれは、全国的な注目を集めた事例にすぎない。全米で見れば、何百、何千という類似の話があるにちがいない。そうしたすべてが反映しているのは、現代の共和党が民主的な理念への忠誠をまったく感じていないということだ。捕まる見込みがなければなんでもやって、自分の権力を確保しようとするのだ。

全米の水準での展開はどうだろうか？　そうなると、事態は本当におっかなくなる。現在のアメリカはカミソリの刃の上にすわっているようなものだ。そこからまちがった方向に転落したら――具体的には、共和党が上院下院の両方を一一月に支配するようになったら――アメリカはみんなが思っているより早く、ポーランドやハンガリーのようになってしまう。

今週、ニュースサイトとして有名なアクシオスは、議会の共和党員の間で流通している表計算についてのスクープで話題をさらった。それは自分たちが下院を制したら民主党が実施しそうな捜査を一覧にしたものだ。この一覧の重要性は、そこに挙がっている項目すべて――筆頭はドナルド・トランプの確定申告書だ――が、本来なら当然調べられて然るべきものであり、他の大統領の下であればまちがいなく調べられていたはずのものだ、ということだ。でもこの文書を流通させている連中は、共和党がこうした問題をやり玉に挙げないというのを当然のことだと思っている。党への忠誠心が憲法上の責任よりも重視される、というわけだ。

多くのトランプ批判者たちは、先週の法的な展開を祝った。マナフォートの有罪判決と、コーエンによる罪状の受け入れが、違法な大統領への包囲網のせばまりのしるしだと考えたからだ。でも私は、共和党の反応を見てむしろ憂鬱の度合いが深まった。トランプの暴君ぶりの否定しがたい証拠を見て、共和党は以前にもまして、トランプを守る防衛網を強化したのだった。

一年前なら、共和党がトランプに盲従するにも限度があるはずだと思えた。下院議員や上院議員の中で、もうこれ以上はご免だ、という人が多少は出てくると思えた。いまやそんな限度がないのは明らかだ。議員たちは、トランプを擁護して権力を集約するためなら何でもやる。

これはかつてなら多少は気概があるように見えた政治家についても言える。メイン州選出のスーザン・コリンズ上院議員は、医療論争で独立性を持った意見の持ち主だった。いまや彼女は、起訴されていない共謀者が大統領は訴追から免れていると信じる裁判官を最高裁に指名しても平然としている。リンゼイ・グレアム上院議員は二〇一六年にトランプを非難し、ごく最近までミュラー捜査を潰すために検察長官をクビにするという発想に立ち向かおうとしているように見えた。いまや彼は、クビにしても構わないと言いたげな様子だ。

でも民主主義発祥の地であるアメリカは、なぜそれを最近破壊した諸国に追随しそうなのだろうか？

「経済的不安」とかいう話は持ち出さないでほしい。これはポーランドで起こったことではない。ポーランドは、金融危機とその後の苦境の間も着実に成長していたのだから。そしてこれは、二〇一六年にアメリカで起こったこととももちがう。いくつもの研究で、トランプの有権者たちを動かしたのは経済的苦境ではなく、人種的な遺恨なのだということがわかっている。

重要な点は、アメリカは他の西側諸国ですでに民主主義を実質的に殺した病気——暴走する白人ナショナリズム——を患っているということだ。そしてアメリカは、もはや後戻りできない地点にきわめて接近しているのだ。

第80章　ナンシー・ペロシなんか怖くない

二〇一八年八月一三日

普通なら、お金の出所を心配せずに二兆ドルをばらまける政党は、少なくとも何票かくらいは買収できる。でもそれなのにドナルド・トランプの減税は驚くほど不人気なままで、共和党は選挙戦で減税の話をほとんどしない——むしろ民主党がこの減税批判を選挙戦に使うほうが、共和党がそれを業績として誇るよりも多いほどだ。

また共和党はトランプの、相変わらず不人気な貿易戦争についてもあまり話題にしていない。では共和党は何を足がかりにしているのか？　非合法移民からの脅威と称するフカシに頼ることはできる——でもこれもあまり人気を得ていない。むしろ共和党の攻撃広告は、ますますいつもの藁人形——それも女性——に集中している。下院の元議長で、将来も議長になりそうなナンシー・ペロシだ。

だからここらで、ペロシは現代における圧倒的に最高の議長であり、議長職に就いた中で、最も見事な人物の一人なのだということをみんなに思い出させるのがよさそうだ。そして、なぜ彼女がこれほどの業績を挙げているのに、マスコミでも世間でもまるで重視されないのかを考えるのは興味深いことだ。

ペロシの業績とは？

まず、下院少数派総務として、ジョージ・W・ブッシュの社会保障（公的年金）民営化の試みをひっくり返すのに決定的な役割を果たした。

それから、アフォーダブル医療法の可決においても主要な役割を果たした。バラク・オバマ大統領よりも重要な役割だったとすら言える。これは医療保険のないアメリカ人を激減させ、トランプによる妨害工作に直面しても驚くほど堅牢だ。彼女は財政改革の施行も手伝い、これは簡単に骨抜きにされてしまったとはいえ、経済の安定化には貢献したし、多くのアメリカ人を詐欺から救った。

ペロシはまた、オバマ景気刺激策の可決にも貢献した。これは金融危機による失職を抑えたと経済学者たちが圧倒的に合意しているし、またグリーンエネルギー革命の基盤を敷くのにも貢献している。かなりの実績だ。ああそうそう、共和党がペロシのことを、なんか目のつり上がった左翼扱いするのを耳にしたら、考えてほしい。退職後の所得を保護し、医療を拡大し、暴走する銀行屋を抑えるのが何か過激なことだろうか？

またペロシは個人的なスキャンダルの糾弾をまったく受けていないのも特筆に値する。右派はそういう糾弾を何もないところからでっちあげる能力に卓越しているから、これはかなり驚異的なことだ。ではペロシは、一九九四年に共和党が多数派となって以来議長職に就いた共和党議員四人と比べてどうだろうか？

ニュート・ギングリッチは大ボラ吹きで、ビル・クリントンを脅してメディケアを縮小させようと政府を閉鎖させたが失敗し、それから浮気を理由にクリントン罷免を訴えたが、その間に自分も浮気をしていた。

デニス・ハスタートは、いまではティーン少年へのわいせつ行為を繰り返していたことがわかっている。個人的な行動はさておくにしても、共和党員は自党の多数派が承認する法制しか支持できないとする「ハスタートルール」は、極端主義者の力を高めてしまい、アメリカの統治を困難にしてしまった。

ジョン・ベーナーはオバマのあらゆる提案に反対する以外何もしなかった。反対したことの中には、金融危機の後始末に不可欠だった施策まで含まれている。

そして現職ながら任期が終わろうとしている議長ポール・ライアンは、デタラメ男だ。財政赤字反対派としてもインチキで、唯一の法制面での手柄は財政を壊滅させた減税だ。政策マニアとしてもインチキで、予算案はいつも底の浅いごまかしだらけで、財政赤字を解決するふりをしつつ、実は単に収入を貧乏人から金持ちに再分配しているだけだ。また政治的キャリアの最終段階では、臆病者ぶりもさらけだして、トランプの悪行に立ち向かう意志をまったく見せなかった。

つまり最近の下院議長を見ると、ペロシは小人の中の巨人として屹立している。でもメディア報道を見ただけでは、決してそれがわからないはずだ。

在職中、ハスタートは中産階級アメリカ人の価値観を見事に体現した人物として描かれていた。ライアンは長年にわたり、おべんちゃらめいたメディア報道を受けていて、きちんと見ている人全員にそのインチキぶりがあらわになってからもずっと、究極の真面目で正直な保守派だと賞賛されていた。でもペロシは通常、「議論の分かれる」人物だとされる。なぜだろう？

もちろん彼女が政治的な党派性を持っているのは確かだ——でも彼女の前任、後任の共和党員たちだってその点は同じだ。彼女の政策的な立場は、たとえばメディケアを民営化して予算を大きく削ろうとするライアンの試みに比べると、世論との対立がずっと少ない。ではどこが「議論の分かれる」ところなんだろうか？　共和党が彼女を攻撃し続けるから？　それはどんな民主党員でも起こることだ。

あるいは、彼女が女性だという事実だけなのかもしれない——でもその女性は、最近のどんな男性よりもこの仕事が上手い。

するとと民主党が下院を奪還したら、ペロシがまた議長になるべきだということか？　必ずしもそうではない。彼女の卓越した実績があっても、新顔に任せようという議論はできる。

でも彼女の業績は本当に卓越している。共和党が、自分たちには及びもつかないほどの実績を上げた政治家を罵倒する以外に、選挙の材料が何もないというのは共和党の悲しい現状を示すものだ。そして報道の実に多くが、こうした根拠なき攻撃をオウム返しにするだけだというのも、マスコミの悲しい現状を示すものだ。

第81章
トランプ時代の真実と美徳

二〇一八年一一月一二日

自由なんて、何も失うものがないということでしかなかった時代をご記憶だろうか？　最近ではそれは、ドナルド・トランプにたくさんお金をあげることでしかない。

中間選挙――そして共和党による不正投票という無根拠な叫び――のおかげで、カジノ所有者の妻ミリアム・アデルソンとトランプへの大量献金者シェルドン・アデルソンに大統領自由メダルを授与することにしたというトランプの決断を耳にした人がどれだけいたかはわからない。このメダルは通常、公務員としての傑出した業績を称えるものとして授与される。そうした業績に慈善が含まれることも、ごくたまにはある。でもアデルソンの慈善活動のおかげでこの栄誉が与えられたと思う人はいるだろうか？

さて、これはどうでもいい話に思えるかもしれない。でもこれは、真実に対するトランプ流の態度――つまり真実を検証可能な事実ではなく、トランプとそのお仲間にとって得になるものと見なすということだ――が美徳にもあてはまることを示している。ヒロイズムもないし、よい仕事ぶりもない。単にトランプにお仕えしたというだけ。

真実について一言。トランプはもちろん、やたらにウソをつく――中間選挙までの期間に、彼は毎週一〇〇回以上も公然とウソをついてきた。でも彼の真実に対する攻撃はウソの頻度よりも根深いものだ。というのもトランプとそのお仲間は、客観的事実という概念自体を認めないからだ。「フェイクニュース」というのは本当のまちがった報道ということではない。それはどれほどしっかり裏付けがあろうとも、トランプの不利になる報道ということだ。そして反対に、トランプを助ける主張は、雇用創出についてだろうと得票についてだろうと、それがトランプの得になるというだけで真実になる。

トランプと共和党が、何の証拠もなしに不正があったと称して、法的に義務づけられたフロリダ票の再集計をやめさせようとしたのは、この党派的認識にぴったり当てはまる。共和党は、大量の不正票や偽造票があったと本気で信じているのだろうか？　そんな質問をすること自体がそもそもまちがいだ。共和党は「本気で信じ」たりしない。自分たちが求めるものを手に入れるべきだということしか頭にない。民主党有利の集計結果はすべて都合が悪い。よってそれは詐欺で、証拠なんか必要ないのだ。

同じ世界観で、共和党が陰謀論にはまっている理由もわかる。結局のところ、自分の党に不利益をもたらすものについてみんなが真実にこだわっていたら、それは事実についての敬意から生じるものではあり得ない——というのも彼らの世界では、中立的な事実なんてものは存在しないからだ。だから不都合な主張をしている連中は、邪悪な勢力に雇われているはずだ、ということになる。アリゾナ州で、民主党のカーステイン・シネマは最後に開票された投票箱での得票により上院議員に当選した。するとアリゾナ州の共和党が、情報の自由に基づく請求として、選挙担当官と、そう、他ならぬジョージ・ソロスとのやりとりに関する情報を求めたのをご存じだろうか？

ちなみに、この客観的事実の拒絶と、不都合な真実にこだわる人は左翼陰謀の一部だろうということだわりは、トランプのはるか以前から共和党の精神を支配していたことは指摘しておこう。最も顕著な例として、地球温暖化についての圧倒的な証拠は巨大なインチキであり、世界中の何千人もの科学者がからんだ巨大な陰謀の産物だという主張は、長年にわたり共和党の正統教義だった。

確かに共和党の大統領候補は、かつては事実の拒絶や陰謀論支持については言葉を濁し、全面的なイカレぶりをあらわにしたりはしなかった。でもトランプも、共和党の上層部がずっと昔から採っていた立場に向かっているにすぎない。

いずれにしても、私が言いたいのはトランプに有利か不利かという基準以外をすべて拒否するというのは、基本的な価値観に誠実かそうでないかという問題をはるかに超える、ということだ。トランプの世界は、いまや共和党の世界と見分けがつかないけれど、そこでは善と悪は親分の利益にかなうかどうかだけで定義される。だからトランプは、最も親しい同盟国を攻撃して侮辱するのに、おべんちゃらを述べる残虐な独裁者たちを絶賛する（そしてネオナチを「とても立派な人々」だと宣言する）。

そして同じことが、ヒロイズムと臆病さについても言える。ジョン・マケインは文句なしの英雄だったのに、トランプに批判的だったせいで落伍者扱いされる。「あいつは戦争の英雄なんかじゃない（中略）敵に捕まったりしない人のほうが好きだ」。一方、国への貢献といえばトランプの選挙に寄付をしただけのミリアム・アデルソンは、大統領自由メダルを授与される。

ああそうそう、これもトランプ以前からある。共和党がジョン・ケリーの戦争での記録をバカにしてみせたのをご記憶だろうか？

現在の政治状況の実に多くの部分と同様に、これが対称的な、どっちの党もやっているという状況ではないことを認識し、認めることが重要だ。「真実と美徳がいまや党派で決まる」というようなことを言うなら、実際には悪者たちに肩入れしていることになる。というのもそんな考え方をする党は一つしかないからだ。

民主党員だって人間なので、時に偏見も持つし、魂胆で歪んだ理由づけをしたりもする。でも客観的事実や政治性のない善という概念を丸ごと捨てたりはしていない。共和党は捨てている。

このすべてが意味するのは、今のアメリカ政治が、いつものやつとはちがう、ということだ。それよりずっと実存的なものとなっている。中間選挙での敗退に対する共和党の反応を、専制主義になりたがっている運動による権力奪取の試み以外のものとして見る人は、本当に妄想に囚われすぎているのだ。彼らは、あらゆる反対や批判ですら、不当なものだとして拒絶する。アメリカの民主主義はいまだに、大いに危険にさらされているのだ。

第82章
保守派の壮絶な大詰め

二〇一八年一二月一七日

中間選挙は、相当部分がアフォーダブル医療法についての国民投票だった。民主党の選挙戦で圧倒的に多かったのは、医療であってドナルド・トランプではなかった。そして有権者たちははっきりと判決を下した。彼らはオバマケアの実績、つまり医療保険を、ざっと二〇〇〇万人もの無保険者たちに広げたやり方を維持させたがったのだった。

でも金曜日、司法の力を「兵器化」することで知られる党派的な共和党判事リード・オコナーは、アフォーダブル医療法そのもの――既存病状に対する保護、世帯が医療保険を買えるようにするための補助金、メディケイドの拡張――が憲法違反だと宣言した。法律の専門家は右派も左派も、その理屈をバカにして、その判決を「露骨な政治的アクティビズム」と評した。そしてその判決はおそらく、控訴審では棄却されるはずだとも指摘された。

とはいえ、こうした妨害工作が覆るというのをあまり確信してはいけない。オコナーの権力濫用は異様に粗雑かもしれないけれど、この手のふるまいはますます通例になりつつある。そしてこれは医療だけではないし、法廷だけでもない。ナンシー・ペロシが共和党の医療に対する攻撃の「壮絶な大詰め」と呼んだものは、共和党が有権者の意志を覆し、民主主義そのものを踏みにじろうとする多方面での攻撃における最先端でしかない。

しばらくは、アメリカの政治的な制度の強さを自画自賛していられるけれど、最終的にはそうした制度は人間により構成されている。そしてそれがその役割を果たすのは、そこの人々が本来の目的を尊重する限りにおいてでしかない。法治は法律の文章だけでなく、それを解釈して施行する人々のふるまいにも依存するのだ。

　そうした人々が自分を第一に法の僕(しもべ)で、党派の僕(しもべ)という立場は第二にすぎないと考えないなら、自分の政治目標を、システムの保全より下位に置かないなら、法はその意味を失い、権力だけが問題となってくる。

　そしてアメリカで見られるのは――実は長年にわたり見てきたのに、マスコミと政治体制はそれを認めようとしなかっただけだが――原理原則ではなく党への忠誠を誓った、右派党派人間による各種機関の侵略だ。この侵略は共和国を腐食していて、その腐食はすでに大きく進行している。

　ここで「右派」と述べたのは十分考えてのことだ。世の中のあらゆる面と同じく、民主党にも共和党にも悪い連中はいる。でもこの二つの党は構造的にちがっている。民主党は、利益団体のゆるい連合体だ。でも現代の共和党は「保守派運動」に支配されている。これは大金――しばしばこっそり投入されている――とフォックスニュースなどの党派メディアによる閉鎖的な知的エコシステムでまとめあげられた、一枚岩の構造だ。そしてこの運動の中で台頭する人々は、反対側にいる人よりはるかに高い水準で、子飼い連中や政治的な忠犬で、党の基本路線から絶対にはずれようとしない。

　共和党は何十年にもわたり、法廷をそういう連中で満たしてきた。オコナーを指名したのはジョージ・W・ブッシュだ。だからこそ彼の判決は、法的な理由づけがいかにひどいものであっても、あまり意外ではなかった。唯一の疑問は、彼がこんな茶番で本当に逃げおおせられるつもりだったのか、ということだ。明らかに彼はそう思っていたようだし、実際その通りになってしまうかもしれない。

　でもすでに述べた通り、これは法廷だけにとどまらない。トランプとそのお仲間が「ディープステイト」による妨害工作について妄想をふかす間にも、政府機関のますます多くの地位が、その機関の使命をまったく気に掛けないか、むしろ積極的にそれに逆らう、右派党派人に占められるようになりつつあるというのが現実だ。環境保護局はいまや、環境を保護したくない人々が運営している。環境人的サービス局は、アメリカ人に医療を与えたくない人々が運営している。

同じ権力亡者たちによる占領支配が政治でも起こっている。かつて上院の役割は「助言して承認」だったのをご記憶だろうか。共和党の支配下では、承認するだけだ――トランプが文字通り何をしようとも、汚職と犯罪の明らかな証拠があろうとも、共和党の上院議員たちは一切何の監督も行おうとはしない。

ではこういうふうな考え方や行動をとる人々は、世間が自分たちの目的を拒絶したら、どう反応するだろうか？　自分たちの権力を使って、民主的プロセスを飛び越えようとする。民主党が選挙に勝つと思ったら、ジョージア州でのように投票プロセスに細工する。民主党が小細工にもかかわらず選挙に勝ったら、民主党の勝った役職の権威を奪う。これはウィスコンシン州で起きたことだ。民主党の政策がそれでも承認されたら、子飼い連中だらけの法廷を使い、実に怪しげな根拠で法律を潰す。

Trumpocracy（『トランプ政治』）の著者デヴィッド・フルムが一年前に警告したように「保守派は民主的に勝てないと思っても、保守主義を捨てようとはしない。民主主義を排除しようとする」。これがいままさに起こっている。

だからリード・オコナーの判決が「壮絶な大詰め」の症例だというペロシは正しかった。でもこの大詰めというのは、医療への攻撃を永続化させるだけの話にとどまらない。民主主義すべてへの攻撃を行おうという話だ。そして大詰めの現状はおそらく、発端でしかない。最悪は、残念ながらまだこの先に控えているようだ。

第83章 男らしさ、銭、マコネル、トランプ主義

二〇一八年一二月一三日

火曜日の、ドナルド・トランプと民主党指導層との激しい応酬の後で、ツイッター好きの大統領はメキシコ国境の壁の予算を得ようとして政府を閉鎖する可能性が十分に出てきた。この見通しですごいのは、壁自体がまったくもってバカげたアイデアだということだ。合法、非合法を問わず移民に徹底的に反対だとしても、これみよがしの物理的な障壁は、移民の到来を止めるために必要でもなければ、有効でもない。

じゃあ何のための壁だろうか？　下院の次期議長になるのがほぼ確実なナンシー・ペロシは、トランプにとって壁は「男らしさに関わるもの」だと同僚に語ったそうだ。確かにそうだろう。でもそれで考えてしまった。他にもトランプの自信のなさからくる政策はあるだろうか？　この政権の政策全般を動かしているのは何だろう？

この疑問への答として、実はトランプ主義政策の背後には三つの大きな動機があるのだと言いたい。それを男らしさ、マコネル、銭と呼ぼう。

マコネルというのは、いつもの共和党の狙いのことだ。これは基本的に大口献金者、つまり豊かな個人と企業の利益に奉仕する。この狙いは何よりも、献金者階級のための減税が中心であり、その分の歳入減少を補うために社会福祉政策の削減も伴う。また規制緩和もある。これは特に公害を出す連

中向けの規制緩和だが、金融機関や営利大学など怪しげなプレーヤー向けの緩和も含まれる。

二〇一六年の大統領選で、トランプはこれまでとちがう共和党員のふりをした。セーフティネットを保護し、金持ち増税をする人物だと訴えたのだった。でも大統領の座に就いたら、国内政策はまったくいつも通りだった。最初の二年で唯一の重要な法制上の勝利は、金持ちをやたらに優遇する減税だ。そして中低所得アメリカ人の医療を潰すために全力を尽くした。そして環境保護と金融規制も骨抜きにした。

でもトランプの外交政策は、これまでの共和党のやり口だけでなく、アメリカがこれまで奉じてきたものすべてとの決別となっていた。これまでの大統領は、性悪な外国政府ともリアルポリティーク的な野合はした。でも残虐な専制者を民主主義同盟国以上に好むというトランプの明らかな嗜好に類するものは、これまでお目にかかったことがなかった。彼はウラジーミル・プーチンやムハンマド・ビン・サルマンのような人たちがやることについて、殺人まで含めなんでも弁解してあげるのだ。

この一部は個人的な価値観の反映かもしれない。プーチン、ビン・サルマンなどのコワモテ連中は、まさにトランプお気に入りの連中なのだ。でも銭――トランプ組織を経由した、トランプ個人への財務的な収益――が重要な役割を果たしているという疑惑はなかなか逃れにくい。結局のところ、民主国家の指導者とはちがい、独裁者や絶対君主はトランプの不動産にたくさんお金を回し、トランプ一家に投資機会を提供しても、その行動を小うるさい選出された代議士どもに説明する必要がないのだから。

じゃあ男らしさはどこで効いてくるのか？　明らかな例は壁だ。これを図らずも物語っているのは、政権がその「大きく美しい壁」の果たす役割ではなく、その外見にばかりこだわっていることだ。税関国境保護局が建設業者からの入札を募ったとき、その仕様書では壁が「物理的に圧迫感を持ち」、さらに「壁の北側（つまりアメリカ側）は審美的に麗しい」ものであることとなっている。その構造物に「トランプの壁」という巨大な看板がかかっていること、という仕様はなかったけれど、しかしこれは単なる見落としかもしれない。

でもトランプが自分の男らしさを固持したいという欲望は、他の領域でも大きな役割を果たしていると思う。それが特に出ているのは貿易政策だ。

私はこの関税男の冒険をずっとたどってきたが、驚かされるのは経済学者たちによる、トランプ関税がまったくダメな発想だという圧倒的な見解だけでなく、その関税が政治的にもまったく不発だったということだ。つまり、貿易相手との対立を要求するような大きな有権者集団はまったく見あたらないのだ。

貿易戦争など誰が欲しがるだろうか？　企業の利益にもならない——貿易レトリックが過熱すると株は必ず下がり、それが落ち着けば株価は上がる。農民もいやがる。外国の報復関税で大きな打撃を受けるからだ。二〇一六年トランプの勝利に大きな役割を果たした、ラストベルト地域の州にいる労働者階級の有権者もいやがる。そうした州でトランプに投票しそうな有権者の多くは、関税で家族が損失を受けたと述べている。貿易での公選制は、結局はほぼ一人芝居でしかなかった。トランプが求めているだけで、それ以上の何もない。

確かにアメリカの貿易法の仕組みからして、大統領は議会の承認がなくても、貿易戦争をやろうと思えばできる（国境の壁とはちがって）。でもトランプの動機は？　うん、貿易を自分の看板問題にしたので、何か大きなことを実現したと主張したいわけだ。政策をほとんど変えなかった場合ですら、名称変更にこだわるというのはなかなか雄弁だ。そうすれば、「アメリカ＝メキシコ＝カナダ協定」——あるいはペロシに言わせれば「プリンスとして知られていた貿易協定」——がNAFTAとはまったくちがったもので、自分が大勝利をおさめたというふりができるからだ。

だから国の大きな課題は、国民の利益をもとに決められるどころか、国内の大集団の利益にすら基づかず、ホワイトハウスにいる一人の人物の金銭利益やエゴだけで決められているわけだ。いやぁ、アメリカってホントにすごいところですねえ！

第17部

メディアについて

フェイクニュースを超えて

二〇一六年大統領選の後で、どうしてこんなことが起こり得るのかと人々が尋ねる中で、「フェイクニュース」——ソーシャルメディアで広まる陰謀論やインチキな主張——の果たした役割がいろいろ取り沙汰された。たとえば、ピザゲート——民主党高官たちが、ワシントンのピザ屋と関連した児童セックスギャングと関わっているという、まったく無根拠な主張——はインターネットで大きく広がり、レストラン所有者への殺人脅迫などが起きた。

こうした偽の主張は圧倒的にドナルド・トランプ有利に働いた。でもこういう時代だから、トランプとその支持者たちはすぐに「フェイクニュース」という言葉をハイジャックして、どれほど事実に基づいていても、トランプ政権を悪く見せる報道すべてを指す用語にしてしまった。そして多くの人がそれに乗ってしまった。主要メディアを信用できると考える人の数は激減した。それは主に、共和党員の間での信頼が激減したからだ。

実際には、主要メディア（ルパート・マードック所有のものを除く）は事実をきちんと報道するのにかなり気を使っているし、彼らが自分の仕事をこなす中で受ける絶え間ない攻撃を見ると恐ろしくなる。だからといってメディアに偏向がないわけではない。それどころか、何がどう報道されるかについては強い偏向がある——その偏向は、アメリカの政治的機能不全に大きく貢献してきた。

ここで言っているのは、リベラル派にせよ保守派にせよ、ストレートな政治的偏向のことではない。むしろまちがった等価性といった話だ——論争で片方が明らかにウソをついているのに、両論併記でどちらについても同じ扱いをする、といったことだ。かなりの人がいまやこれを、「地球の形についての様々な見解」と呼ぶけれど、それは二〇〇〇年大統領選の最中に書かれた、この第17部で最初の論説にちなんだ名称だ。メディアがこうした両論併記をやらない珍しい場合には、それがとてもお真面目な方々が全員何かに同意しているから、という理由であることが多い——そしてその見解はまちがっている。

また、政策議論を劇場批評に仕立てる傾向も含まれる——候補者が実際に提案している内容ではなく、そのカメラ写りだの印象だのと称するものばかりを話題にすることだ。これを批判したのが第85章「些事の勝利」だ。そして事実面では正確な報道も、何らかの理由で記者に嫌われた候補者に敵対する形で実質的に歪むこともある。これは二〇〇〇年のアル・ゴアにも、二〇一六年のヒラリー・クリントンにも起こったことだ。

つまりこの第17部のコラムは、ニュースメディアの本当の欠点と、それがアメリカ政治の転落にどう貢献したかを述べたものだ。

第84章
エサのすり替え

二〇〇〇年一一月一日

今年の大統領選での大きな教訓——まちがいなく政治家たちが頭にたたき込むもの——は、候補者は明らかにまちがったことを言っても責められないということだ。ただしそれには、その非真実が大きな数字を扱う必要がある。

ジョージ・W・ブッシュは何度も、新規のプログラムに一兆ドルほど支出するつもりだと宣言した。でもその予算で確保されているのは、その半分に満たない。ところがブッシュがこの主張を何度繰り返しても、世間はブッシュの信用を疑問視したりしない。

ブッシュ氏はまた、社会保障（公的年金）から一兆ドルを使って、二つの相反する目的に使うと公約した。それを若い労働者向けに民間の口座に入れつつ、同時にそれを高齢労働者への給付金支払いに使うというのだ。そして民営化についてのお気に入りの議論も、似たような二重支出を使ったものだ。人々がお金に対して得られる収益率と、社会保障積み立てで含意された収益率とを比べたとき、彼はどうもなぜ社会保障制度の収益率が低いかを誤解しているらしい。若い労働者の積み立て分は使わずにとっておかないと、今日の中年労働者が引退する前に基金は枯渇してしまうからだ。

でもこれは誤解じゃない。この計算をめぐる警告は、アメリカ保険計数アカデミーを含む多くの場所から出されている以上、ブッシュ氏がそれを繰り返し使い続けるのは誤解のせいではあり得ない——

―策略なのだ。それでも、この二重計上の試みは、ホワイトハウスに「栄誉と誠実さ」を取り戻すと公約する選挙活動に、ほとんど何の問題ももたらしていない。

なぜこれで逃げおおせられたのか？　答の一つは、有権者は大きな数字を実感できないというものだ。でもメディアがそうした数字を理解させる手伝いをしなかったのも事実だ。

これは部分的にはマーケティングの問題だ――予算の算数よりもインサイダーのゴシップのほうが番組に仕立てやすい。でも政治的な要因もある。主流メディアは、平等な扱いをしているように見せかけたくて必死なのだ。アメリカ政治でまったく笑ってしまうのは、保守派がメディアはリベラル側に偏向していると言い続けていることだ。実際には、記者たちはブッシュ氏が壮絶なほどとんでもない大嘘をついたときですら、それについて説明を要求したりしない。おそらくそれが党派的だと批判されるのを恐れてのことだろう。大統領候補が地球は平らだと宣言したら、まちがいなくニュース分析はこんな見出しになる。「地球の形：どちらの主張も一理あり」。結局のところ、地球は完全な球ではないのだし。

でもまだわからないのは、この話がどんな結末を迎えるか、ということだ。ブッシュ氏が勝てば、彼は実際に予算案を作らねばならないし、さらに本当の社会保障計画も考案しなければならない。そうなったら、レトリック上の華々しさだけでは不十分だ。だったら実際には何をするだろうか？

多くのアナリストは、どうやらブッシュ氏が本当にエサのすり替えを目論んでいるのだと期待――!!　しているらしい。つまり、選挙に勝ったら実際に選挙戦で提案したのとはまったくちがう計画を公表する、と期待しているわけだ。特に保守派たちは、実際の計画は社会支出に大なたをふるって、所得税と相続税の減税余地を作るものになると、かなりおおっぴらに信じている。さらに社会保障給付額を大幅に削減し、税金を民間口座に振り向ける分を埋め合わせるはずだと思っている。

でも必要となる支出削減は、心優しき保守主義の主張すべてを踏みにじるものだ。そして社会保障の部分的民営化の現実的な計画がどんなものになるかは、おおむね見当がつく。たぶん年金支給開始年齢を大幅に引き上げ、生活費補正を大幅に減らし、その民間口座を現金化するときに重税をかける(「あなたのお金です」——が、あるブッシュ顧問の提案によると、その口座で得た収益のうち手元に残るのは二五％だけだ)。

ブッシュ氏は、選挙公約でオイシイ話を約束した後でこんな厳しい計画を提案できるだろうか？当初のクリントン医療計画への反発を思い出そう。ブッシュ氏は似たような炎上に直面する覚悟があるだろうか？

たぶん当選したら、ブッシュ氏は自分が選挙で公約した通りの統治ぶりを見せるだろう。各種の帳尻はごまかされ続け、やがて金融市場はアメリカの財政が急速に劣化するのに危機感をおぼえ、これは無視できないとの信号を送るわけだ。

でもこれは、選挙公約を踏みにじるブッシュ氏の意思を甘く見ているのかもしれない。悲しいかな、彼が当選したら、本当にエサのすり替えを狙っていたことを期待せざるを得ない状況にぼくたちは追い込まれているのだ。

第85章
些事の勝利

二〇〇四年七月三〇日

『ワシントン・ポスト』は最近、「有権者、ケリーに具体策を求める」との見出しを掲げ、ジョン・ケリーとジョン・エドワーズがきちんと話し合いをしろと要求したある有権者の発言を引用している。「中低所得者向けに医療をどうするのかについての計画を話し合ってほしい。現状のままだと、私は絶対に健康保険に入れないという事実に直面せざるを得ない。そしてこの億万長者連中は、その対策を考えていないようだ」

ケリー氏は、中低所得世帯向けに六五〇〇億ドルを使って健康保険を拡張しようと提案している。それに賛成かどうかはさておき、この問題への対策がないとは言えないはずだ。どうしてこの有権者はその事実について聞いていないんだろうか?

ぼくはアメリカ人の八割が、いつもニュースを得ているという場所、つまり主要テレビ局の報道書き起こし六〇日分に目を通してきた。重箱の隅をつつくどころの話じゃない――ケリー氏が最近の高所得者向け減税を廃止して、それを健康保険のない人々の保険料にあてるというのを明確に述べた報道すら見つけられなかった。報道でケリーの計画が出てきても、通常は競馬の実況みたいなものでしかなかった――現在のポジションの話ばかりで、中身の話は皆無。

一方、テレサ・ハインツ・ケリーが誰かに「グタグタ言うな」と言ったのはみんな知っている。でもこの場合ですら、文脈は無視されている。MSNBCでちょっと報道されたのを除いて、ぼくが読んだ書き起こしの中で、彼女が苛立ったのはリチャード・メロン・スカイフェに対してなのだ、ということを報道したものはまったくない。これはクリントン一家に対する中傷キャンペーン——彼らが殺人犯だという中傷まで含む——の資金を出した億万長者だ（CNNは、スカイフェ氏についてウェブサイトで言及はしているけれど、単に「保守派の大義」への献金者としか述べていない）。そして視聴者は、スカイフェ氏が昔からずっとハインツ・ケリー夫人への個人攻撃を続けていることをまったく報されない。

ここには二つの問題がある。矮小化と偏向だ。でもこの両者は関連している。

どこかの時点で、テレビニュースは候補者の政策を報道しなくなり、むしろ彼らの人格を示すとされるトリビアばかりに注目するようになった。話題になるのはケリー氏の髪型であって、医療に関する提案じゃない。ジョージ・ブッシュの草刈り話は耳にするけれど、環境政策の話は出てこない。

そしてそれ自体として見た場合ですら、こういう報道はまちがえる。というのもジャーナリストは別に人格診断がさほどうまいわけではないからだ（「彼は何より道徳的な人物だ」とジョージ・ウィルがジャック・ライアンについて書いた後で、このイリノイ州の上院議員候補は、恥ずかしいセックスクラブがらみの疑問が浮上して撤退した）。そして今日の報道を埋め尽くす人格問題は、歴史的にはリーダーシップの能力に何の関係もない。ノルマンディ上陸作戦の計画を立案中に、ドワイト・アイゼンハワーは女性運転手と親密な（ただしプラトニックかもしれない）関係を持っていた。このために彼をホワイトハウスから追い出すべきだっただろうか？

そしてセレブ報道として選挙戦を報道するのにルールなんかないので、偏向した報道の余地がいくらでも発生する。

さっきの有権者が「この億万長者連中」と言ったのを思い出そう。campaigndesk.orgという『コロンビア・ジャーナリズム・レビュー』のウェブサイトによると「マスコミはケリー上院議員とエドワーズ上院議員、ケリーの妻テレサ・ハインツ・ケリーを億万長者や大金持ちとして紹介する一方で、ブッシュ大統領やチェイニー副大統領についてはそうしたレッテルを使わないという無用な傾向を持っている」と分析されたとのこと。

同サイトが指摘するように、ブッシュ選挙戦は「ケリーは金持ちだから主流から外れている、という色づけを強力に推し進め、マスコミ報道を左右しようとしている」。彼らの選挙戦は、ケリー氏の政策が金持ち有利になっているとは主張しない——明らかにそうではないからだ。一方、ブッシュ氏の政策は明らかに金持ち有利だ。それなのに、ぼくたちはケリー氏がたまたま金持ちだからというだけで、ケリー氏を嫌うよう仕向けられている（そしてその対抗候補も金持ちだということには気がつかないよう仕向けられる）。こともあろうに共和党の人々が、妬みの政治を実践していて、メディアはそれに唯々諾々と従っている。

要するに、些事の勝利はどうでもいいことじゃない。テレビニュースが世間に対して今年の大統領候補の政策提案を報せないのは、形こそちがえ、イラク侵略を拙速に進めたことに対して疑問の声をあげないのと同じくらい、ジャーナリズムの深刻な裏切りなのだ。

追伸。テレビでご覧になっていない別の話。ジェブ・ブッシュは、電子投票マシンが完全に信頼できると固執するけれど、『セントピーターズバーグ・タイムズ』によればフロリダ州共和党は、支持者たちに不在者投票をするようながすビラを撒いたそうだ。理由は、マシンでは紙の証拠が残らずに「投票を確認できないから」だという。

追々伸。三週間前、『ニューリパブリック』誌の報道によると、ブッシュ政権はパキスタンに圧力をかけて、民主党大会の間に大物テロリスト捕獲を発表させようとしていたという。ケリー氏の候補者指名受諾演説の数時間前、パキスタンは実際の出来事から三日もたって、重要なアルカイダ工作員を捕獲したと発表した。

第86章
経済分析なんか意味あるんだろうか？

『ニューヨーク・タイムズ』ブログ
二〇一三年八月四日

首都界隈の通念が、高い失業率は構造的なものであって景気循環によるものではないという主張に落ち着いたという悲しい事実（いまや経済学者の間では、その正反対が正しいという超党派的なコンセンサスがあるのだけれど）を受けて、さらにいくつか思いついたことを。

まず、用語の意味について。経済学者が「構造的」失業率の上昇と言うとき、それは実はかなり具体的なことを意味している。漠然とした「どうしようもないよ」という意味ではなく、「完全雇用」における失業率、つまり物価と賃金が上がり始め、賃金物価スパイラルのリスクが高まり始めた時点における失業率のことだ。それが起きたら、誰かに支出を増やさせて需要を増やすだけでは失業問題を解消できない。物価と賃金が上がり始めていないなら、それで解消できるのだ。

他のいろんな経済学者の話はどうだろう、たとえば地域や職業や技能別の失業率のちがいとかは？　うん、構造的失業の上昇に関するいつものお話は、労働者と仕事との「ミスマッチ」に関するものが通例だから、このミスマッチの「しるし」はどこか特定の場所や、特定の種類の労働者不足が顕在化しているというものになるはずだ。だからそういうものが見られないという事実は、構造的失業というお話に真っ向から対立する。でも最終的な問題はいつもながら、インフレが問題になる前にどこまで失業を押し下げられるか、というものだ——そしてインフレ率が二〇〇七年以来上がったという証拠は、基本的にまったくない。ましてそれが現在の失業率に近い水準だという証拠はまったくない。

　そしてすでに述べたように、失業が構造的ではなく循環的だというコンセンサスは、数年前に比べてずっと強力になっている。別のブログ投稿で、ジャクソンホールにおけるエディー・ラザーの論文に言及した。またナラヤナ・コチェラコタの宗旨替えもあった（この点で彼は大きく賞賛されるべきだ——証拠を前にして自分の意見を変えられる経済アナリストはあまりに少ない）。

　だからここにあるのは、本来あるべき形で進行している経済学的な議論だ——もっとすばやく進んでほしいとは思うけれど、それでも最終的には、アメリカの問題に関する通俗的なお話がまちがっていると結論する専門家集団が登場した。

　それなのに、評論家階級はまったくそれを意に介さないらしい。「構造的」とかいうと真面目そうに、というかお真面目そうに見えるから、評論家は証拠が正反対のことを述べているのに「構造的」と言い続ける。そしてこれは「地球の形についての様々な見解」という話ですらない。マスコミテレビ視聴者は、専門家の意見が一致しているなんてカケラも聞かされない。まるで気候変動についての番組で、気候変動否定論者だけが登場するようなものだ。

　そしてこれは、別の論争の文脈で考えるべきものかもしれない。財政緊縮をめぐる論争だ。ここでもまた、専門家の見解はかなり決定的な大転換を遂げた。経済学者の間でもいまだに古い議論にしがみつく人はいるけれど、緊縮支持の二本柱——拡張的緊縮の主張（財政緊縮すると財政破綻の可能性が減るので人人が安心し、経済活動をかえって増やすという立場）と、債務がかなり低い水準を超えたらひどいことが起こるという主張——はどちらも見事なまでに崩壊した。それなのに政策はまるで変わらない。せいぜいが、ヨーロッパ周縁国でほんのちょっとばかり調整があっただけで、アメリカは相変わらず弱い経済なのに、財政支出がどんどんカットされている。

分析や証拠が重要だと思いたい人々にとっては、かなり気が滅入る状況だ。マクロ経済に関する政策と通念の最近の展開を見ると、どうやらそんなものはどうでもいいらしい。

第87章
愚かしく生きる一年

『ニューヨーク・タイムズ』ブログ
二〇一三年八月七日

気がつかなかったけれど、社会通念が証拠に対していかに無反応かという嘆きを投稿する直前に、サイモン・レン＝ルイスが似たような論点を述べていた。でも彼の主張はもっと広い。彼の投稿を見て、さらに思ったことがある。いまだに、評論家やエスタブリッシュメントの人々がおおむね、物事の仕組みをご存じのエリートと、エリートの叡智に導かれねばならない大量のカッペどもとの間に明確な一線があるかのような口をきく。でも現実は、そんなことはまったくない。確かにイカレポンチのドクトリンはある——金本位制信奉、ラッファー曲線などだ——そしてそれが通念には大きく作用するのに、エリート層にはまったく受け入れられないこともある。でも当のエリートたちも、過去五年にわたり、ハイパーインフレが迫っているという話ほど裏付け皆無ではないながらも、かなりひどい経済ドクトリン——構造失業率の上昇、財政赤字削減と給付金改革の緊急性、「不確実性」の破壊的影響——を掲げてきた。そしてこうしたドクトリンは、過去一年の出来事を見れば完全に消滅して然るべきなのに、その影響はいまだに無傷で残っている。

なんといってもこの一年はかなりすごい年だった——構造的失業に関する専門家の見解が一変しただけでなく、拡張的緊縮ドクトリンが崩壊し、乗数が実はかなり大きいという見方にとって変わられたこと、GDPの九〇%という公的債務のしきい値説の崩壊、財政赤字激減、中期的な債務懸念の消失等々。

それなのに政策はまったく変わっていないし、エリートの見方もほとんど不変だ。どうしてそんなことが？　レン＝ルイスは重要な点を突いている。政治家は自分の偏見を裏付けてくれる経済学者を探す。マスコミはプロパガンダ機関に堕しているか、あるいは政治家の言うことが真実にどれほど反していても、それがまちがっているとはっきり宣言するのを死ぬほど怖がっている。

ちなみに、政治家の主張の事実関係チェックを行うサイト、ポリティファクトをめぐる財政赤字騒動が登場するのもここだ。エリック・カンターは、財政赤字が急激に減っているのに、それが増えていると述べた。ポリティファクトはこれが「半分真実」だと述べた。予測によると、二〇一五年以降に財政赤字が（わずかばかり）増えるからだそうだ。まるで、今は実際には晴れているのに雨だと言ったら、その主張は（あてにならない）天気予報が週の後半に雨が降ると言ったから半分正しいのだ、と主張するに等しい。現実はといえば、このファクトチェッカーと称する人々は、共和党トップ高官を無知で嘘つきと呼ぶのを避けたことで、安全に立ち回ったつもりなんだろう。でも実際には別の形で見放されたので、それはそれで結構なことだ。

が、政策分析の苛立ちに戻ろう。明らかに経済学者たちは、物事を正しく理解させるために、できる範囲で手を尽くすべきだし、それを伝えるべきだ。でも過去五年で、がっかりすることが明らかになった。知識はどうやら力ではなく、実際の権力は、お真面目または自分の意に適う代物を、実際の知識よりあまりに優先しすぎるのだ。

第88章
ヒラリー・クリントンがゴアられる

二〇一六年九月五日

政治と政策にきちんと注目している、ある年代のアメリカ人は二〇〇〇年大統領選を鮮明に覚えている——ひどい記憶ではあって、それも得票数で負けた人物がなぜか大統領職に就いたからというだけじゃない。その結末に到るまでの選挙戦も悪夢のようだったからだ。

つまり、ジョージ・W・ブッシュというある候補者は、アメリカ政治史上でも類を見ない形で不正直だったということだ。特に大きな点として、金持ちの大幅減税を約束しつつ、算数を完全に無視して、それが中産階級向けの減税だと述べたのだった。こうした選挙戦でのウソは、その政権下で起こることの先触れとなった——この政権は、忘れてはならないけれど、ウソをもとにアメリカを戦争へと導いたのだった。

それなのに選挙戦の間、ほとんどのメディア報道はブッシュ氏が飾り気のない、率直な人物だという印象を与え、一方のアル・ゴア——その政策は帳尻があっていたし、ブッシュ計画に対する批判も完全に正しかった——は小ずるく不正直だと描かれた。ゴア氏の狡猾さは、どうでもいい逸話で実証されたことになっていた。そのどれも大したものではなかったし、一部は単なるウソだった。ゴアは自分がインターネットを発明したなんて言ったことはありませんぜ。それなのに、そのイメージがつきまとった。

そして今、私を含む多くの人々は、それが再演されているという苦々しい沈んだ気持ちになっている。

確かに、ドナルド・トランプが正直さの権化だというふりを押し通そうという人はあまりいない。でも、彼がゲタをはかせてもらっているという印象はなかなかぬぐえない。カンニングペーパーをまちがいなしに読めただけで、大統領の資質ありと言われる。違法移民一一〇〇万人を全員まとめて送還したりはしないかもと示唆しただけで、アメリカの主流意見に沿う人物とされる。そして彼の多数のスキャンダル、たとえば各州の検察長官に明らかに見返りを提供し、トランプ大学の捜査を控えさせたりしたのは、驚くほど注目されない。

一方、ヒラリー・クリントンのやることはすべて腐敗していなければならないという想定があるらしい。これを最も露骨に描き出しているのは、クリントン財団をめぐるますます異様な報道だ。

一歩下がって、この財団が何なのかを考えてほしい。ビル・クリントンが大統領職を終えたとき、彼は世界的に尊敬された人気のある人物だった。その評判で何をすべきだろうか？　貧困児童の命を救う慈善のために大金を集めるのは、なかなかまともで立派な活動方針に思える。そしてクリントン財団はどう見ても、世界における善のための大きな力だ。たとえば独立監視団体チャリティウォッチは、クリントン財団に「A」の格付けをしている――アメリカ赤十字より高い格付けだ。

さて、何十億ドルも調達して使う活動は、利益背反の可能性をつくり出す。クリントン一家が、友人にごほうびをあげるためのお小遣い基金としてこの財団を使うことは考えられるし、あるいはクリントン夫人は公職にある自分の地位を使って、寄付者にごほうびを与える可能性もある。だから財団の運営を調査して、不適切な利益供与があるかどうか調べるのは適切だし正しいことだった。記者たちがよく言うように、この財団の規模だけでも「疑問を引き起こす」。

でもその疑問に対する答は、誰も受け容れたくないようだ。その答というのは、きわめてはっきりと、「ノー」だ。

クリントン女史が国務長官時代に財団の献金者と会ったと示唆する共同通信の大報道を見てみよう。これは「彼女が大統領に選出されたら、かなりの倫理的問題となる」と述べられている。この報道の論調を見ると、その会合というのは、たとえば残虐な外国の独裁者や、訴追に直面する企業の金持ち重役が相手だろうと思ってしまうし、それに続いて彼らに便宜をはかる怪しい活動が行われたと思うかもしれない。

ところが、共同通信が実際に挙げた最大の例は、クリントン女史がムハマド・ユヌスと会ったという話だ。ノーベル平和賞受賞者で、ついでに昔からの個人的な友人でもある。調査の結果としてこの程度のものしか出てこないなら、各種の懸念は無根拠ということだ。

だからジャーナリストたちには、自分が報道しているのは事実なのか、それとも当てこすりでしかないのかについて考えてほしい。さらに世間一般には、批判的な目を持って報道を読んでほしい。もし候補者についての報道で、何かが「疑問を抱かせる」とか「影を落とす」といった話が出てきたら、こうした表現は何もないところから、何か怪しげな行動の印象をつくり出すために使われるごまかし用語だというのは認識してほしい。

そしてプロからの助言を一言。ある候補者の人格を判断する最高の方法は、その人物が実際に何をやったか、その人がどんな政策を提案しているかを見ることだ。トランプ氏の、学生たちをペテンにかけ、業者をいじめたという実績を見れば、大統領になったときの行動のよい目安になる。クリントンの話し方やボディランゲージは目安にならない。ジョージ・W・ブッシュの政策面でのウソを見れば、二〇〇〇年に行われた大量の密着取材すべてよりも、その人となりについてずっとよい手がかりが得られる。そしてトランプ氏のまるでつじつまの合わない政策と、クリントン女史の慎重さとの対比は、今日実に多くを物語ってくれる。

言い換えると、事実に注目しようということだ。アメリカと世界は、当てこすりで歪められた選挙を繰り返すわけにはいかないのだ。

第 18 部

経済学的な思索

陰気な科学

二〇年近く『ニューヨーク・タイムズ』で連載を続けてきたけれど、ある意味でいまだに、副業でジャーナリストをやっている大学教授のつもりでいる。本書のこの最後の部分で、通常の『ニューヨーク・タイムズ』紙面よりはずっと学者っぽく聞こえるような書きものをいくつかお示ししよう。

学者っぽい、とはどういうことだろうか。かなり優秀な学者ですら、もっと広い世間を相手に何かを書こうとすると、きわめて大きな課題に直面する。その問題について専門家でない人々は、それがかなり物知りな読者であっても、内輪の人々を相手にするときに当然想定していい共通の背景知識を持っていないということだ。

経済学者たちが相手なら、「収穫逓増」といった用語を使っても、相手は当然その意味を知っているはずだ――生産量が増えれば、それだけ単位費用は下がるということだ。それだけでなく、関連した問題を山ほど知っているはずだ。たとえば、収穫逓増は通常は、多くの小企業がまったく同じモノを生産する完全競争を成り立たなくしてしまう。また標準経済学モデルで完全競争がどれほど重要かも知っているはずだ、等々。専門用語を批判するのは簡単だけれど、専門特化した用語がかなり複雑な概念を指すための手早い方法として使われているときには、専門家同士の情報伝達において不可欠となる。

残念ながら、専門特化した用語を使うと、専門家以外の人々にはちんぷんかんぷんということにもなる。

注意して頑張れば、まったくの門外漢の読者に対してであっても、重要な経済的洞察を日常用語で伝えられることは多い。たとえばこの論説を書く直前に、アメリカ郊外の衰退に関するコラムを書いたのだけれど、これは実質的には我が最も引用された学術論文「収穫逓増と経済地理学」（一九九一）の理論をさりげなく言い直したとでも言うべきものだった。そして経済学を普通の表現に翻訳するという手間は、重要なものだし報われるものでもある。

でもときにはちょっと気晴らしに、専門的な研究論文ではないけれど、でも通常容認するよりは多くの専門用語を使ったものを書きたいこともある。この部分では、その例をいくつかお示しする。

まず一九九一年に依頼された論説から始めよう。「人生哲学」について書けと言われたのだけれど、そんなのはバカげていると思った。経済学研究をやるときの自分の戦略について話すほうが、ずっと筋が通っている。そしてこの論説は、多少の専門用語を我慢する気のある一般読者たちにすら、我が人生の裏面がどんな感じかを伝え、そして何百万という読者に向かってものを書くように転身したのが、研究作法のどんな側面のおかげだったのかも伝えられるかもしれないと思う。

研究の相当部分はマクロ経済学に関するもので、特にジョン・メイナード・ケインズの研究と関連した思想とつながっている。残念ながら、まじりっけなしのケインズ政策を必要とした危機に直面したとき、ヨーロッパとアメリカはどちらも対応が不十分だった。第90章「穏健さの不安定性」は、なぜ私たちが政策で失敗したのかを論じたものだ。私はケインズ主義の立場——市場経済は大事にしつつも、必要なら政府が強い行動を取れるようにしておけというもの——は賢明ながら、知的にも政治的にも維持しづらかったのだと主張している。

最後に、二〇一〇年代ともなれば、経済学の話をするにあたりビットコインなど暗号通貨について物を言うのはどうしても期待されてしまうところ。私はずっと大いに懐疑派なので、その理由をここに収録した論説で説明しよう。

第89章　ぼくの研究作法

もったいぶって

一九九三年一〇月一日

このエッセイで公式に依頼されているのは、自分の〝人生哲学〟について語ることだ。はじめにはっきりさせておきたいんだけど、この指示に従うつもりはない。だって人生一般について何か特別なことを知っているわけではないもの。確かシュムペーターだったと思うけれど、彼は自分が故郷のオーストリアで最高の経済学者であるのみならず、当代きっての乗馬の名手で、あっちのほうも精力絶倫だぜとのたまったとか。[*1] ぼくは馬には乗らないし、それ以外の方面についても自分に幻想は持ってない（でも、料理はかなり得意だよ）。

このエッセイでぼくが伝えたいのはもっと限定されたことだ。つまり、ものを考えること、特におもしろい経済学をやるにはどうすればいいか、ということについての考えだ。ぼくは同世代の経済学者の間でもかなり独特の知的スタイルを持っていると言われているようだ——それが必ずしも他より優れたスタイルというわけではない。だって良い経済学者にもいろいろあるからね。でもぼくにはとても役立ったスタイルではある。このスタイルの本質は、いくつかの原則にまとめられる一般的な研究戦略だ。そして、それよりもっと政策よりの文章や発言も、究極的には同じ原則に基づくものだと捉えている。この研究の原則にはエッセイの後半で触れる。でも、この原則を紹介するのにいちばんふさわしいのは、(ぼくが思うところの)どうやって自分流の研究の方法論にめぐり合ったのかを説明することだと思う。

出自

今日の若い経済学者のほとんどは、数学っぽいほうから経済学にやってくる。初めはゴリゴリの科学や工学部門でのキャリアを志していた人たちが、ちょっと志を下げて、社会科学ではいちばん厳格な分野へと下ってくるんだ。この方向から経済学に参入してくる利点は明らかだ。すでに、数学の分野で十分な訓練を積んでいるし、定式化したモデル構築という発想がごく当然のものとして身についている。でも、それはぼくの故郷じゃない。ぼくの初恋の相手は歴史だった。実は数学については必要になったものをそのつど身につけただけで、ほとんど勉強しなかったんだ。

それにもかかわらず、ぼくは早い時期から深く経済学に関わるようになった。まだイェール大学三年生でしかない時にウィリアム・ノードハウスの(世界のエネルギー市場に関する)研究助手として働いたんだ。そのまま大学院に進んで、まだMITにいる時に、初めて本当に成功した論文——貿易収支危機の理論的分析——を書いた。ぼくは自分が小さな数学モデルを使いこなすのが得意で、それに加えて、単純化してモデルを扱いやすくするための仮定を見つける才能があることに気付いた。でも大学院を卒業する時点では、少なくとも自分では五里霧中状態だった。研究テーマがはっきりしなかったし、本当に研究が好きなのかどうかさえよくわからなかったんだ。

自分の知的な足がかりはまったく突然に見つかった。一九七八年の一月のことだ。ぼくは幾分途方に暮れていて、かつての指導教官ルーディ・ドーンブッシュを訪ね、いくつか思いつきを話してみた。その中には、ボブ・ソローの短期講習で学んだ独占競争モデル——特にディキシットとスティグリッツによる小さくてすてきなモデル——が国際貿易に関係があるかもしれない、というぼんやりとした発想も含まれていた。ルーディは、その考えはものすごくおもしろいものになるかもしれないと指摘してくれた。だから、ぼくは家に帰って真剣に考えてみたんだ。それから数日のうちに、自分の研究生活の核となる何かをつかんだのがわかった。

何を発見したのか？　ぼくの貿易モデルのポイントは、思いついてみればそんなに意外なものじゃない。たとえ比較優位がなくても、それとは別に規模の経済が国際貿易の原因になりうる、というのがぼくの発想だった。これはぼくにとっては目新しい洞察だったけれど、伝統的貿易理論の批判者たちが、すでに何度も指摘していたことだったんだ（というのをぼくはその後すぐに知ることになった）。ぼくがこしらえたモデルは、まだきちんと詰まっていないところがあった。特に、そのモデルにはおおむね複数の均衡解があったんだ。そしてそれですら、モデルを扱いやすくするためには、明らかに非現実的な仮定を置かなくてはいけなかった。そして、いったんそういう仮定を置くと、モデルは実につまらない単純なものにしかならなかった。それを論文に仕立てるときにも、すごい高等数学技能を駆使してみせる余地は全然なかった。だから、ぼくが特におもしろいことをしているとは思わない人もいたかもしれない（何年もの間、一部の同業者たちからそう言われ続けた）。でも、こうした特徴はすべて悪徳ではなく美徳であり、何年も継続する生産的な研究につながるプログラムになれるのだと——なぜかほとんどしょっぱなから——ぼくは思っていた。

もちろんぼくは、伝統的理論への批判として何十年も言われてきたことを主張しただけだ。でも、そこでの論点は国際経済学の主流にはなっていなかった。なぜか？　それを表現するきれいなモデルがなかったから。新しい独占競争モデルのおかげで、ぼくはそれまで泥沼としか思われていなかったものを、きれいに示せるようになった。けれど、それよりも重要なこととして、経済学の方法論がどんなに大きな盲点をつくり出すかについて、ぼくははっと気がついた。経済学者は定式化できないものは目に入らない。そして最大の盲点は、収穫逓増と関わりがあった。自分のやるべきことは、まさに目の前にあったんだ。要するに、物事を少しちがった角度から見て、それによって明白なこと、目の前にずっとぶら下がっていたものをはっきりさせることだ。

ぼくがその冬と春で書き上げたモデルは、「誰が、何を、生産しているのか」を厳密に特定するという意味では不完全なものだった。それでも、そのモデルは有意義なストーリーを語っていたんだ。自分がやっていることをはっきりと表現できるまでには長い時間がかかった。でもそのうち、難問を扱う場合の一つの方法は、問題そのものを変えることだ――特に（問題の）レベルをずらしてみることだ、ということに気がついてきた。詳細な分析をやろうとするとえらく面倒かもしれない。けど、ずっと単純な形でひとくくりにしたり全体としての記述をしてみれば、話はそれですんじゃうかもしれないんだ。

この全体的、あるいはひとくくり的なレベルの記述をするには、もちろんディキシットとスティグリッツのモデルや、その手のモデルの基礎になっている「対称性」という基本的にはバカげた仮定を受け容れるしかない。でも、このバカげた仮定のおかげで説得力のあるお話ができるようだったし、そのお話は神聖化された標準的な競争モデルの仮定を使っていたら出てこない。経済学は、いつだってバカげた仮定を使っているということにぼくは気付き始めた。ただその一部を繰り返し使っているうちに、それが自然に思えてきたというだけだ。だから、モデルの仮定で何が出てくるか見極めるまで、モデルをばかげたものだと言って拒絶しないこと。

最後に、モデルが単純すぎたおかげで、ぼくの中でくすぶり続けていた「大学院で苦労して身につけた高度な数学技能を見せつけたい」という欲求は満たされなかった。でも、その単純さこそがこのしつらえにとって中心的なものだということに間もなく気がついた。貿易理論家が収穫逓増の役割を採りあげなかったのは、実証的に何か理由があったからじゃなくて、むずかしすぎてモデル化できないと思っていたからだ。それが子供っぽいほど単純だと示せたほうが、インパクトはずっと大きいでしょ。

そういうわけで、ぼくは二五歳の誕生日を待たずして、自分の研究生活のテーマをおおむねつかんでいた。もしもぼくの一大プロジェクトが、他の経済学者に受け容れられなかったらどうなっていたんだろう——トンデモに走るとか、経済学不信になってやめちゃってたかも。でも実際には、すべてが信じられないくらいうまくいった。ぼくの頭の中では、自分の核となる研究の流れは一九七八年の一月以来、とっても一貫した道を進んでいる。数ヶ月のうちに、ぼくは基本的な独占競争の貿易理論を書き上げた——実はほぼ同時に、それぞれ独自に考案されたアヴィナッシュ・ディキシットとヴィクター・ノーマンのモデルや、ケルヴィン・ランカスターのモデルとよく似ていた。論文の発表にはちょっと手間どった——旗艦誌（QJE）からはそっけない拒絶をくらったけど、これは経済学における革新にはつきものの運命らしい——けど、でも研究は続けた。一九七八年から一九八四年の終わりくらいまで、実質上ぼくはすべての研究エネルギーを国際貿易における収穫逓増と不完全競争の役割の研究にあてた（一年休みをとってアメリカ政府で働いた。でもその話は後でもっと詳しくね）。他の人が同じ道をたどるにつれて、個人的な探求だったものが一つのムーブメントになった。とりわけ、エルハナン・ヘルプマンは——深くものを考える人で、彼の誠実さと自制心はぼくのちゃらんぽらんなだらしなさとうまい具合に対照的だった——まず自分で重要な貢献を果たしてから、ぼくを共同研究に誘ってくれた。二人の力作、*Market Structure and Foreign Trade*（『市場構造と外国貿易』）は、ぼくたちのアイデアを確固たるものにしたばかりか、ほとんど標準の考え方にしてくれた。七年間のうちに、偶像破壊から正統教義にまで出世したわけだ。

理由はよくわからないけれど、一九八〇年代の数年間、ぼくは収穫逓増に関する一大プロジェクトをしばらく寝かせて、国際金融に関心を向けた。この分野でのぼくの仕事は、主としてそのときの政策問題に刺激された小さなモデルの群れだ。そういうモデルは、ぼくの貿易モデルみたいに何か共通のテーマがあったわけじゃないけれど、ある程度はその知的スタイルという点で似通っていて、それは貿易の研究とも共通するものだと思う。

一九九〇年には新しい方向から収穫逓増の経済学へ復帰した。貿易で収穫逓増の役割を正当化するのに使ったテクニックが、すっかり見捨てられていた分野（地理経済学、空間における活動の立地）の見直しにも使えることに気付いたんだ。そこは貿易の分野以上に、経験的な洞察や、よいお話、そして明らかな現実面の重要性がいっぱいだったけれど、それを定式化するいい方法を誰も知らなかったから、目の前にあるそういうものが無視されたままになっていたんだ。ぼくにとっては自分の知的幼年期の最良の瞬間を再体験しているみたいだった。地理学をやるのは大変だ。モデルを簡単に見せるにはものすごい知恵がいるし、データ分析だけでなく理論化にもコンピュータがいるのがますますはっきりしてきた。でも、見返りはとっても大きい。ぼくにとって理論の最大の醍醐味は、最初から当然だったはずのことや、「ああ、あれか」と現実の知識がすぐに思い当たるのに、それまでは気がつかなかったことをモデルが教えてくれる瞬間なんだ。地理学にはまだその醍醐味がある。

本稿の執筆時点では、地理学に関する研究は、ぼくをさらに遠くへと導いているようだ。特に、地理学のモデルで自然と生じてくる概念と、伝統的な開発経済学——一九四〇年代から五〇年代に流行し、その後衰退した「高等開発理論」——との間には明らかに類縁性がある。だから、ぼくは自分の理論研究プロジェクトはもっと視野を広げ続けると期待しているんだ。

研究のルール

一九七八年におけるぼくの成長期を説明する中で、ぼくはすでに研究のための四つの基本的ルールをそれとなく示した。今度は明示的にそれについて述べ、説明しよう。これがそのルールだ。

1. 異教徒に聞いてみよう
2. 問題そのものを見直せ
3. あえてバカになろう
4. 単純化、単純化

異教徒に聞いてみよう

この原則が意味しているのは、「たとえ自分と慣習がちがっていたり、分析的な話し方をしない相手でも、知的な人の言うことに耳を傾けよう」ということだ。実例を出したほうがポイントをいちばんうまく説明できそうだ。ぼくが貿易理論の再検討を始めたとき、すでに国際貿易理論を批判する文章はかなりの数あった。貿易のほとんどはもともと同じような要素を持つ国の間で行われているし、そういう貿易の多くは、同一産業内での同じような製品の取引だということは、多くの経験論者が指摘していた。鋭い観察者は、現実の国際市場における規模の経済や、不完全競争の重要さを指摘していた。でも、これらの知的な発言は貿易理論家の主流からは無視されていた——だってそうした批判は、比較優位を十分理解していないように見えることも多かったし、独自の筋の通ったモデルも示せていなかった。そんなの相手にすることないだろう、というわけ。結果として、経済学という学問分野は目と鼻の先にあった証拠とお話を見すごした。

地理学でも一緒だった。地理学者と地域科学者たちは、局地化された外部経済の性質と重要性に関する膨大な証拠を集めていたし、その証拠を、厳密ではないかもしれないけど、知的な形でまとめていた。それなのに経済学者たちは、彼らの主張を無視してきた。その主張が自分たちの言語とはちがう言葉の人たちからきていたからだ。

ぼくは、定式化された経済分析に価値がないとか、経済問題に関する意見は誰のものでも等しくすばらしいなんて言いたいわけじゃない。まったくその逆！　モデルの重要性をとても強く信じている。ぼくらの精神にとって、モデルは石器時代の武器における槍投げ器みたいなものだ。ぼくらの洞察力の範囲と強さを大いに拡げてくれる。特にぼくは、モデル構築の非現実的な単純化を批判したり、仮定をあいまいにすると洗練度が上がると夢想したりする人たちにはまったく共感しない。大事なのは、経済モデルは真実ではなく、メタファーだと理解することなんだ。発想は是非ともモデルで表現すること。それもできる限りかわいらしくね（後でもっと詳しくふれる）。でも、それがまちがったメタファーかもしれないし、別のメタファーを使う人がこちらの見落としを見つけているかもしれないことは忘れないこと。

問題そのものを見直せ

一九七八年以前にだって、外部経済と国際経済について書かれた文章は少しはあった。でも、あまり影響力は持たなかった。どうしようもなくごちゃごちゃしているように見えたからだ。最も単純なモデルでさえ、可能な結果の分類という泥沼にはまり込んでいた。その後はっきりしてきたのは、そうした混乱が生じた大きな理由は「モデル構築者が自分たちのモデルで、伝統的な貿易モデルがしているのと同じこと、つまり厳密な産業特化と貿易パターンの予測をやろうとしたから」ということだ。

でもなぜそんなことをやりたがるの？　ヘクシャー＝オリーンのモデルでさえ、論点は要するに「ある国は、その国に豊富にある要素を集約した財を輸出する傾向がある」くらいの話だ。仮に詳細なモデルが「資本が豊富な国が資本集約的な財Xを輸出している」という結果を出したとする。それに価値があるのは、さっきの洞察に対する理解が深まるからであって、ひどく単純化されすぎたモデルの個別の細部を本気で気にかけているからじゃないんだ。

やってみると、古典的な二部門、二財モデルから得られるような詳細を要求しなければ、外部経済モデルはごくすっきりしたものになった。「厚生と世界収入がどう分配されるか」といった「大局的」な問題を考えるのであれば、ごく単純できれいなモデルをつくれる。そして経済学で知りたいのはそういう大局的な問題だったりする。ぶっちゃけると、詳細にこだわりすぎるのは、使いすぎのモデルの根深い偏見を別の分野にも持ち込んでるだけで、それはわざわざ苦労をしょい込んでるようなものだったんだ。

同じことがぼくが取り組んできた多くの領域に当てはまる。一般的に、もしもある分野の人たちが超難問にはまっているなら、本当に正しい問題に取り組んでいるのか考え直してみるといい。もっと簡単に答が出せて、もっとおもしろい問題が他にあることも多いんだ！（この技の欠点は、人を怒らせることが多いことだ。何年も難問に取り組んできた研究者に、その問題をうっちゃればその分野は復活するよ、と教えてあげてもなかなか感謝されたりしないもんね）。

あえてバカになろう

もしもみんなが経済理論の分野で論文を発表したいならば、無難な方法がある。誰もが知っているモデルに、概念的にはつまらないけど、数学的に難解な拡張を加えればいいんだ。そのモデルの基本的な仮定はみんな知っているものだから、奇妙なものだとは思われない。やってることは技術的にむずかしいから、数学能力をひけらかして尊敬もされるだろう。残念ながら、人智には大して貢献してないけどね。

ぼくが新しい貿易理論の分野でやっていたのは、これとは正反対のことだった。見慣れない仮定を使って、とても単純なことをやっている。でも、こんなことをするのには、とてつもない自信が必要になるよ。だって、最初のうちはみんな（とりわけ雑誌の査読者）、その研究を批判するだけでなく、バカにするのは確実だから。どうやっても仮定が風変わりに見えるのはまちがいない。すべて同じ生産関数を持った財の連続体が、対称的な形で効用に入ってくるだって？　正反対の要素を与えられた、まったく同じ経済規模を持つ国々だって？　なんだってそんなバカバカしい仮定を持ったモデルに興味を持たなきゃいけないんだ、とみんな言うだろう——難問を解いてみせて才能を実証しているずっと頭のいい若い連中がたくさんいるってのに。

「ぼくたちが使っているモデルのすべてがバカバカしい仮定を使っている」というのは多くの経済学者にとって、ものすごく受け容れ難いことのようだ。認知心理学の知識から見れば、効用最大化なんてばかげた発想だ。金融市場の外部では、均衡なんてアホ臭い。完全競争なんてほとんどの産業では冗談もいいところ。こうした仮定を使う理由は、それがまともだからじゃない。現実の世界で起こるはずのことに対する、有効なメタファーとなるモデルをつくれるようにしてくれるからなんだ。

例を一つ見てみよう。役立つモデルであるばかりか、神聖なる真理を明らかにしたと（一部の）経済学者が考えている例——効用最大化と完全市場を前提にしたアローとドブリューの完全競争モデルだ。これは本当にすばらしいモデルだ——その理由は、仮定が髪の毛一筋ほどでももっともらしいからではなくて、経済効率性の性質や、市場システムの下での効率性実現可能性について、明晰に考えるのに役立つからなんだ。このモデルはまさに、華麗で見事なバカバカしさなんだ。

創造的なバカバカしさの時代はまだ終わっていないとぼくは信じている。経済理論家としての美徳は、過去の論文で何百回と使われて自然に思えるようになった仮定から最後の血の一滴を搾り取ることにあるんじゃない。もしも新しい仮定によって価値ある洞察が生まれるのならば、その仮定が風変わりかどうかなんてどうでもいい。

単純化、単純化

「あえてバカになろう」という指示は、でたらめをやっていいということじゃない。実は、本当に革新的な理論を作るのは、確立された学問分野で研究する以上に知的な鍛錬を必要とするんだ。道を踏み外さないのは本当に大変なんだよ。見知らぬ土地では、はっと気がつくと堂々巡りをしていることがあまりに多い。ケインズがどこかで「人間は一人でものを考えていると、驚くほど愚かなことを一時的に信じてしまう」と書いていたっけ。それともう一つ、自分とちがって過去何年もその問題と格闘しておらず、今後数年間にわたり自分の答と格闘する気もない他人でも、苦労しないで理解できるように自分の発想を表現することは決定的に大事なことだ。

運のいいことに、この両方を一石二鳥で果たしてくれる戦略がある。自分の洞察を導いてくれるし、そういう洞察を他人にもわかりやすくしてくれる戦略だ。それは常に自分の考えを、とにかく最も単純なモデルで表現しようとすることだ。必要最小限のモデルにまでそぎ落とす行為によって、自分の言わんとすることの本質に到達せざるを得なくなる（そして、自分が実は何も言うべきことを持っていない状況では、それを思い知らせてくれる）。そういう最小限のモデルなら、他の経済学者にも簡単に説明できるはず。

ぼくは、この「必要最小限モデル」アプローチを何度となく使ってきた。貿易における独占競争の基本的役割を説明するのに、一要素の一産業モデルを使った。産業内貿易の影響を説明するのに、完全なヘクシャー＝オリーンの要素代替を使わず、セクター固有の労働を仮定した。相互報復的なダンピングの役割を調べるのに、対称的な国を想定してみた、等々。そのおかげでどの場合も、とてつもなくむずかしいと思われていたテーマについて、一見するとバカバカしいくらい単純に見えるもので取り組めたんだ。

この戦略の欠点はもちろん、同僚の多くに「かわいらしいくらい小さなモデルで表現できる洞察なんて、どうせつまらん自明なものだろう」と思われてしまうことだ——単純さこそ何年も一生懸命考えた結果なんだ、ということが野暮な人にはわからない。ジョセフ・スティグリッツがイェール大学で終身教授職の審査を受けていたときに、先輩研究者が「スティグリッツの論文は深遠な定理がなくて、些末なモデルばかりで構成されている」と言って、彼の研究をけなしたという話を聞いたことがある。それで、別の同僚が「でも、それを言うならポール・サミュエルソンだってそうでしょ？」と尋ねたそうな。「まさにその通り」とジョーを非難した人は答えた。ぼくの論文に対しても同じような反応を耳にしてきた。幸運にも、洗練された経済学者は十分にいて、ほとんどの場合には知的な正義が通るようだ。そして、経済学者未踏の星へ大胆に歩を進めるばかりか、後から見るとほとんど児戯に等しいものでそれを実現するというのには、独特の喜びがあるんだ。

これまで、「新貿易理論」を作り上げた経験と、それを経済地理学に拡張させた経験という具体例を示しながら、ぼくの研究に対する基本的なルールを説明してきた。なぜならば、それらがぼくの仕事の核だから。でも、ぼくは他のこともたくさんやってきていて、それはある意味では、同じ活動の一部なんだ（とぼくには思える）。だから、このエッセイの最後に、他の仕事について、特に「どうしたら政策経済学者と分析的な経済学者が一人の中に同居できるのか」について書きたい。

政策関連のお仕事

ほとんどの経済理論家は同時代の政策問題に手を出さない——あるいは、仮に政策論争に関わるとしてもそれはキャリアの山を越えてからであって、創造的な理論構築と並行するというよりは理論化の後に続く何かとして関わる。よい理論を作り上げるために必要とされる「明晰さと目的の単一性」は、政策の議論で活躍するのに必要な、厄介な問題に対する忍耐とは両立しないというのが通念らしい。けど、ぼくにとってはちがった。ぼくは自分の学問的キャリアの合間に、いろんな政府や公的機関向けのコンサルティング商売をちりばめてきたし、アメリカ政府でも一年間働いた。それに、専門家ではない読者層に向けた『クルーグマン教授の経済入門』（山形浩生訳、ちくま学芸文庫など）なる本も書いた。そして、研究の内的論理から出てきた論文だけでなく、その時々の時事的な政策論争——たとえば、第三世界の債務救済、為替レートのターゲット・ゾーン、地域貿易ブロックの台頭——を理解しようとする試みから出てきた論文を継続的にたくさん書いてきた。これだけやっても研究のほうはダメになってないようだし、それどころかぼくのお気に入りの論文のいくつかは政策に端を発した仕事から生まれたものだ。

なぜ政策関連の仕事が、「本当の」研究のじゃまにならないんだろう？　それは、ぼくが基礎研究で使うのとほとんど同じ方法で、政策問題にアプローチできたからだと思う。新聞の記事や、中央銀行と財務大臣の関心事に注意を向けるのは、これまた「異教徒に聞いてみよう」の一種だ。彼らの抱えている問題を見極めるのに役立つ方法を見つけようとするのは、理論における「問題そのものの見直し」と同じことだ。ある問題について物知りなはずの人物に、その問題に関する非正統的な見解をぶつけるのは、まちがいなく「バカになる」だけの勇気がいる。そして、容赦ない単純化は理論よりも政策論争の場合のほうが価値があるくらいだ。

だから、政策に関係する経済学をやっても、ぼくにとっては知的スタイルを劇的に変えることにならない。そして、それなりの見返りもある。正直に認めるけれど、その見返りの中には豪勢な会議への招待状や、純粋学者よりもかなり高額な講演契約も含まれる。それに、政策調査の喜びの一つは、公式見解の無内容ぶりやバカバカしさを指摘して、ブルジョワどもの鼻をあかす機会だというのも認める。たとえばマーストリヒト条約のバカバカしさを嬉々として指摘した国際経済学者はぼくだけじゃないし、ERM危機で、ぼくや他の人がずっと予言してきたことが一九九二年の秋に実現したときにも、意地悪い喜びを感じずにはいられなかった。でもね、知的な刺激こそが政策に関する仕事のいちばんの見返りなんだよ。現実世界の問題のすべてがおもしろいわけじゃない――課税に関するほとんどあらゆる話題は、どんな睡眠薬より睡魔を誘うらしい。でも、何年かに一度、あるいはそれ以上の割合で、国際経済は、興奮するような研究へと発展する疑問を投げかけてくれる。プラザ合意や、ルーブル合意、ブレイディ・プランやNAFTA、それにEMUといったことに刺激を受けて、ぼくは理論的な論文を書いてきた。どの論文も、政策的な文脈抜きでも興味深い論文だとぼくは思っている。

もちろん、政策に関わる経済学者にとっては、本当の研究に十分な時間が割けないというリスクは常にある。確かに、ぼくはものすごくたくさんの学会用論文を書いてきた。もともと書くのはすごい速いんだけど、たぶんその才能を濫用しすぎたと思う。とはいえ、政策研究の大きな危険性は、時間がなくなることではなく、価値観が脅かされることだと思う。単に論文を書くよりも、政策に直接影響を与えるほうが重要だと思い込む誘惑にかられるのは簡単だ――多くの同僚がそれにはまるのも見てきた。だからその道に足を踏み入れたら、つまり、ボブ・ソローよりもデヴィッド・マルフォードが重要だと考え始めたら、あるいは、アヴィナッシュ・ディキシットと理論について語り合うよりもルリタニアの財務大臣とのおつきあいを重視し始めたら、それはたぶん研究の道を見失ったということだ。じきに「インパクト」という言葉を動詞として使い始めるだろう。

幸運にも、ぼくは政策問題と戯れるのは好きだけれど、政策立案者たちをどうしても真面目に受け取れなかった。真面目さに欠けるせいで面倒にも時々巻き込まれるし――学会で発表した論文に、フランス人についての軽いジョークを挿んだせいで、その学会に出席していたフランスの高官から、長々とした批判を受けたときみたいに――重要な政策ポジションにはこの先ずっと縁なしかもしれない。でも、まあいいか。なんだかんだいって、本物の権力を持つ地位に就くよりも、いい論文をもう少し書くほうがいい（政策の世界の人たちへ。だからって、そんな地位に招聘されても絶対断るとは限りませんのでヨロシク！）。

後悔していること

人生についても性格についても、後悔していることはたくさんある――仕事のうえでは驚くほどいいことばかりだったけれど、人生のその他の部分が同じくらい簡単だったり、幸せだったわけじゃない。でも、このエッセイではお仕事上の後悔についてだけ書こう。

真に実証的（計量的）な研究をまったくやってないことは少し後悔している。事実や現実の数字が嫌いなわけじゃない。表やグラフや、多少の回帰分析みたいな軽い計量研究は嫌いじゃないよ。でも、データセットを構築し、完全に分析するような本格的な計量研究にはどうも手がまわらないようだ。その理由の一部は、ぼくのアイデアの多くが標準的な計量経済学の実証になじまないことだろう。でも最大の理由は、ぼくに忍耐力と整理能力が欠けているせいだ。毎年、今年こそは実証的な研究をしようと誓うんだ。来年こそほんとにやってやる！

それよりも重要な後悔というのは、ＭＩＴの学生によるコース査定では、ぼくはなかなかいい教師だということになってはいるけど、本当に優れた学生、教師まで栄光に浴せるような類の学生を次々に生み出していないことだ。この失敗について言い訳はある――学生はしばしばもっと几帳面で直感型じゃない指導教官を好む。それにぼくは数学をそんなに使うな、もっと経済学を使えと要求するもんで、学生さんはみんな怯えるらしい。おそらく忙しそうで上の空に思えるらしいし、結局のところ人を啓発するほどの威光がないのかも（あと数センチ背が高ければな……）。理由は何であれ、もっとなんとかしたいとは思っているし、頑張るつもりだ。

でも、全体としてはぼくはとても幸運だった。いくつかの偶然の出来事がきっかけで、ぼくは自分にとってものすごく役にたった知的スタイルに出会った。幸運の多くはその偶然に関するものだ。ぼくはこのエッセイで、そのスタイルを定義して説明しようとしてきた。これは人生哲学だろうか？もちろんちがう。経済研究の哲学かどうかさえ確信がない。だって、ある経済学者に役にたったものが、他の人にも役だつとは限らないものね。でも、これがぼくの研究方法だし、ぼくはそれでうまくやってるのだ。

＊1訳者注：正確には、自分は最高の経済学者と、最高の騎手と、最高の愛人たろうとしたけれど、そのうち二つしか果たせなかった、と述べている。

第90章
穏健さの不安定性

『ニューヨーク・タイムズ』ブログ
二〇一〇年一一月二六日

ブラッド・デロングは、大不況の後で人々の歴史認識がどう変わったかについて書いている。かつてはみんな、大恐慌とうまく戦うだけの知識も意欲もなかったお祖父さんたちを哀れんだものだ。いまや自分たち自身が、昔のまちがいをすべて繰り返しているのに気がつかされたという。私も同じ気分だ。

でも過去三年の政策的な失敗を見るにつけ、私はこの失敗が根深いものなのだとますます信じるに到っている——人々はある意味で、こうしたものをくぐり抜けるという宿命にあるのだ、と。具体的に言うと、ブラッドと私がどちらも支持しているような穏健な経済政策レジーム——おおむね市場に活躍させるが、政府が過剰の手綱を引き、不景気には対処するような仕組み——が本質的に不安定なのではないかと思い始めているのだ。これは一世代かそこらは維持できるけれど、でもそれ以上はあまり長持ちしない。

「不安定」といっても、ミンスキー型の金融不安定だけを指すのではないけれど、それも一部ではある。同じく重要なのは、そのレジームの知的・政治的な不安定性だ。

知的不安定性

私が日常の仕事で使う経済学の流派――いまだに現存する中で、群を抜いて最もまともなアプローチだと私が思っている流派――は一九四八年にポール・サミュエルソンが、古典的な教科書の初版を発表したときにおおむね確立されたものだ。このアプローチは、見えざる手が一般には望ましい結果をもたらす点を強調するミクロ経済学の偉大な伝統と、経済がエンジンのスターター問題をつくり出し、政策介入を必要とするようになる点を重視するケインズ派マクロ経済学を組み合わせたものだ。サミュエルソンの統合では、おおむね完全雇用を確保するためには政府に頼らねばならない。それが所与となって初めて、通常の自由市場の美徳が全面に出てこられる。

これは深遠なまでにまともなアプローチだ――でも知的には不安定だ。というのも経済についての考え方に、ある程度の戦略的不整合が必要とされるからだ。ミクロ経済学をやっているときには、合理的な個人と急速にクリアする市場を想定する。マクロをやっているときには、摩擦やとってつけたような行動的想定が不可欠となる。

それがどうした？　有益なガイダンスを求める中で不整合が生じてもいけないことはない。地図と領域はちがうのだし、達成したいことに応じてちがう地図を使っても無問題だ。運転するときには道路地図で十分。ハイキングなら本当に地形図が必要だ。

でも経済学者たちはやがて、ミクロとマクロを隔てる境界線をつくようになる――これは現実にはマクロをもっとミクロっぽくしようとする、ということで、ますます多くのものを最適化と市場クリアリングに基礎づけるということだ。そして「ミクロ的基礎」を構築する作業が失敗したら？　うん、人間の性質と、弟子たちの能力逓減の法則が加わることで、おそらく経済学の専門業界があっさりビジネスサイクルの現実を、モデルにあわないからということで前提により消し去ってしまうのは不可欠だったんだろう。
その結果が、私の言うマクロ経済学の暗黒時代で、大量の経済学者たちが一九三〇年代と四〇年代に苦労して獲得された洞察を、本当に何も知らない状態が生じた――そしてもちろん、その無知を指摘されると真っ赤になって激怒する。

政治的不安定性

保守派とケインズ派に同時になることは可能だ。結局のところ、当のケインズからして自分の業績を「その含意においてそこそこ保守的」と述べたのだし。でも実際には、保守派は常に政府が経済で何か有益な役割を果たすという主張を、社会主義の大なたの先端と見なす傾向があった。ウィリアム・バックリーが *God and Man at Yale*（『イェール大学の神と人』）を書いたとき、その主要な苦情はイェール大学の教授陣が――なんとも恐ろしいことに！――ケインズ経済学を教えているということだった。

私は昔からマネタリズムというのが、実質的には、マクロ経済的な現実を否定することなく保守派の政治的偏見を促進しようという試みだと考えてきた。フリードマンが言っていたのは実質的に、はいはい経済を安定化させる政策は必要ですよ――でもその政策を専門的でほとんど機械的なものにしてしまえるんですよ、ということだった。そうすれば、その政策は他のあらゆるものから隔離してしまえる。中央銀行にM2を安定化させるよう言いなさい、それ以外はもう自由奔放に任せて！

マネタリズムが破綻したら――ケンカを売っているようだけれど、でもだって、本当に破綻したのですもの――それに代わったのが独立中央銀行のカルトだった。マネタリーベースを銀行屋っぽい連中に任せ、政治的圧力から隔離して、ビジネスサイクルの対処はそいつらに任せよう。一方、その他すべては自由市場の原理に任せて実行できる、というわけ。

そしてこれはしばらくは成功した――しばらくというのは、だいたい一九八五年から二〇〇七年までの大中庸時代だ。成功した理由の一部は、中央銀行の政治的隔離が彼らに知的な独立性も多少ならずもたらしたということだ。マクロ経済学の暗黒時代には、中央銀行がその修道院となり、世界の他の人々には失われた古代文書を貯め込んで研究することになる。リアルビジネスサイクルの連中が専門経済学誌にはびこるようになり、財政政策はおろか金融政策が何か役割を果たすようなモデルを発表するのがとても困難になった時期ですら、連邦準備制度の研究部門は比較的現実的なやり方で、景気循環を抑えるような政策について研究を続けていた。

でもこれまた不安定だった。一つには、もっと広範な財政政策の支援なしには中央銀行でも対処しきれない、大きなショックが遅かれ早かれやってくるのは避けられなかったからだ。また遅かれ早かれ、野蛮人どもが修道院をも襲うようになる。そして現在の量的緩和をめぐる大騒動が示すように、侵略の軍団がついにやってきた。

金融的不安定性

最後ながら重要な点として、中央銀行主導の成功そのものが、金融規制緩和と組み合わさり――これまた自由市場原理主義復活の副産物だ――中央銀行では対処しきれないほど大きな危機の舞台を整えた。これがミンスキー主義だ。長期にわたる比較的安定した時期が、リスク軽視を拡大させ、負債を増やし、最終的には巨大な負債解消のショックがやってきた。そしてミルトン・フリードマンはまちがっていた。経済を流動性の罠に押し込むくらいの本当に巨大なショックを前にしたら、中央銀行では不景気を阻止できない。

そしてその大ショックがやってくる頃には、知的暗黒時代への転落が、政治的理由に基づく政治的な能動性排除と組み合わさり、もっと広範な対応についてみんな合意できなくなってしまっていた。すると結局のところ、サミュエルソン的統合の時代は、ひどい終末を迎えるのが定めだったのではないか。その結果が、いまあたり一面に見られる廃墟というわけだ。

第91章 取引費用と係留索(テザー)：暗号通貨への懐疑論

二〇一八年七月三一日

まだ休暇中で、ヨーロッパ各地でハイキングと自転車を楽しんでいるところ。ニュースはそこそこ追ってはいるけれど、何かをきちんと書いて投稿できるような場所にやってくるのは、ごくたまにでしかないし、それがいつかも予測不能だ。

でもいまやそうした場所にいるので、戻ってからやることになるネタについて、事前に考えを投稿しておこうか。具体的には、あと数週間で私はブロックチェーンとかなんとかの会議で、エマニュエル・ゴールドスタイン——想定敵——を相手取ることになる。だって、好意的な聴衆ばかりを相手にするのは、怠けすぎってものだからね。だからなぜ自分が暗号通貨の懐疑派なのかについて説明しておくのも有意義だと思ったわけだ。

結局その理由は二つに集約できる。取引費用と、係留索(テザー)の不在。説明しよう。

金融の歴史をざっとふりかえると、その変化にははっきりした方向性がある。事業の摩擦を減らし、そうした摩擦と対処するために必要な実物リソースを減らす、というものだ。

まずは金貨や銀貨があって、これは重たいし、安全に保管するのに手間暇がかかり、生産にも大量のリソースが必要だった。

それから部分的な準備金を裏付けとする銀行券（紙幣）がやってきた。これが人気があったのは、硬貨の袋よりずっと扱いやすかったからだ。また物理的な貴金属の必要性も減らした。これはアダム・スミスが述べたように「空中の輸送路のようなもの」を提供し、リソースを解放して他の用途に使えるようにした。

それでも、この仕組みはかなりの商品通貨を必要とした。ところが中央銀行制度が出てきて、市中銀行は準備高を金や銀で持たずに中央銀行の預金として保有するようになって、この必要性が大幅に減り、不換紙幣への移行でそうした必要性はほぼ完全に消えた。

一方、人々はだんだん現金取引を減らし、まずは小切手による支払い、さらにはクレジットカードやデビットカードや、その他のデジタル手法に移行した。

この歴史を背景に考えると、暗号通貨に対する熱狂はずいぶん奇妙に見える。というのもそれはこの長期的なトレンドに真っ向から逆らうものだからだ。ほとんど摩擦のない取引のかわりに、事業費用は高くなる。というのもビットコインなどの暗号通貨を転送するには、過去の取引の完全な歴史を提供しなければならないからだ。マウスのクリック一つで生まれるお金に変わり、マイニングしなくてはならないお金となる――それもリソースを大量に必要とする計算がいる。

そしてこうした費用はたまたまのものではないし、イノベーションで消え去るものでもない。マーカス・ブルナーマイアーやジョセフ・アバディが指摘するように、高い費用――新しいビットコインをつくり出すのを高価にしたり、既存のものを転送するのが高価になったりしていること――は分散化システムへの信頼をつくり出すというプロジェクトにおいて不可欠なものだ。

銀行券がうまくいったのは、それを発行する銀行について人々が何かしら知っていたからだ。そしてそうした銀行には評判を維持するインセンティブがあった。政府はときどき、不換紙幣を生み出す特権を濫用したけれど、おおむね政府も中央銀行も自制心を働かせる。これまた自分たちの評判を気にするからだ。でもビットコインを誰が発行したかわからないのにそれが本物だと確信しなければいけないなら、金貨をかじって本物かどうか調べる手法のデジタル相当物が必要となる。そしてその試験を満たすような何かを生産する費用は、詐欺を避けられるくらい高くなければならない。

言い換えると、暗号通貨マニアは実質的に、最先端技術を使って金融システムを三〇〇年逆行させたのを喜んでいるというわけだ。なんだってそんなことをしたいかね？　それでどんな問題が解決されるる？　この質問に対するはっきりした答にはいまだにお目にかかっていない。

伝統的なお金が、一般にそうした作業をかなりうまくこなしていることもお忘れなく。取引費用は低い。一年後のドルの購買力はかなり予測しやすい――ビットコインとは桁ちがいに予想しやすい。銀行口座を使うというのは銀行を信用するということだけれど、銀行はおおむねその信頼を正当化できる存在で、暗号通貨トークンを保有する企業よりはずっと信頼できる。だったら、はるかにまずい仕組みのお金に戻る理由は何？

実際、ビットコイン開始から八年たっても、暗号通貨は実際の商業取引でほとんど使われていない。少数の企業がビットコインの支払いを受け取ってはくれるけれど、見たところこれはシグナリングのためだ――ほらごらん、ぼくたち最先端なんですよ、というわけ――実際の有用性でやっているわけじゃない。暗号通貨は市場の時価は高いけれど、圧倒的に投機的な遊びで保有されているのであって、取引媒体として便利だから保有されているわけでもない。

だったら暗号通貨は純粋なバブルで、いずれゼロにまで価値低下するのか？　他にもお金としては大して使われないのに、人々がそれでも持ちたがるような、通貨じみた資産があることは指摘しておこう。黄金はずいぶん長いこと実際のお金ではなくなっているのに、まだ価値は維持されている。

そして同じことが、現金の相当部分についても言える。現金取引は一般的とはいえ、売買価値に占める割合はとても小さくて減少し続けている。それなのに、一九八〇年代以来のドル現金保有高は対ＧＤＰ比でむしろ増えている――その上昇の大半は五〇ドル札と一〇〇ドル札の増加によるものだ。

さて高額紙幣は支払いにはあまり使われない――多くの店は受け取りを拒否するほどだ。だったらその大量の現金保有は何？　みんなその答は知っている。脱税、非合法活動などなど。そしてその大半はアメリカの外で起こる。推計ではアメリカ通貨の半分以上は外国人が保有している。

明らかに暗号通貨は、実質的にまさにそうしたビジネスのシェアをめぐって争っている。自分の請求書の支払いにビットコインを使う人はほとんどいないけれど、一部の人はそれを使ってドラッグを買ったり選挙を歪めたり、といったことをしている。そして黄金や高額紙幣の例はどちらも、この種の需要は資産価値をかなり維持できると示唆している。だったら暗号通貨は、その支持者たちが主張するような破壊的テクノロジーではないにしても、バブルではなかったりするということか？

はい、ここで係留索（テザー）、または暗号通貨の場合はその不在が出てくる。

日常生活だと、死んだ大統領の肖像がついた緑の紙切れの価値がどこからきているか、人々はいちいち心配しない。ドル紙幣をみんなが受け取るのは、他の人がドル紙幣を受け取るからだ。でもドルの価値のすべてが自己実現的な期待だけからくるわけじゃない。最終的にはそれは、アメリカ政府が納税でドル紙幣を受け取るという事実により支えられている――そしてその税金を負債として課せるのは、それが政府だからだ。お望みなら、不換通貨に根拠となる価値があるのは、銃を持った連中がそう思えと言うせいだと言ってもいい。そしてこれはつまり、その価値は人々の信頼がなくなれば消えるようなバブルではないということだ。

つまり麻薬王の金庫だかどこだかにすわっている一〇〇ドル紙幣の価値は、アメリカにあるもっと小額紙幣の価値に係留されている。

ある意味で黄金は似たような状況にある。ほとんどの黄金はそこにあるだけで、価値があるのはみんながそれに価値があると思っているからだ。でも黄金は確かに現実世界の用途があり、宝飾品や金歯に使われることで、実物経済に対して弱々しいながらも本物の係留索を持っている。

これに対して暗号通貨には裏付けもなく、現実との係留索もない。その価値は完全に自己実現的な期待に依存している——これはつまり、本当に完全な価値崩壊があり得るということだ。投機家たちが集合的に疑念を抱く一瞬があって、いきなりビットコインが無価値ではと恐れたら、ビットコインはまさに無価値になる。

それが起こるだろうか？　起こる可能性はかなりあると思う。理由の一部は、暗号通貨の救世主的なレトリックと、それよりずっと月並みな実際の可能性とのギャップのせいだ。つまり、ビットコイン（他の暗号通貨はたぶん無理）がおもに闇市場取引や脱税に使われ続けるという潜在的な均衡はあるかもしれないけれど、その均衡があるとしても、ここからそこに到達するのはむずかしい。ブロックチェーン化した未来という夢が死んだら、その失望ですべてがおそらく崩壊する。

そういうわけで、私は暗号通貨の懐疑派だ。まちがっているかもしれない？　もちろん。でもまちがっていると言いたいなら、次の質問に答えてくださいな。暗号通貨はどんな問題を解決してくれるんだい？　こけおどしのハイテク談義だの、リバータリアン的なご託だののごった煮で懐疑派を黙らせようとしなさんな。

訳者解説

山形浩生

本書はPaul Krugman, *Arguing with Zombies: Economics, Politics, and the Fight for a Better Future* (2020, W. W. Norton) の全訳となる。翻訳にあたっては、出版社からの最終ゲラＰＤＦを利用した。

１．本書の概要：共和党批判の『ニューヨーク・タイムズ』コラム集成

本書は基本的に彼の『ニューヨーク・タイムズ』連載コラムと、その関連ブログの記事をまとめたものとなる。彼がその連載を始めてからずいぶん経つ。当時ブッシュジュニアだったアメリカ大統領は、その後バラク・オバマを経て、いまやドナルド・トランプ。その間の様々な政治課題にあわせた各種のコラムを集めているけれど、そのほとんどについての共通テーマは、共和党下げ、ということになる。

『ニューヨーク・タイムズ』のクルーグマンコラムは、この点で昔から揶揄する声が絶えなかった。アメリカの定番ジョークに「切れた電球を換えるのにＸＸＸは何人必要か」、というのがある。もともとは人種ネタジョークだが、ＸＸＸをクルーグマンにして、「1人。ただし交換前に2時間にわたり共和党への罵倒を聞かされる」といったオチがときどき出回ったほどだ。

そしてこの話は、ブッシュジュニア就任直後に特に顕著だった。９・１１テロ以降の変な減税や景

気対策、イラク侵略問題、アメリカ国内電力の自由化問題等々で、クルーグマンコラムはブッシュ政権の悪口を書きまくり、その当時はかなり嘲笑され、党派性が強すぎると批判を浴びた。この頃の話は、『嘘つき大統領のデタラメ経済』『嘘つき大統領のアブない最終目標』（いずれも早川書房）に収録されている。

が、ふたを開けてみると、実はクルーグマンの主張の相当部分がその通りだった。景気や減税の話も、へんな自由化や規制緩和の影響も、イラク戦争の話も。そしてその強みは、何やら政治界隈の事情通だの情報リークだのに頼らない、公開資料にもとづいた分析にあった。本書も、その路線上にある本だ。

2. 本書の醍醐味：理論とデータに基づく骨太な議論

本書でも、各種のデータに基づいた話や、経済関係の理論にきちんと根差した部分はきわめて勉強になる。各種減税の影響や、リーマンショック／世界金融危機後の景気回復対策、さらにアメリカだけでなくヨーロッパにも広がる、財政緊縮至上主義の誤りなどの指摘においては、理論的な分析もまた定量的な分析においても、おおむねクルーグマンの述べた通りではあった。本書のそうした部分は、クルーグマンの面目躍如だし、日本でいまだに顔を出す、隙あらば増税しよう、歳出カットで財政収支均衡といった勢力に対する批判として十分に役立つ。

クルーグマンの専門である貿易ネタもまた、非常に勉強になる。トランプがどうして勝手に独断で関税をかけたりできるのか、本書を読むまではこの訳者もあまりよくわかっていなかったけれど、議会での利権工作を避けるために大統領の独断が認められている、ということなんですねー。なるほど。

また量的にかなり少ないのが残念ではあるけれど、ＭＭＴに対する批判や、ビットコインに対する疑義、さらに特にロボットやＡＩが仕事を奪う／奪っているという俗説に対する反論などは技術至上主義に走りがちなハイテクおたくとしては耳が痛いところではある。

3. 本当に共和党だけのせいなのか？

ただ、それ以外の部分については……読者のみなさんの関心次第ではある。正直言って、本書のコラムはアメリカのローカルな話題が本書の相当部分を占める。アメリカの各種制度改革をめぐる政治的な立ち回りの細かい中身は、日本人としてはいま一つ興味が持ちにくい部分ではある。

そして、あくまで外国の野次馬としての感想ながら、共和党は本当にクルーグマンが主張するように、アメリカを単なる白人金持ちだけの利権免税差別大国にしようと思っているのだろうか？　トランプ当選は、本当に貧乏白人労働者がだまされ、白人優位のＫＫＫもどきが動員されたせいだけなのだろうか？　アメリカって、ホントにそんなすごい差別屋のスクツなんですか？

さらに民主党側の話は一切考えなくていいんだろうか。ヒラリー・クリントン敗退直後には、民主党側にかなり反省の機運はあった。本書でも格差の部分で名前が挙がる、あの『21世紀の資本』のトマ・ピケティは、最近のリベラル派（つまりはアメリカの民主党側）の低迷は、リベラル派がエリート主義になって、安易なポリコレ標語だけの自己満に陥り、本当に一般労働者を代弁しなくなったせいだと批判している。でも本書はまったくそういった話には触れない。民主党は、総得票数では上だった、だからすべては共和党の汚い工作のせいだと言わんばかり。そうなんだろうか？　二〇二〇年の大統領選挙でも、お手軽なトランプ叩きに終始するだけでいいのか……。

とはいえ、これもブッシュ政権のときに見られたように（そして本書でも論難されているように）何やら中立を気取りたい人間の空疎な物言いにすぎないのかもしれない。数年たって、またもやクルーグマンの言うことが全部正しかった、という結果になる可能性は十分にある。さらにクルーグマンが正しかろうとまちがっていようと、しょせん、アメリカの国内問題であり、部外者があれこれ言っても仕方ないところではある。

4．気候変動対応への懐疑はすべて陰謀なのか？

が、国内問題を超える問題として、気候変動の話がある。本書のクルーグマンは、温暖化懐疑論や壮絶な対応策を疑問視する連中をみんな、共和党の子飼いの御用学者／評論家しかいないと断じ、すべて石油ロビーとその傀儡たる共和党の陰謀なのだとする。

でも、非常にリベラルなスティーブン・ピンカーを始め、温暖化を認めつつも、極論に基づく恫喝大災厄議論は否定し、穏健な適応策を重視する有力な論者はたくさんいる。それがみんな、石油業界に鼻薬を嗅がされているとはとても信じられない。

ちなみに彼は温暖化議論の良心にして権威として、「あのホッケースティックグラフを考案したマイケル・マン」を挙げる。これにはいささか驚いた。マンのホッケースティックグラフというのは、最近になって地球温度が急激に跳ね上がったことを示すとされる長期のグラフだ。

でもこのグラフは、発表当初から大きな批判にさらされてきた。というのも、過去に明らかに存在した中世温暖期や小氷河期が、まったくなかったことになっているのだ。さらに使ったデータやモデルは一切公開されておらず、あげくに批判者を訴えた裁判でもデータの提出を命じられて拒否したため、マンは敗訴している。いまはＩＰＣＣの報告書にも使われていない。温暖化の議論に関心のある人々の間で、ホッケースティックグラフは、むしろ悪いニュアンスがつきまとうように思うのだが。

5．クルーグマンのまちがいと情熱

もちろんこれは、読者の視点でも感じ方は分かれるだろう。単にクルーグマンの言うことだからといって鵜呑みにする必要はないというだけの話だ。

たとえば経済の話でも、トランプ政権当初、いきなり変な関税だの工場移転するなという口だしだのを始め、中国と全面対決姿勢を見せ始めたときには、みんな度肝を抜かれ、さあこれでアメリカの株も景気も急落だと騒いでいた。クルーグマンも、ちょっとでも景気下降の気配が見えると、ホラ見ろそろそろトランプもヤバいぞ、と書き続けてきた。

が、トランプ景気はむしろ好調だった。最初は「いやこれはオバマ時代の施策の成果が遅れて効いただけだ」と弁解していたが、数年たってそこらへんはなんとなくうやむやにされているし、本書にもそうした拙速なコラムは収録されていない。

また理論面でも、多少の変化は見られる。これは専門の貿易分野でも言える。クルーグマンはもともと、外国の安い労働力がアメリカの雇用をつぶすとか賃金水準を引き下げるといった議論がいかに素人丸出しのバカか、という解説をたくさん書いてきた。でも最近、中国の急伸とコンテナ輸送の激増により、確かにアメリカの雇用や賃金水準に影響が出たことを認め、自分のこれまでの立場を訂正している。ただし、それは一回限りの話で、いまはもうそうした影響は止まっていると述べている（これは本書には入っていないが）。

いずれの場合も、クルーグマンは一貫して、あまり政治的な計算なしに思ったこと、考えたことをスパッと書いてくれる。読む側としても、おかげでいちいち裏読みをする必要はない。その直情主義も含めた明解さはクルーグマンの大きな魅力だ。

いまなお、『ニューヨーク・タイムズ』のコラムは続いている。当然ながらいまの大きな批判は、トランプ政権のコロナ対応となる。それが今後どう展開するのか、さらに二〇二〇年大統領選はどう捕らえるのか（クルーグマン一押しだったエリザベス・ウォーレンはすぐに撤退し、ジョー・バイデン候補をあまり積極的に推したい雰囲気でもなさそうなのだが、どうなのだろうか？）——次回作では、おそらくそのあたりが焦点の一つとなるだろう。そのときに、本書に収録されたコラムの評価がどうなるかも楽しみなところだ。

6. 翻訳について

本書では、クルーグマンの一人称が「ぼく」と「私」で混在している。ぼくは、クルーグマンの文体がこの長年の間に多少変わってきたように感じているので、その反映だ。おおむね、彼がノーベル賞を受賞した二〇〇七年あたりからなんとなく変えている。

また、本書はアメリカのローカルな話題が多く、さらに執筆時点での各種話題が、説明なしにたくさん登場する。ナンシー・ペロシはだれか、AOCってどんな人か、といった具合だ。煩雑になるので、そのすべてに解説をつけることはしていない。知らないと話がまったくわからない場合と、今後多少はニュースなどに登場しそうな人物やネタに関してのみ解説をしている。ニュート・ギングリッチが何者かというのは、多くの人にとってもはや考古学的な話でしかないだろうし、ロバート・ライアンやミッチ・マコネルがだれかといった話は、アメリカの現代政治に関心ある人は当然知っているはずで、知ったからといって本書収録コラムの理解が深まるわけでもない。

大きなまちがいはないものと思うが、もしお気づきの点があれば是非とも訳者までご一報を。訂正などは以下のサポートページで、随時公開する。

https://cruel.org/krugman/zombie/

二〇二〇年六月　コロナ戒厳令下の東京にて

山形浩生 hiyori13@alum.mit.edu

ゾンビとの論争（ろんそう）
経済学、政治、よりよい未来のための戦い
2020年7月20日　初版印刷
2020年7月25日　初版発行
*
著者　ポール・クルーグマン
訳者　山形浩生（やまがたひろお）
発行者　早川浩
*
印刷所　三松堂株式会社
製本所　大口製本印刷株式会社
*
発行所　株式会社　早川書房
東京都千代田区神田多町2−2
電話　03-3252-3111
振替　00160-3-47799
https://www.hayakawa-online.co.jp
定価はカバーに表示してあります
ISBN978-4-15-209956-3　C0033
Printed and bound in Japan
乱丁・落丁本は小社制作部宛お送り下さい。
送料小社負担にてお取りかえいたします。